集英社文庫

あの銀色の夜をふたたび

サンドラ・ブラウン
秋月しのぶ・訳

あの銀色の夜をふたたび

登場人物

キャスリーン・ヘイリー　ファッション・バイヤー
エリク・グッドジョンセン　ビデオカメラマン
エドナとBJ　サマーキャンプの主催者
ジェイミー　サマーキャンプの児童
セス・カーホフ　デパート〈カーホフ〉のオーナー
ヘイゼル・カーホフ　セスの姉。〈カーホフ〉の役員
ジョージ・マーティン　セスのアシスタント
アリス・マーティン　ジョージの妻。カーホフ家の家政婦
エリオット・ペイト　キャスリーンのアシスタント
タマーラ　ファッション・モデル

1

カイトがくるくるまわって、急に落下しそうになった。子どもたちがいっせいに悲鳴を上げ、金切り声で叫ぶ。

「ほら！」

「キャシー、ああ！」

「引き上げて！」

「そこ、キャシー、もっと上に！」

キャスリーンは、揺れているカイトから目を離さず、唇を噛みしめて糸を強く引っ張った。糸を持つ手を頭上にあげたまま、騒いでいる子どもたちのスニーカーのあいだをよけながら、小走りに後ろへ駆ける。

「少し糸をゆるめるんだよ」

不意に、背後から太く低い男の声がした。誰だろう。キャスリーンは、声の主を確かめる余裕がなくて、そのまま後ろの男にぶつかってしまった。

びっくりした途端、腕が下がり、カイトは一気に急降下した。

その下はオーク（カシ）の木だ。カイトはそこへ落下して、哀れにも大枝に貫かれ、尾は葉の茂った小枝のあいだにからまった。子どもたちはいっせいに木のほうへ走っていった。小枝をよじ登りながら、互いに命令し、なんとかできないか言い合っている。

　男はその様子を見ていたが、首をまわしてキャスリーンに視線を移した。はっとするほど青い瞳だ。「ごめん、ごめん」悪かったというように、胸に手をあてた。ほんとうだろうか、おもしろがっているように見える。恐縮しているのは、どうも疑わしかった。「なんとかしてあげようと思ったんだが」

「ひとりでやれたのに」

「もちろん、きみならできたと思うよ。ただ、きみも子どもだと思って。助けが必要そうに見えたんだ」

「わたしが子ども！　まあ！」お下げに、化粧っけのない顔。それにネイビー色のショーツと、胸のところにサマーキャンプのシンボル・マークがついたTシャツを着ている。彼が間違えるのは無理はないかもしれない。

「キャスリーン・ヘイリーです、このキャンプの指導者のひとりよ」彼は品定めするように彼女を見た。そういうふうに見えないのだろう。「カウンセラーを兼ねてるんです」言いそえて、右手を差し出した。

　濃い口ひげの、金髪の大男が彼女の手を握った。

「エリック・グッドジョンセン。スペルは、ジー、ユー、ディー、ジェイ、オー、エヌ、エス、イー、エヌ、でも発音はグッド《良い》ジョンセン」

「あなたのこと、お聞きしてるかしら、ミスター・グッドジョンセン？」

「ビデオカメラマンだ。UBCで、ドキュメンタリー番組を撮っている。ハリソン夫妻から、ぼくが来ることを聞いてないかな？」

　もしかしたら彼女が聞き逃していたのかもしれない。「今日だとは言ってなかったと思いますわ」

　キャスリーンの発案で、この『孤児のためのマウンテン・ヴュー・サマーキャンプ』のことが、テレビの特集番組『ピープル』で、全国的に放映されることになっていた。キャンプのことを広く知ってもらい、それによって寄付金を募《つの》る目的だ。

　これまでにキャスリーンは、ニューヨークにあるキー・ステーションのプロデューサーに、自分の考えを理解してもらうため、何度か手紙と長い電話をやりとりしていた。その結果、このサマーキャンプ期間中のいつか、カメラマンを派遣して、子どもたちの活動をビデオに撮らせるという返事をもらっていた。

　それでも、ビデオカメラマンのことは彼女の頭になかったし、ましてや彼のような人が来るとは想像もしていなかった。カメラマンてこんな感じだっただろうか？　もっと浅薄《せんぱく》な印象だった気がする。ぶかぶかのパンツに、首から身分証明のバッジのように露出計をぶらさげているのでは？　頭に描いたカメラマンのイメージと、目の前のエリック・グッドジョンセンの姿とは、少しも一致しなかった。

見た感じは名前のとおり北欧系だ。荒々しい祖先から、立派な体を受け継いでいた。バイキングの血は、長身で筋肉質の体に着実に流れ、力強さとバイタリティをみなぎらせている。くつろいだ姿勢ではわかりにくいけれど、おとなしく立っていても力が強そうに見える。

髪は日に照らされて、黄金のヘルメットのようにきらきらしていた。ふさふさとして、豪《ごう》奢《しゃ》だ。ただし、ぼさぼさのまま、上品な顔のまわりにかかっている。金色の濃い口ひげのせいで、横長の口がさらに官能的に見える。笑うと、丈夫そうな真っ白の歯がきらっと光り、日焼けした顔といい対照をなしていた。

はき慣れたジーンズは体にぴったりして、ほっそりした腰からやや下がったところで止まっている。太腿《ふともも》の筋肉を、まるで野球のグローブのように、きっちりとおおっていた。着心地がよさそうなシャンブレー（白横糸と色つきの縦糸で霜降り効果を出した織物）のシャツ。袖を折り曲げて、筋骨たくましい腕がむき出しになっている。青い生地が幅広の胸を浮き上がらせているので、その下の胸毛の黄褐色が透けて、青色とまじりあって見えた。ボタンをかけていない深いVゾーンをじっと見るなんて、とてもできそうにない。長い手の指は先のほうが細く、複雑なビデオカメラを操作するのに必要な、力と感性の両方をあわせ持っているようだ。

どうして、こんなに胸が高鳴ったのだろう。キャスリーンは、コードがぶらさがった彼の首から、誇り高くやや頑固そうな顎、官能的な口、なめらかな鼻筋、それから青い瞳を見ていった。

彼女の緑の瞳がそこで止まる。二つの瞳がぶつかった瞬間、体の下腹部に思いがけない感覚が渦巻いた。喜びと不安がかすめる。

「もっと厳しいニュースのほうが似合ってるみたい」

彼はぶっきらぼうに肩をすくめた。「行けと言われたところに行ってるだけだよ」

「では、わたしたちに天使を期待しないでくださいね、がっかりなさるかもしれない。わたしたち、とても正直なんです」

「天使を期待してるとは言わなかったんだがな。なぜそんなに厳しい言い方をされるんだろう？　マスコミの関係者を信じてないの？」前屈みになってささやいた。口ひげのために、微笑《ほほえ》んでいるのかどうかわからない。「それとも、一般に男を？」

彼女はそれにはとりあわず、落ち着いて言った。「丘を登って、左側の道を行ってください。そのまま、まっすぐメインゲイトまで。すぐに建物が見えるわ。右側に事務所があります。そこにエドナか、ＢＪがいると思います」

「ありがとう」彼は笑顔のまま、ゆっくりと、止めていたブレイザー（トラック）のほうへ歩いていった。


あれからずっと、いらいらする。キャスリーンはその理由を論理的に説明できなかった。けれど、元気いっぱいの子どもたちとは、いつものように楽しく接していた。それは自信がある。子どもたちは、彼女のことをキャシーと呼んで、カウンセラーのなかでもいちばん慕ってくれていた。キャシーの愛情がわかるのだろう。

それでも、今日はどうしたのだろうか。エリク・グッドジョンセンに会ってからずっと気持ちが落ち着かず、太陽が早く地平線のかなたに沈んでくれるのを待ちこがれていた。五時になれば、子どもたちはいったん宿舎に戻って休憩し、それから大きな食堂でにぎやかに食事をする。

今、子どもたちは、アーカンソー州北西部の、オザーク山地を流れているキングズ川にいた。ロープで区切った安全地域で遊んでいる。キャスリーンは川岸に坐り、太陽の光にあたってほっとしていた。子どもたちの監督だが、みんなきれいな水のなかではしゃぎまわっていて、心配はなさそうだった。一瞬のやすらぎの時間を、彼女も楽しむことができた。深く吐息をついた。川面が太陽の光できらっと輝き、まぶしくて一瞬、目をつぶった。彼女はここを愛していた。毎年の夏、キャンプのカウンセラーとして、ハリソン夫妻を手伝うのは、彼女にとっても貴重な休息の時期になっていた。

キャスリーン・ヘイリーは、アトランタの〈メイソン・デパート〉で、ファッション・バイヤーとして働いていた。一年に六十日間、その仕事を休む。残りの十か月、めまぐるしい忙しさのなかで動きまわっているけれど、そこから逃げ出して、山のなかでリフレッシュするのだ。規則正しい食事、早寝早起き、へとへとになるまでの運動。スケジュールは厳しいのに、彼女にとっては心身共に息抜きになった。

キャリアウーマンがキャンプのカウンセラーとして奉仕するために、貴重な時間を捨てる話はあまり聞かないけれど、キャスリーンにとっては、これは好きでする仕事だった。ここで子どもたちと接していると、どんなに愛情と注意をほしがっているかじかに感じられた。彼女もまた、以前、ここで愛情を受けていた。それを少しでもお返しできるなら、時間と手間をかける以上の価値がある。

「ねえ、キャシー、ロビーがロープをくぐってるよ」

彼女は目を開けて、何かと言いつけにくる子どもが指さした男の子のほうを見た。厳しい規則を破って、ロープを抜け出している。

「ロビー！」キャスリーンが大声で呼んだ。子どもが水面から頭を出したので、彼女は咎《とが》めるように見た。境界の下へ戻ってきたけれど、立ち上がって水が肩まである場所でまだぐずぐずしている。本気で叱っていることを、示さないといけない。「もう一度、ロープの外へ出たら、あなたはもう水泳はおしまいよ。わかった？」

「はい、キャシー」男の子はもぐもぐ答えながら、うなだれた。

彼女はそっと微笑んだ。彼女が注意すると、いちばん手に負えない子どもたちでさえ、聞き分けがいい。「なぜこの前やっていた、逆立ちをやってみないの？　水のなかでどのくらい潜っていられるか、見せてちょうだい」

子どもの目が怒られないとわかって、すぐ輝いた。「オーケイ！　見てて」

「いいわよ」岸のほうから手を振ると、子どもは自分の得意の技をやって見せた。

「ジェイミー、ロビーのことを教えてくれてありがとう。でも人のことを告げ口するのはあまりよくないわ。いいこと？」

黒っぽい髪と瞳のやせた少年は、少ししょんぼりしたけれど、おずおずと微笑み返した。

「はい」

夏ごとに、心に残る子どもがひとりいる。今年はジェイミーだった。ほかの子どもたちより小柄で、不器用で、内にこもりがちだった。スポーツが苦手で、子どもたちがチームに分かれるとき、いつも最後までどこに入るか決まらない。もの静かで、まじめで、恥ずかしがり屋だった。けれども、みんなのなかでは、いちばんの読書好きで、芸術面ではもっとも才能があった。澄んだ彼の黒い瞳は、最初の日から気になっていた。そのことを素振りにも出さないようにしていたけれど、気がつくと、いつの間にか、ジェイミーにやさしい視線を送っている。

彼女は立ち上がって、水際に歩いていった。濡れた砂に坐って、テニス・シューズとソックスをぬぎ、裸足で冷たい流れに入っていった。手で水をすくって、疲れた足の筋肉にかける。突然、エリク・グッドジョンセンのことが頭に浮かんだ。

二十五歳のキャスリーンには、これまでデイトの相手はたくさんいた。そのなかには、心を惹かれた人も何人かいた。けれども、さらに深いつき合いになるのを避けてきた。彼女のほうから、そうなるのを逃げていたのかもしれない。

甲高い笑い声に、たちまち頭がはっきりした。はっとして腕時計を見る。五時十分前！

首から青いリボンでつるしていた銀色の笛を吹いた。子どもたちが口々に不平そうな甘えた声をあげる。小石をよけながら浅瀬を戻って、テニス・シューズをはいた。水着は宿舎に帰るまで、太陽で乾かすつもりで着たままだ。それぞれ自分のものを持って、帰る用意をする。子どもたちがぶつぶつ言いながら、キャスリーンの言いつけどおり支度をしだした。彼女は靴をはいて、丘を登っていくために、ほぼ一列になるように並ばせる。

みんなで歌を唄いながら、急勾配を上っていく。なんてすばらしいところだろう。キャスリーンはあらためて、この土地を好きだと思った。山のキャンプ場に向かう砂利の多い赤土は、暑くて埃《ほこり》っぽいけれど、舗装をしてなくて、自然がそのまま残っている。キャンプの運営責任者たちは、活動の妨げにならない限り、野性味を残そうとしていた。都会の孤児院に住んでいる子どもたちは、いつもビルやコンクリートに囲まれているから、ここでの生活は、自然の景色に触れる唯一の機会だった。

オザーク山地はどの季節もすばらしいけれど、今年の春は特に雨が多かったので、この夏はとりわけオークや、シカモア（アメリカスズカケノキ）や、エルム（ニレ）や、パイン（マツ）の緑が美しい。ブドウの蔓《つる》が木にたれさがり、森の下草が生き生きしている。

キングズ川の水は豊かで、流れが速い。浅瀬の水は澄みきっているので、川床に埋まった石を数えられるほどだ。

キャスリーンはここのすべてが好きだった。山々が好き、あの木もこの木も好き、田園の簡素な生活のなかで、農業をやったり牧畜をしたりして、田舎の景色を守っている人が好きだと思う。

アトランタでの生活とは、比べものにならないほど違っている。あそこでは、ストレスと厳しいプレッシャーの連続だった。大きなデパートのファッション・バイヤーとして、彼女には常に決断力が要求された。それぞれの売り場用に、ヤング・アダルトものとともに、婦人用のスポーツウエア、高級ドレスとコート、それにアフターファイブ用とフォーマル・ウエアの買い付けをしていた。

仕事には頭痛がつきものだが、彼女は仕事を愛していた。だから、彼女の友人や同僚は、キャスリーンが初夏になると、仕事を休んでしまうのが不思議らしい。

「キャシー、アリスンに、わたしをつまずかせるのをやめさせて。わざとやってるの」そばかすがかわいいグレイシーが、ふくれて言う。

彼女はすぐに現実に戻された。「アリスン、自分がそうされたらどう思う?　やめなさい」

「最初に、彼女がやったのよ」アリスンが訴える。

「では、どうしてお手本になって、我慢してみせられないの?」

「わかった」

太陽の光はまだ強く、キャスリーンの背にあたって暑い。キャンプ場の大きなヒマラヤスギのゲートをくぐる。もうTシャツに、乳房のあいだの汗がにじんでいた。

子どもたちも暑さと疲れで、いらいらしているようだ。早く休息をとりたがっている。男女に分かれて、ぐったりした様子で寮のほうへ歩いていった。

「夕食の鐘まで、シャワーを浴びておくんですよ。じゃあ、後でまたね。レス、手を離して。トッドにかまわないの」みんながそれぞれ、宿舎に無事に帰っていくのを見送って、カウンセラーに割り当てられた建物へ向かった。委員会での地位の関係で、彼女には個人用の宿舎が用意されている。網戸を開けて入ると、頭上の扇風機のスイッチを押した。へとへとだった。作りつけのベッドに横になって、縫いぐるみの人形のように手足をぶざまに伸ばした。ゆっくりと息をする。体から熱と緊張がとれていく。目を閉じていると、あわただしくアトランタを出てきたときのことが思いだされた。

ミスター・メイソンは、彼女の突然の申し出に狼狽《ろうばい》して、心配そうに理由を尋ねた。彼女は本当のことを答えなかった。どうして、デイヴィッド・ロスと一緒に働けないなどと言えただろう？

デイヴィッドは〈メイソン・デパート〉の会計士で、電球の購入から従業員の莫大な給与総額まで、デパートの経理を一手に扱っている。彼は部下に対しては厳しかったけれど、デパートの外では人当たりがやさしく、好かれていた。キャスリーンは彼とコーヒー・ブレイクや、ランチに出る機会を楽しんでいた。それは、デパートの役員と一緒でないときも多かった。

まもなく、ランチがもっと人目につかないものになり、「偶然の機会」がますます多く、軽いタッチが、じっと長く触れてくるようになった。キャスリーンは最初の頃、自分の想像力が強すぎるのだと思っていた、けれど、彼が真剣に思ってくれていることがわかってきた。彼の視線に気がつくたびに、そこに熱いものを感じないわけにはいかなかった。

彼女はたちまち気持ちが冷めてきて、執拗《しつよう》なアプローチをはねつけるようになった。デイヴィッド・ロスは、大変知性がありハンサムだけれど、幸せな結婚をしていた。アトランタの郊外に、三人の子どもと、英国産の牧羊犬と、魅力的な妻と住んでいる。

キャスリーンは狭いベッドの上で寝返りを打って、おなかを下にした。枕に顔を埋め、この前デイヴィッドと会ったときのことを思いだしていた。

あれは疲労困憊《こんぱい》する、長い一日の終わりだった。キャスリーンはすっかり疲れきっていた。着いたばかりの商品の箱を開けて、注文書と照合しながらチェックしていた。デパートは一時間前に閉店になり、従業員はほとんどいなかった。

デイヴィッドが彼女の部屋に入ってきて、ドアを閉めた。魅力的な笑顔で彼女を見ながら、デスクに両手をついて彼女のほうへかがんだ。「ディナーはどう?」その声は、彼がつける会計簿のように、効き目があって正確だった。

彼女も微笑んだ。「今日はだめだわ。いつもと同じ、疲れたの。まっすぐ家に帰って、お風呂に入って眠るつもり」

「食事をどこかでとらないといけないだろう」もっともなことを言う。

「冷蔵庫のボローニャ・ソーセージでもつまむわ」

「そりゃあ、あまりうまそうじゃないな」ふざけて、顔をゆがめる。

彼女は邪気なく、明るく笑った。「でも、今夜のディナーにはそれが食べたいの」

デスクの引き出しからバッグを取り出すと、ドアの近くの外套《がいとう》掛けにかかっているブレザーに手をのばした。はずす前に、デイヴィッドが彼女の手を止めた。彼女を彼のほうへ向かせ、手からバッグを取ってデスクの上に置くと、両手で肩を押さえた。

「疲れているのが、ぼくと行かない本当の理由じゃないだろう？」

彼女と彼の目が合った。「ええ」

彼は深いため息をついた。「そうだと思った」指で彼女の頰を愛撫《あいぶ》するようにさすったけれど、彼女は表情を変えずじっと立っていた。「キャスリーン、ぼくがきみに惹かれているのは、隠していないからわかっているはずだ。惹かれているどころじゃないんだよ。なぜ、ぼくとディナーに行ってくれない？」

「理由はおわかりでしょ、デイヴィッド？　そのことも秘密じゃないもの。あなたは結婚している」

「幸せじゃないんだ」

「お気の毒だわ、でもそれはわたしには関係のないことよ」

「キャスリーン」彼はうなって彼女をぐっと引き寄せた。彼女は必死に逃れようとしたけれど、堅く握られた手を離せなかった。彼は別の攻め方を考えた。「もし結婚していなかったらどうなんだ？　ぼくとデイトする？」

「それははっきり言えないわ。あなたは——」

「わかった、わかったよ。しかし、もしだよ、結婚していなかったら、ぼくに興味はあるのか？」

彼の目は問いつめるように彼女を見ていた。キャスリーンはばかがつくほど正直だった。

「あなたは魅力的だわ、デイヴィッド。もし結婚していなかったら、あなたとつきあいたいと思う——」

言い終わらないうちに、彼に羽交《はが》い締めにされていた。彼女をペンチのように両腕ではさみ、頭を下げて、激しく口を押しつけてくる。

彼はキスの仕方を熟知していた。ほんの一瞬、キャスリーンは彼の男らしさにぞくぞく興奮した。彼の唇にとろけそうになり、口を開けた。意識がなくなりそうになった瞬間、彼の舌が飢えたように強い力で入ってきた。彼女は夢中で手のひらを彼の肩に押しつけ、向こう臑《ずね》を蹴って彼の体を離した。

彼の目は欲望でぎらぎらし、肩は興奮で激しく上下していた。なおも近づこうとしたけれど、彼女の決然とした顔つきと、緑の瞳の冷たい光を見て足が止まった。行きすぎたことをしたのだとわかったようだ。

「わたしから離れて」彼女は絞り出すような声で言った。「またわたしに触るようだったら、セクハラで正式に訴えるわ」

「ばかな。もしそんなことをする勇気があったとしても、誰がそれを信じる? ぼくたちが一緒のところを、多くの人が見てる。きみは誘惑の合図を送っていた。ぼくはそれにのっただけだ。簡単なことさ」

「友情と誘惑を区別できないの? あなたって、なんて単純なんでしょ!」彼女は怒りで、もう気持ちを抑えられなかった。「わたしたちは同じ職場で働いている。それだけの関係だわ」

「今のところはな」

「永久によ、ミスター・ロス」

彼はスーツの乱れをなおしながら、ばかにしたような声を出した。「いや、いまにわかるさ」

彼は出ていってくれた。けれども、彼女にはわかっていた、これは言い抜けただけだ。おそらく、彼は次の手を考えてくるだろう。彼女は椅子に坐りこんで、両手で顔をおおった。どうすればいいの？

いまいましいけれど、彼は正しかった。彼女はセクハラで正式に訴えたりしたくない。罪を証明できると思うけれど、それをやりとげるまでの時間とエネルギーを考えると気が進まなかった。たとえもし勝っても、彼女は〈メイソン〉でまだ働くつもりだ。形式を重んじるデパートが、最近、彼女になかなか新しいことにチャレンジさせてくれないのを感じていた。このままでは仕事は停滞する。ファッションに対する姿勢がもっと前向きで、新しいセンスを奨励する環境で働きたかった。

その点で、デイヴィッド・ロスは彼女にとって触媒になった。安全で手慣れたものから、未知の世界へ挑もうとするとき、むずかしい決定をするためには必要な存在だ。

少なくともそう言って、彼女は自分を納得させた。それまでも、彼女は問題と真正面から向き合うよりも、逃げ出すほうだった。身を隠すこと。両親が死んで以来、彼女はその方法をいつも選んできた。最悪なことが起こると、それに対処するには逃げるしかなかった。

不意に、先ほど会ったばかりのエリク・グッドジョンセンの顔がまぶたの裏に浮かんだ。自信満々のあの顔は、デイヴィッド・ロスを思いださせる。ハンサムな男というのは、どうしてああなのだろう？　ああいうタイプの男の人は、女はみんな、自分とベッドをともにすると思っているのだろうか？　女を扱いなれた手や唇に抵抗できなくて、そして……

急に胸がどきどきしてきた。性的な刺激に、体に甘い痛みが走る。口ひげの男にキスされたら、どんな感じがするのだろうか。

なんてばかなことを！　キャスリーンはきっぱりとそんな想像を打ち消した。ベッドから降りてバスルームに行った。

肌に特別にうるおいを与える石鹼で体を洗って、ぬるま湯のシャワーを浴びる。タオルで体をふくと乳液を塗った。お下げを結んでいたゴムをほどき、髪に乱暴にブラシをかける。そのまま髪を肩におろしておこうかと思ったけれど、やめた。太陽が山の後ろに沈んでも、夕方はまだ暖かい。髪を後ろでまとめてポニーテイルに結い、ネイビー色のリボンを結んだ。顔のまわりに、シャワーで濡れた後れ毛がかかって、湿った肌に小さなカールを作っている。

キャンプのあいだは簡単な化粧で過ごしていた。鼻と高い頰骨に少しちらばったそばかすが、アプリコット色に日焼けした肌にアクセントをつけ、赤褐色の髪を浮き上がらせている。頰にうっすらと頰紅をのばし、唇には小指の先でピンクのリップ・グロスを塗った。長い黒い睫毛《まつげ》にマスカラをつければ、それでおしまい。

レースのビキニのパンティをはく。夏のあいだ、これだけは女らしいものをはきたかった。それにユニフォームのネイビー色のショーツ。ディナーには、キャンプ用のTシャツの代わりにブラウスを着る。清潔な白のテニス・ソックスとスニーカーをはきながら、いつかディナーのために、きちんとドレスアップすることがあるだろうかと思った。

キャスリーンが構内にある食堂のほうへ歩いているとき、ディナーの時間を知らせる鐘が鳴りはじめた。子どもたちは食べ物をもらうためだったら、一列に並ぶのをいとわない。彼女もドアのところで一緒に並んだ。

「ヘイ、キャシー」カウンセラーのひとりが声をかけてきた。マイク・シンプソン、アーカンソー大学で体育学専攻の筋骨たくましい青年だ。外見とは違い、子どもたちにはやさしく忍耐強く接している。サッカーやソフトボール、それにバレーボールのように、激しいスポーツのコーチをしていた。

「ハーイ、マイク」キャスリーンは、カフェテリアの前で大騒ぎしながら待っている子どもたちの肩ごしに叫んだ。

「ハリソン夫妻が、ディナーの前に事務所に来てくれないかと言ってたよ。きみを待ってた」

「わかったわ、ありがとう」階段を降りながら、振り返って言った。

背後で、マイクの声が聞こえた。「あれ、ぼくをつねったのはだれだ？　ふん、すましているな？」子どもたちが喜んでどっと笑った。

キャスリーンも笑いながら、キャンプ場の管理事務所になっている、冷房のきいたビルのドアを押し開けた。

「キャスリーンね?」エドナ・ハリソンがすぐ呼んだ。

「はい、そうです」彼女は事務所のなかを通って、ハリソン夫妻の私室になっているほうへ歩いていった。

「こちらへ来てちょうだい。待ってたんですよ」

ドアのところに立つと、エリク・グッドジョンセンと顔が合った。彼は背をエドナに向けたまま、アーリー・アメリカン調のソファから立ち上がった。

「キャスリーン・ヘイリー、こちらはエリク・グッドジョンセンよ」エドナが紹介した。「UBCのカメラマンをしておられるの。エリク、彼女はこのキャンプの管理委員のひとりです。彼女がいなければ、このキャンプをやっていけませんでしたわ」

「ああ、ミズ・ヘイリーにはもう会いましたよ。今日の午後、ばったり出会った」

2

このなれなれしい言い方はなんだろう。顔をひっぱたいてやりたかったけれど、エドナたちの手前、気持ちを鎮めた。「またお会いしましたね、ミスター・グッドジョンセン」

「こっちに坐ったらどうだね、キャスリーン」BJが言った。「ミスター・グッドジョンセンが〈マウンテン・ヴュー〉のことで、いろいろ質問があるそうだ。キャンプの内容をお話しするには、きみはここが長いから最適だ。それから一緒にディナーに行こう」

エドナとBJのハリソン夫妻は、部屋に二つだけある安楽椅子に坐っていた。空いているのはソファに坐っているエリクの横だけだ。キャスリーンは腰をおろしながら、ショーツをはいた脚を意識的に引いた。

「今日はいかがでしたか、エドナ、BJ?」彼女が聞く。

夫妻は、彼女にとっては両親のようなものだった。二人とも六十代の前半になっているけれど、がっしりとした体格で、見るからに健康そうだった。毎年夏にここへやってくる孤児たちを、深い愛情と思いやりで世話をして激励してきた。

ハリソン夫妻を見て、キャスリーンはいつも二人でひとりだと思う。こんなに似ている夫婦がいるのだろうか。どちらも小柄で、ふっくらと太っている。エドナの瞳は温かな茶色で、夫のほうは灰色だが、二人とも開けっぴろげで、人なつっこい。歩いているときの歩幅も計ったように同じ、身振り手振りもほとんど違いがない。

二人は最悪の人に対してさえ、無慈悲な気持ちを抱いたことはないはずだ。すべての人に、すべてのことに、良いところを見るようにしていた。今そのことを思いながら、キャスリーンは気がついた。二人が似ていても、そんなに驚くことではないのかもしれない。二人は結婚して、四十年以上もたっているのだ。

「今日は、宿舎の管の水漏れをなおしといたよ」BJが答える。「修繕代が浮いたかもしれん。一日かそこらでわかるだろうが」くすくす笑っている。

「まあ、ありがとう」エドナが彼の膝をやさしく叩いた。「明日は、あの頑固な冷房装置をなんとかしてもらえるわね」

「わかるだろ、エリク？」BJは助けてくれというように、両手を広げた。「この人たちは満足ってもんを知らんのだ」

「あなたったら！」エドナはわざと大きな声で言って、肩をいとしそうにぶつけた。エリクは年を重ねた二人の愛情いっぱいのやりとりを、楽しそうに聞いていた。「エリク、キャスリーンが初めてこのキャンプに来たのは、十四歳のときだったんですよ。ごめんなさい、あなたを困らせるつもりはないのよ、キャスリーン。ただ、エリクがあなたのことを聞きたがってると思って」やさしい目が心配そうに彼女を見たけれど、微笑んでいるのでほっとしたようだ。

「ご心配なく。〈マウンテン・ヴュー〉のことをお話しするのは、いやじゃないです」キャスリーンはエリクのほうへ顔を向けた。小さなソファの、彼のすぐそばに坐っている。どうしてもそれが気になって、居心地が悪かった。彼のむきだしの男らしさが強く迫ってくる。思わず胸が騒いで落ち着かなかった。

「両親はわたしが十三のときに、船が遭難して亡くなったんです。ほかに親戚も、きょうだいもいないんですよ。それで、教会の紹介でアトランタの孤児院に入りました。この地方では、いちばんいいと言われているところだったんですが、なにしろわたしはひとりっ子だったので、みんなとうまく協調できなくて。学校の成績も下がる一方でした。その頃は、誰に対しても喧嘩腰で、まあ、立派なワルでしたね」

BJが笑ったけれど、エドナが咎めるように彼を見たので真顔になった。

「翌年の夏、孤児院の考えでここへ来ることになったんです。わたしはいやだった、ぞっとするほどね。当時は何にでもそうだったんですけど。きっと、誰とも気が合わず、気に染まない扱いを受けると思っていたのね。でもそれは間違いだった。その夏から、わたしのその後の人生が変わったわ」

キャスリーンはさまざまなことを思いだして、声がふるえた。そして、ハリソン夫妻を見て微笑んだ。「それは、BJとエドナのおかげです。苦しみと憎しみばかりだったわたしの人生を変えてくださったんです。当時のわたしは、ほんとうにかわいくなかったと思うわ。

そんなときに、お二人は自分を愛しなさい、そして、人をどうしたらまた愛するようになるか教えてくださったの。わたしは再び人間らしくふるまうようになった、傷ついた動物ではなくてね。お二人にはどうやってそのお返しができるか、わからないくらい感謝してます」

「もうその何倍も返してくれてますよ、キャスリーン」エドナはうるんだ目をエリクに向けた。「おわかりでしょう、ミスター・グッドジョンセン、彼女は大きくなるまで、この夏のキャンプに来てたんですよ。その後、大学に入ってからは、毎年夏、こちらがお願いして、カウンセラーとして参加してもらってるの。彼女はここの子どもたちの心の痛みや幻滅をとてもよくわかってくれるので、誰よりも子どもたちと話し合ってやれる。適応できそうにない子とも、びっくりするほどうまくやっていくんですよ。

それで、管理委員会の席が空いたとき、わたしたちは是非、キャスリーンにやってもらいたいと思いました。彼女はすぐには引き受けてくれなかったんですが、わたしたちは説得しました。ええ、反対する人はいませんでしたわ。去年は、彼女ひとりの力で、食堂の冷房装置を設置するための資金を調達してきてくれて、バスケットボールのネットも入れましたのよ」

こんなにほめられ、キャスリーンは身の置き所がなくて赤くなった。思わず目を上げると、じっとこちらを見ているエリクの目と合った。

困っているのがわかったのだろう、彼はすぐ夫妻のほうへ目を移した。「もっとここの成功したお話をお聞きしたいのですが、どうも腹がへって。この続きは、食堂でどうですか？」

「それはいい！」BJは膝を叩いて、愉快そうに立ち上がった。

「ディナーの最中に、会話ができるなんてあてにしないでね、エリク」エドナはまったく自然に、彼をファースト・ネームで呼んでいた。「食堂では、真剣な話し合いなどできないんですよ」

彼はさりげなくキャスリーンの腕をとった。部屋の外の事務所を通ってドアのほうへ歩いていく。「かまいませんよ。とにかく、ぼくはこのキャンプの精神《スピリット》をとらえてみたいんです」

「ほう、いいなあ、活気《スピリット》を追いかけてるのなら、ぴったりのところに来てるよ」BJが笑った。

「なかに、カメラを持ちこんでもいいですか？」エリクが聞いた。

「わたしたちはかまいませんよ」エドナが答えた。「ここにいるあいだはいつでも」

「ありがとうございます、ミセス・ハリソン」

「エドナよ」彼女が正した。

彼女に向けた微笑は、『GQ』の表紙になりそうなほどすてきだった。「エドナですね。ちょっと車まで行って、すぐ戻ってきます。ぼくのために席を確保しておいてください、BJ」

「いいとも。キャスリーン、エリクについていってあげたらどうだね、迷わないだろう」

気が進まなかった。けれど不作法だと思われないように断る言葉がみつからなかった。理由はあった。男の人と二人っきりになるのはいやだ。多分、彼がかもしだす甘い雰囲気が、デイヴィッド・ロスを思いださせるのだろう。それとも、エリク自身がさきほど懸念して聞いたように、彼女にはジャーナリストに対して警戒心があるのかもしれない。〈マウンテン・ヴュー〉のプログラムには、特別取材されるようなものはなかった。それに、キャンプは彼女にとってとても大事だったので、当然、何もないスキャンダルを探しに首をつっこんでくる人に対して、いい気持ちをもてなかった。

「二人とも急ぎなさい、食べ物がなくなるわよ。戻ってくるまで、誰も列に入れないから」エドナが言った。

夫妻は腕を組み合って、食堂のほうへゆっくり歩いていった。「車はどこ?」キャスリーンが聞いた。

「ぼくの宿舎のそばに止めてる」

彼女はくるっと後ろを向くと、ゲストのために用意されている宿舎へ続く、並木にそった小道へ向かった。

そんなに遠くはなかったけれど、着いたとき、キャスリーンは息切れがしていた。急ぎすぎたためだと思いたかった。でも、彼女が気詰まりに思っているのを、彼は気づいているようだ。後尾扉をおろしたとき、ひげにかくれていたえくぼがちらっと見えた。

エリクは黒いプラスティックの箱を開けて、ビデオテープのカートリッジを取り出した。

それをカメラのなかに装塡《そうてん》する。複雑そうなカメラだ。これほどのものを見たことがなかったので、思わず興味を引かれてのぞきこんだ。

「それ、持てるかな?」彼は筒状のキャリングケースのほうを頭で示した。

「ええ」キャスリーンは手を伸ばし、持ち上げようとして驚いた。手がはずれそうなほど重い。こんなに重いものとは思わなかった。

「なかに何が入ってるの?」

「三脚」

「すごく重いわ」文句を言う。

「うん、わかってる。だから持てるか、聞いたんだよ」ウインクした。「それに、カメラはぼくのほかには誰にも触らせないんだ」

彼は片方の手で器用に後尾扉を閉めた。二人は構内へ向かった。沈黙が続いた。キャスリーンは話をするどころではなかった。ケースが重くて、食堂に着いたときは、はあはあと息をはずませていた。

彼は男らしくドアを開けてくれた。彼女は息を切らしながら、彼のそばを通ってなかに入った。子どもたち二百人のはしゃいだ声が、部屋中に響きわたっている。

「どこに置ける?」エリクが部屋を見渡しながら聞いた。

「困ったわね、ミスター・グッドジョンセン」小声で答えた。

「機嫌が悪いようだな、ミズ・ヘイリー」

「こっちへいらっしゃい」彼女が気の利いたことを言い返す前に、エドナが声をかけた。「エリク、機材は演壇に置いたらいいわ。そこなら、誰も邪魔しない。急いで、食べ物を取ってらっしゃい、テーブルは向こうよ。少しは静かだわ」

エリクはキャスリーンからケースを受け取り、カメラと一緒に、エドナが指さした演壇に置いた。

「どう、行く?」エリクが両手をうれしそうにこすりながら、カフェテリアのほうへうなずいた。

「ええ、もちろん」キャスリーンはすまして答えた。「きっと驚くと思うわ。普通の家庭の料理よりもずっとおいしいの」

「今はなんでもうれしいよ。今日は何も食べてないんだ」

「体型を気にして?」彼女はあきれて聞いた。スタイルを心配しないでいい人がいるなら、それはエリク・グッドジョンセン以外にいない。

彼女を見下ろした彼の目がきらっと輝いた。「いや。きみのを気にするほうが、はるかに楽しい」

こんな性差別的な言い方は許せないと思ったけれど、じっと我慢した。〈マウンテン・ヴュー〉の子どもたちやスタッフのために、一日に三度の食事の用意をしてくれる女性たちを、彼に紹介しないといけない。ほとんどの人がエリクの母親くらいの年齢だけれど、並んでいる料理のことを彼にほめたたえられて、みんな笑顔で迎えていた。

列を進みながら選んでいるうちに、皿は焼き肉や野菜で山盛りになった。キャスリーンが冷たいミント・ティーに手をのばしたとき、エリクが彼女の腕をつかんで匂いをかいだ。

「ピーチの匂いがするね？」

ピーチ？　口紅かしら？　神経質になって、唇をなめてみたくなった。彼が何かを調べるようにじっと見つめている。

「ほんとに、ピーチ？」彼女は真剣に聞いた。「ああ、このデザートのピーチの香り、この匂いよ」ほっとして言った。

キャスリーンは勝ち誇ったようにエリクを振り返って、びっくりした。彼は彼女の説明など、たいして気にしていなかった。温かなまなざしにじっと見つめられて心が落ち着かず、腕を何度も引っ張って、やっと手を離してもらった。

「いいね。ピーチは大好きだ」彼が言った。その声の調子に、キャスリーンはふっと恐れを感じた。

二人はほかのカウンセラーとハリソン夫妻が待つテーブルへ行った。ここは子どもたちは近づけない。エリクがみんなに紹介された。彼はもしかしたら最初の数日は、みんなの名前を覚えられないかもしれないと先にあやまった。

エリクの食欲はすごかった。それでも、みんなの質問には礼儀正しく答えていた。ほかの女性カウンセラーたちが、彼に並々ならぬ注意をはらっているのがわかる。エリクは彼女たちのやさしさやかわいらしさに関係なく、平等に友だち感覚で応じていた。

ほんとうのレディキラーだわ、とキャスリーンは冷静に彼を見ていた。

「きみのことを少し話してくれないか、エリク」BJがじゃがいもを頬ばりながら聞いた。

エリクは控えめに肩をすくめた。「お話しすることはあまりないんです」

「でも、エリク、あなたがテレビ界で有名なビデオカメラマンだってこと、みんな知っていますよ。アジアには行ったことがあるの?」エドナが聞いた。

「はい」彼はうなずいた。「何回か、担当になって。中近東にも行きました」

「危険な目には遭わなかったんですか?」少女のように若い女性カウンセラーが、好奇心いっぱいに聞いた。

彼は微笑した。「少しはね。でもいつもは、普通のものを撮影するんです」

みんなは勇敢な冒険物語を期待していたのだが、さりげなくかわされた。でも、絶対にあるはずだ。エドナはエリクがこちらへ派遣される前に、彼の上司から最も腕の立つカメラマンであることを聞いていた。エリクは対象が特異なものでも普通のものでも、その対象に人間味を加えられる人だ、と。

エリクは食べおわると立ち上がった。失礼を詫《わ》びて言った。「あの子たち、天真爛漫《らんまん》でとてもいい。あの姿を今のうちに撮っておいたほうがよさそうだ」子どもたちのほうを指さした。

「それがいいだろう」BJが言った。「何か手伝えることは?」

「いいえ、いつもどおりにしてください。子どもたちの注意を引きたくないんですよ。普段どおりに行動してほしいから。でも、ここに有能なキー・グリップ（映画、テレビの製作で、カメラや背景を移動させたり、組み立てたりする技術者）の助手がいます」

キャスリーンはみんなが沈黙するまで、自分のことを言っているのがわからなかった。彼女は彼を見上げた。「わたしのこと？」びっくりして聞いた。

「きみがよければだが。もう、機材のことをよくわかってくれてるので」

「でも、わたしはただ――」

「頼むよ、キャスリーン、今は時間が最優先する」彼がさえぎった。

まわりを見渡した。みんな期待しているように見ている。彼の言うとおりにしなければいけない雰囲気だった。

「どういうことをするつもり？」彼女は大きな部屋を横切りながら、不服そうに聞いた。「機材のことなんて、少しもわからないのに」

「そうだが、とにかくきみが必要だ」

「なぜ？」

二人は小さな演壇のところへ来た。ＢＪが重要な知らせを伝えるときにここを使う。エリクはカメラのスイッチを入れ、右肩にかついでファインダーをのぞいた。左目を閉じていない。それではむずかしいのではないか。どうやって焦点を合わせるのだろう？

「そのまま、少し立っていてくれ」彼女のほうを向きながら言った。

なんということ！　驚いた。乳房にカメラのレンズを近づけて、レンズのまわりのダイアルをまわしている。

「まあ、ひどいわ——」びっくりして後ろに下がった。

「そのまま、立っててくれと言っただろ」彼は一方の手で、もっと近くに彼女を寄せた。

「それをわたしからそらしてくださる？　おもしろがってるのかもしれないけど、わたしはいやだわ」

　彼はファインダーから目を上げて、いらいらした顔で彼女を見つめた。「きみの白いブラウスで、カラー調節をしてるだけだよ」

「ほんとうにそれだけね？」少しは安心したけれど、まだ疑っていた。

「これにはね」聞き分けのない子どもに説明するように、ゆっくりと言った。「カメラのなかに計器が入っているんだ。ひとつの場面を撮影するたびに、純白に近いもので、光度とカラー調節をチェックしないといけない。きみのブラウスを使う動機は、志の正しいものだって約束するよ」

「だったらテーブルクロスを使えばいいでしょう？」

　彼の唇の片方の端が、小ばかにしたように上がった。「志は正しいと約束しただけだよ。ぼくは愚かじゃない」

　キャスリーンは彼を押して、テーブルに戻った。椅子に坐ると、すぐにBJが聞いた。

「うまくいってるのかい？　エリクは撮影の準備ができた？」

「そうだと思います」小声で答えたけれど、それ以上は言わなかった。ミスター・グッドジョンセンがどうしようと、彼女にはちっとも関係がないのだ！

それから三十分間、彼女はほかのスタッフとおしゃべりして、わざとエリクと目を合わさないようにしていた。どちらにしても、大柄で目立つはずなのに彼の姿が見えなかった。子どもたちがゲームをやってはしゃいでいるのを、テーブルのあいだをまわって撮影しているようだ。終わったとき、彼はみんなの注意を引くように高く口笛を吹いた。声が部屋のなかにとどろきわたった。「ぼくはエリクと言います。ちょっと聞きたいんだけど、きみたちのなかで、誰かテレビに出ていいという人はいるかな？」

びっくりするような騒ぎになった。キャスリーンはひそかに満足を覚えた。彼のほうへ大勢の子どもたちが押し寄せている。みんなカメラの前で、ほかの子と同じ時間、撮ってもらいたがっていた。彼はひとつひとつみんなの要求を聞いている。興奮している子どもたちを冷静に扱っていた。

それから三十分もたたないうちに、エリクは子どもたちを、もう素人役者にさせていた。それもようやく終わりそうだ。カメラを演壇に置くと、袖で額の汗をふきながらスタッフのテーブルに戻ってきた。

「あなたって聖人かしら、それともいくら打たれても平気なボクサーみたいな人ね」エドナが笑った。「どうして、わざわざそんな大変なことをするんです？」

「カメラのレンズは、非常に人をびくつかせるものですよ。あれほどの集団でも、レンズの前では口がうまくまわらなくなったり、気後《おく》れしたりしてしまう。だから彼らに、思うままばかなことをやらせて、堅くなる気持ちを解きほぐしてやるんです。明日の夜は、モニターでテープを映してやりますよ。できるなら、彼らの鎧《よろい》をはいで、ぼくなどを気にしないようにさせたい。それが気取らない姿を撮影するのにいちばんなんです」

「きみは職業をあやまったね」BJが言った。「児童心理学者になるべきだった」

夕べの鐘が鳴った。子どもたちは不平たらたらで、口々にもう十五分、延長してほしいと言った。いつものことだ。やはり、延長にはならなかったけれど、子どもたちもよくわかっていた。それ以上注意されることもなく、みんな宿舎のほうへ引き上げだした。

カウンセラーも立ち上がった。子どもたちみんながそれぞれの宿舎に帰ったか、大人たちはチェックをしてまわらないといけない。キャスリーンだけは先輩ということで免除されていた。構内に、おやすみなさいの声がゆきかっている。それもしだいに低くなり、いつの間にか、ハリソン夫妻と、キャスリーンとエリクだけになった。

「エリク、ここの朝は早いのよ」エドナが注意する。「朝食は七時半から」

「大丈夫ですよ。ちょっとお願いがあるんですが、キッチンの女の人に頼んでいいでしょうか？ 明日の朝、魔法瓶にコーヒーをいれてほしいんですが」

「いいよ」BJが答えた。「好みは？」

彼の真っ白な歯が暗闇で光った。「ピッチ（タール、石油、油脂などを蒸留して残る黒色の物質）のようなブラックで、地獄よりも熱く」

BJは彼の肩を叩いて笑った。「きみのことがますます好きになったよ。さあ、行こう、ハニー。少し疲れた」

エドナが立ち上がった。「キャスリーン、あなたにエリクのことをお願いするわね、誰よりもキャンプのことを知ってるから。これから数日間、彼はあなたのグループと行動をともにして観察することになるわ。なにか問題があるかしら?」

ぎこちない沈黙が続いた。それをものともせず、まわりの虫の鳴き声だけがやかましく響いてくる。ビデオカメラで撮られるのか。それもこの人に。キャスリーンはうれしくなかった。

「キャスリーン?」エドナの心配そうな声が暗闇から聞こえた。

「いいえ、問題ありませんわ。ちょっと考えていただけで……その……わたしたちがおもしろいことをできるかなって」

「ぼくにいい考えがある」エリクが口をはさんだ。「おおまかなスクリプトを打ってきたんだ。車のなかに置いてあるから一緒に戻ってくれないかな。今夜、きみに渡しておく。明日の朝、それがどのくらい可能か話し合おう」

「それがいいね」BJが言った。「さあ、年寄りは寝よう。エドナ、どうだね?」

「そうね。おやすみなさい」

「おやすみなさい」キャスリーンとエリクが一緒に挨拶《あいさつ》した。

二人はほとんど真っ暗闇のなかに呑みこまれていった。ここは山の頂上なので、夜を邪魔するものがない。底知れぬ暗闇や無限の空を奪う街の明かりがなかった。都会ではあることさえ忘れそうな星が、上空一面にまたたいている。

キャスリーンは内心のいらだちを抑えていた。エリク・グッドジョンセンに、怒っていることを見せたくなかった。彼女を戸惑わせているとわかって、彼を喜ばせるなんていやだ。転ばないように彼の横を歩く。彼が低い枝に頭をぶつけて、小さく罵《ののし》りの声をあげた。ちょっと意地悪な喜びがわいた。くすくす笑いたいのを我慢した。

彼はカメラと三脚のケースを運んでいたけれど、息はまだあがっていなかった。こういう仕事には慣れているらしい。彼女の計画を実行するまで待ってなさい！　それで、すぐどっちが元気なのかわかるはずだ。

「車のドアを開けるよ、明かりがつくから」彼がブレイザーの乗客用のドアを開けた。「スクリプトはこの後ろだと思う」車の後ろにまわって後尾扉をおろした。幼い子を扱う母親のように、カメラを衝撃を和らげる詰め物をしたケースに丁寧《ていねい》にしまった。

それから目を上げて、キャスリーンを見た。彼が見ているのに彼女が気がつく前に、すばやく両手を背にまわして引き寄せた。首をまげて、舌で彼女の下唇を軽くなで、それから強くさっとキスをした。

彼女はびっくりした。「何をするの？」

「こんなにわかりきったことはないだろ」

「おもしろくもない、興味もないわ、ミスター・グッドジョンセン。それにこのビデオがキャンプにそれほど意味がなかったら、あなたを追い出したいくらい。でもそうはいかないでしょうからしかたなく協力するけど」

「ぼくの思ったとおりだ。ピーチ味だ！」

「スクリプトはどこ？」

「ないよ。きみと森のなかで二人きりになりたかったから、嘘をついた」

キャスリーンはぷいと彼に背を向けて、歩きだした。

嘲るように――いや、甘い約束をするみたいに――彼が後ろから呼びかけた。「明日の朝、いちばんに会おう、キャスリーン」

3

次の日、キャスリーンは朝から気分が晴れなかった。よく眠れず、朝食のテーブルにすでにエリクがついているのを見て、落ち着かなかった。子どもたちをからかって笑ったり、ほかのカウンセラーと打ち解けて話をしている。すっかりくつろいで、はりきっているようだ。いつものように、キャスリーンは手づくりのビスケットを食べた。普通の朝食と違って、これは空気よりも軽く、口のなかでとけてくれる。今朝はなんだか違う。ビスケットはチョークみたいな感じがする。機械的に嚙んで、クリームを少し入れたコーヒーで流しこんだ。焼いたばかりのベーコンとスクランブル・エッグの香りがするけれど、食欲は少しも出なかった。エリク・グッドジョンセンのせいだ。彼をうらんだ。せっかく、うぬぼれの強い男性の、執拗《しつよう》な誘いから逃れたくてやってきたというのに。ビデオカメラマンと比べると、ディヴィッド・ロスはまだ未熟なほうだと思った。

心の秘めたところで、昨夜のキスの衝撃がまだ残っていた。すばやくて、いたずらと見まがうほど危うく、でもとてもすてきだった。唇に彼の舌の先を感じたとき、鋭い喜びが乳房をつらぬいた。そのまま体の中心をかけおりて、穴のあいた傷のように余韻が残っている。

キャスリーンは睫毛《まつげ》の下から、彼をそっと観察していた。そしてよくわかった。彼の思うままになっていたのだ、と。彼と会ってからずっと、男性的な迫力に押されて防御ばかりしてきた。彼女がうろたえることで、彼は喜んでいたのだ。

もう絶対に彼の挑発にのらないようにする。心を決めて、この日のためにあれこれ考えた。きっと夕方までには、彼女が有能で独立心のある女性だと気がつくはずだ。態度をあらためよう。冷静な礼儀正しさとプロ意識で、彼を扱う。あてこすりのからかいには、表立って怒らないけれど、見下しているのがわかるように接するのだ。

気持ちが決まった。立ち上がって腕時計をチェックし、首に下げた笛を吹いた。「グループ四は、外の階段のところに集合。ただちに」声に、強い自信がにじんでいるのが誇らしい。背筋をちゃんとのばして、キッチンにつながったサービス・カウンターに、トレイを持っていく。

ドアから出て、受け持ちのグループのほうへ行く途中、エリクと顔が合った。彼がきりっと最敬礼して、子どもたちを笑わせる。

「任務にまいりました、軍曹」

悪口を言い返したいのを我慢して、やさしく応じた。「必要なものはそろってますか?」

「はい、準備はできています」彼はまじめくさって答えた。

それはこちらの台詞《せりふ》だわ、とキャスリーンは思った。「よろしい」みんなに声をかける。

「出発します」

彼女は体力を消耗《しょうもう》するような活動を、スケジュールにたくさん組みこんでいた。出しゃばりのミスター・グッドジョンセンに、ひと泡吹かせてやりたい。けれど、それは見込み違いだった。彼はすべてのことを上手にやった。いや、上手すぎるほどだった。がっかりだ。山の急な岩肌をヤギのように登り、しかもそのあいだずっとカメラをかつぎ、すぐに使う用意ができていた。どうしてそんなことができるのだろう？　自然ハイキングの折り返し地点で、彼女はいらいらしてきた。少し休みたくて草むらに坐りこんだ。

途中ずっと、エリクはカメラをまわし続けていた。水筒から水を飲む子どもたち、スニーカーから砂利を出している子どもたち、何か新しいものを見つけようとして、思いきって森のなかに入っていく子どもたちの姿を追っていた。

キャスリーンは木の幹にもたれて目をつぶった。そのとき、すぐ横に、どすんと腰かける人の気配がした。目を開ける前にエリクだとわかっていた。

「ふう！」彼はハンカチで額の汗をふきながら、大きなため息とともに息を吐き出した。

「毎日こんなことをして、平気？」

「疲れた？」信じられないけど、聞いてみた。

「ああ。きみは？　ずっとこんなふうだったら、きっと一週間で死んでしまうよ」

彼は微笑し、彼女は少しだけ会心の笑い声をあげた。これで、スコアボードには彼女のほうに一点が入ったわけだ。

構内に戻ると、急いでランチを食べた。これからアーチェリーのグラウンドで練習だ。子どもたちは重い足取りで向かった。それでもやりだすと、エリクにもアーチェリーをやるようにせがむ。彼のほうがキャスリーンよりはるかに上手だった。彼が標的の中心を射るたびに、子どもたちは尊敬の気持ちを増していくようで、彼を囲んでじっと見ていた。少しして、エリクはまた自分の仕事に戻った。肩にカメラをかつぎ、キャスリーンが子どもたちに教えている姿を撮影した。

午後の中頃までには、彼女の気持ちもおさまってきた。エリクへのいらだちが消え、しぶしぶ尊敬の気持ちがわいてきた。彼は片時も仕事を忘れたことはなかった。カメラは彼の腕の延長みたいなもので、いつも丁寧に扱っていた。なかでもいちばん感動したのは、彼と子どもたちの関係だった。子どもたちの質問に次々と答え、ジョークを言って笑わせ、からかい、どの子にも同じ態度でさとし、我慢強くなだめていた。

次はスイミングだ。キャスリーンが合図の笛を吹くと、子どもたちは歓声を上げて川のほうへ急いだ。彼女もみんなの後を追いかけながら、エリクのほうを見た。彼は構内に戻ろうとしている。ちょっとがっかりしたけれど川へ向かった。

彼女はショーツとTシャツの下に、おとなしい型のビキニを着ていた。いつものように服を脱いで、速い流れのなかに飛びこんだ。すぐに子どもたちが彼女の頭を水の下に押さえて、悪ふざけをする。彼女はなんとか頭を水の上にあげようとしてもがく。

水面に頭を上げたとき、スイミング・トランクスまで水につかったエリクが見えた。カメラを目の位置まで上げて、それを彼女のほうに向けている。彼女はどうしていいかわからなかった。はにかんで微笑むと、子どもたちのほうを見た。はめをはずしすぎないように言わなければならない。

彼女は浅瀬に上がって濡れた髪をしぼった。「今日はやめにしたのかと思ったのに」息が切れて、言葉がうまく出てこなかった。エリクには、シナモン・カラーのビキニではなく、ほかを見ていてほしかった。

彼はレコーダーとカメラが濡れないように、木陰になった平らな岩の上に置いていた。洋服で隠されていたのだ、裸の肉体ははっとするほど美しく、たくましい。ちぢれた金色の胸毛がなめらかな線を描いて、ブルーのトランクスのウエストバンドのなかに消えている。脚は筋肉質で、ほかのところと同じように黒っぽく日焼けして、金色の産毛《うぶげ》とすばらしい対照をなしていた。

「別のテープを取ってこないといけなかった。それに水着もはいてなかったから」

「なかに入ってみる?」

「うん。抵抗できないな。あそこでは、もう少しで溶けるところだった」自然ハイキングで登った急な丘を指さした。

エリクは水のなかに入っていき、彼女は川辺に坐って見ていた。彼は男の子には手荒く、女の子には少し手加減して、分け隔てなくみんなと暴れまわっている。忠実な愛犬のように彼の後をついてまわっていたジェイミーも、例外ではない。彼から乱暴に扱われている。

キャスリーンは指で髪を梳《す》いていた。それがほとんど乾いてきたころ、エリクが「降参」と言いながら、水から上がってきた。

「ここに長くいるなら、もっとビタミンが必要だよ」仰向けになって寝ころんだ。おなかがひきしまって、肋骨の下に深いくぼみができた。深く息を吸うたびに、胸が上がったり下がったりする。

彼女は笑った。「あなたは大丈夫、みんなについていくのに問題がなかったわ」自分が考えたことを、もっともらしく説明するより、はっきり打ち明けたほうがいい。「ほんとはね、今日、あなたを困らせるつもりだったの」

彼は横向きになって、突き刺すような青い瞳で彼女を見上げた。彼女は目をそらして、水しぶきをあげている子どもたちのほうを見た。

「なぜ？」彼はやさしく聞いた。笑ってはいなかった。

濡れた髪を振りながら言った。「わからないわ。多分、カメラを本能的にきらってるのかもしれない。誤解されるかもしれない状況でも、撮影しようとして向けるでしょ。あなたも同じように、ここのプログラムに裏があるのじゃないか、皮肉な目で動きまわりそうな気がしてるの。〈マウンテン・ヴュー〉は個人の寄付を元にして、キリストの教えに従って厳しく運営されてるわ。エドナとBJはサラリーはほとんどもらわずに、春と秋は、販売会議や何やかやのグループの予約で忙しく働いている。お二人が得たお金は、すべてキャンプに還元されるの。孤児のためのサマーキャンプを、個人的な使命と思って引き受けているけれど、批判や批評に対しては、まるっきり無防備でいる。だから、わたしの目から見ると、あなたは現代の魔女狩りみたいなの」

　びっくりした。彼は笑った。「二、三年前だったら、きみは正しかった」

「えっ？」

「そうだ、ぼくは皮肉屋だったよ。世界は悪臭を放っていると思っていた。もちろん、それを正しくするための答えは知っていたが、誰ともそのことで話し合いたくなかった。そんなことは、世界の不正をただそうとしているほかの間抜けどもと、同じレベルに落ちることだと思っていたんだ」彼は自嘲するように笑って、小さな石を一方の手から他方へ移した。

「どうしてそんなに皮肉にとらえてたの？」キャスリーンは聞いた。「ごめんなさいね、そんなふうに思ったりして。ちょっと言い訳をさせて。わたしの両親が亡くなったせいなの」

「それは大変だったね。ぼくには言い訳はないんだ。未熟だったことと、なによりも退屈だったからそんな行動に出たんだと思う。ぼくは典型的なミー・ジェネレーション（個人的幸福と満足の追求にとりつかれた世代）だった。世界が崩壊に向かっているとき、それでもぼくはかまわないってことを見せようと決心した。ナンバーワンをめざしていたんだ。ぼくだけのことしか考えなかった」

「それがどうして変わったの？　今でも生意気な感じがないわけではないけど」言葉づかいを和らげようとした。

　彼は彼女の言い方に笑ったけれど、すぐまじめな顔に戻った。「仕事でエチオピアに行かされたことがあった。そこに六か月間いて、世界は醜いと確信をもつようになったんだ」

「そして、もっと醜いものを見たの?」

「いや」彼は静かに言った。「美しいものをみつけた」

彼女は意味がわからなくて首を振った。「どうして――」

「説明しないとわからないだろうな、できるかどうかわからないが。ある日、ぼくは避難民のキャンプに行った。ああ、キャスリーン、あそこでの剝奪《はくだつ》と悲惨を、きみは想像もできないと思うよ。考えられないくらい……」救いようがないというように、両手を上げた。「あの荒廃を説明することなんて、とうていできない、あの……」彼はそのイメージをぬぐい去るように、手で目をこすった。

「とにかく、ぼくはビデオをまわし続けた。そして、接眼レンズのなかに、赤ん坊を抱いた若い母親の姿が映った。二人とも飢えの段階を通り越して、見るからに危険な状態だった、ほんとうにやつれ果てて。だが、母親はぼくに気づいていない。自分の乳房から、最後の一滴をやりたくて、子どもの口に乳首を入れていた。彼女は泣いていた。赤ん坊は手を伸ばして、彼女の頰に触っていた。まるで、必死に与えようとしてくれていることを知って、感謝しているように見えた」

彼は黙って宙を見つめた。今まで騒いでいた子どもたちの声は、真剣な彼の雰囲気に吸いこまれていった。

「ものすごく醜悪なまっただ中にいて、ぼくは美しいものを見たんだ。説教じみたことを言うつもりはない、だが、一生懸命に見ようとすれば、すべてのなかに何かいいものがあるんだとわかった。世界は救うに値するんだ、たとえひとりの子どもを救うためだけだとしてもね」

キャスリーンは彼の話に、いつの間にか引きこまれていた。「あなたのカメラは、きっと肉眼では見えないような、微妙な陰影を描き出してくれるわ。カメラは差別なんかしないでしょ？ 予断で見落とすことなんてないわよね？」

「こっちへおいで」彼は突然、彼女の手をつかんで、立たせようとした。

「どこへ？」彼女が聞く。「子どもたちが——」

「いや、違う。この上だ。この特権を許されるものはほかにいないんだ。きみに味わってほしい」

彼はカメラを置いてある岩のほうを見る。腰に両手をあて、彼女を値踏みするように目を細めて見た。それから重そうなカメラを見た。「うーん、どうすればいいかな？」考えていた。「あのカメラを肩に置いたら、地面にめりこんじゃうかもしれない」

「どうするの——」

「そうだ！ わかった」彼は昨日の夜のように、カメラのスイッチをいくつかつけた。「オーケイ、この上にあがってくれ」彼女のウエストに手を置いて、岩の上のカメラと同じ高さになるまで、彼女の体を引き上げた。

「さあ、つま先で立って、右目を接眼レンズにつけて。なかにモニターが見えるか？」

彼女は言われたとおりにした。彼の手が裸の胴に触れているのに、何かに集中するのはむずかしい。しかし、三センチ四方の小さな映像モニターが見えた。

「こんなふうな見え方でいいの？　まるで白黒画像のテレビみたい。普通のカメラのレンズをのぞいたみたいに見えるんだと思ってたのに」彼女は大きな声をあげた。

「映画の撮影をするときはそうだよ。でも、ビデオテープを使うときは、テレビのスクリーンで見えるとおりに見えるんだ、色はないけど。だから白色のバランスを見るものが必要なんだ」彼が大きく咳払いしたので、彼女に肋骨を肘で突つかれた。「何が見える？　どっちへ動かしたらいいんだ」

「えーと」彼女は躊躇《ちゅうちょ》した。見えるのは、二人の前、数メートル先のぼんやりした木だけだ。

「焦点が合ってないわ」彼女は仕方なく言った。

「見えたら言ってくれ」彼は彼女の耳に近づいて言った。「焦点を合わせてあげる」

だんだん、木の幹がはっきりとしてきた。樹皮のこまかい模様まで見えてきた。「いいわ！」興奮して叫んだ。

「さあ、どっちを見たい？　左？　右？　上か下か？」

「少し上、もっと枝のほうへ」彼はレンズを調節するために、さらに近づいてきた。彼女の背中に彼の温かいがっしりとした胸が触れる。彼がレンズのまわりのダイアルを動かそうとして、彼女の前に手をのばすはずみに腕が彼女の肩にかかった。心臓がどきどきする。

「左のほうへ」キャスリーンは息ができなくなりそうだった。「そう、そのまま、待って！

そこよ。何かいるわ……クモよ、まあ、大きな巣。枝から枝に広がっている。忙しそうに働いてるわ。まあ、エリク、もっと近くへ寄せられる? クモをもっと大きくしてほしいの」

彼がくすくす笑ったので、頭の後ろの髪がかすかに揺れた。「いいよ。だが、もう一度、焦点を合わせなおさないと。どうだ、よく見える?」

「ええ! 見える! ぴったり合ってる。パーフェクト。すごいわ」

「クモの午後の生活を録画したい?」

「だめでしょ?」

「いいよ、録画ボタンを押さないといけない」

「いいの?」

「もちろん、いいよ」

録画しはじめた。彼の左手が気になる。彼は左手を岩に置きなおした。彼女は岩の堅くひんやりする表面と、温かく弾力のある彼の体にはさまれる形になった。どっちが強くて堅固なのか、識別するのはむずかしかった。

「どうなってる?」彼は耳元でささやいた。一瞬、彼の口ひげが耳たぶをかすめた気がした。

「すてきよ。とってもきれい」彼の膝が太腿にぴったりとくっついているような感じがする。

彼女は無意識に、脚を筋骨たくましい彼の脚に合わせていた。

「きみの髪はスイカズラの香りがするね」エリクはつぶやいた。今度は間違いない。彼の唇が耳にあたっている。彼が重心を変えた。キャスリーンは自分が体にぴったりしたビキニだけなのを思いだした。お尻のやわらかなカーブに、彼のはりきったものがコットンのスイミング・トランクスを通してはっきりと感じられた。

「エリク」彼女の声はかすれていた。

「うん？」彼の鼻は、彼女の耳の後ろを探っていた。

「わたし……もう……クモを……もうやめたほうがいいわ」ビデオ録画をやめたほうがいいのか、抱擁しそうなほど、体をぴったりくっつけているのをやめたほうがいいと言ったのか。自分でもわからなかった。

　彼はため息をついた。「わかった」カメラのスイッチを切ると、接眼レンズの小さなモニターが元のように灰色になった。彼が離れてくれてほっとした。もう大丈夫、表情をつくろって、彼のほうを向いた。まだ目を合わせられない。地面を見ながら言った。「ありがとう。すてきだったわ」

「そう？」声の調子が気にかかった。正直に答えろと言っている。彼女がさっと目を上げると、彼の鋭い目に射ぬかれる気がした。彼女の緑色の瞳は、彼の瞳が顔の下のほうにおりてふるえる唇に止まるまで、ただうっとりと彼を見ていた。彼は再び視線を上げて、輝いている瞳の奥の心の乱れを探ろうとした。

「キャシー。キャシー」

　小さく、そっと呼ぶ声がした。欲望でぼんやりしていた頭がはっきりとした。彼女はエリクからさっと後ろに下がると、あわててジェイミーを見た。

「キャシー、そこなの?」彼がおぼつかない声で聞いた。「脚が青紫色になってるの」

キャスリーンは赤らんだ頰を両手で叩いて、すばやく腕時計を見た。「まあ、大変! 五時十五分だわ」

エリクは笑いだしたけれど、彼女はかまわず、川岸に走っていった。洋服の下に置いていた笛を取ると強く吹いた。

「急ぎなさい、急いで。遅れたわ。靴をはいて、すぐに並んで」

彼女はやっと腕を叩いている小さな手に注意を向けた。ジェイミーを見る。彼の黒っぽい目は明るく輝いていた。「今日、ここにエリクが来てくれて、よかったね、キャシー?」

キャスリーンは岩のほうを振り返った。エリクは裸の肩にカメラをかついでいた。「ええ」彼女はうなずいた。「よかったわ」


エリクは夕食を早く切り上げて、モニターをセッティングしだした。ビデオテープを巻き戻している。子どもたちに、テレビで自分たちがどう映っているか見せると約束していたので、それを実行するつもりらしい。子どもたちは早く見たくて、肉と野菜を飛ばして、デザートのチョコレート・プディングを食べていた。

エリクはそれがわかって、大声でみんなに言った。「みんな、夕食を全部食べないうちは見せないよ」

いっせいに不満の声が出たけれど、すぐに残りの食べ物を口に入れだした。三十分後には、二百人の子どもたちはみんな、演壇のまわりに扇形に集まった。

「よし、ここで基本的なルールを言っておく。立ち上がって、ほかの人の邪魔になる最初の男の子は、ぼくとレスリングをしなくちゃいけない。最初の女の子はぼくとキスだ」はしゃいで笑う子どもたちの甲高い声に、エリクが怖い顔をしてみせた。「本気だよ。きみたちが協力してくれれば、みんなが見られるんだ。オーケイ？」

「オーケイ！」子どもたちが返事をする。

彼が再生する。スクリーンに映った自分たちの姿に、子どもたちからたちまち歓声があがった。

「彼、子どもたちに、すばらしく受けてるじゃない？」エドナがほめた。キャスリーンとほかのカウンセラーは、まだコーヒーやアイスティーを飲みながら食卓についていた。

「彼はとても有能です」キャスリーンが答えた。

「ええ、よく知ってますよ。そうでなかったらテレビ局のために働いて、感動的な作品をたくさん撮ってこなかったでしょうね。でも彼には芸術家的な気質があるから、みんなには気むずかしかったんじゃないかしら。子どもたちとはなんとかうまくやってるわ」

キャスリーンは自分を守るように腕組みした。エリクをほめたたえたくなかった。何か欠点があるはずだ。彼がミスをするのを見たかった。小さな間違いでもいい。完璧な彼を見ていると動揺する。いや、そこにいるだけで落ち着かない。彼そのものが気になった。

子どもたちを構内の宿舎に帰した後も、彼女の心は激しく揺れていた。くやしいと思った。

彼がすぐそばにいたときの興奮をつい思いだしてしまう。彼が耳元でささやいたことを、温かくいい香りのした息を、それから頬とうなじにさっと触れられたことも。

何をやってるんだろう、自分は。キャスリーンは自分を叱った。成熟した大人がこんなふうになるなんて。子どもではないのに、彼の姿を思いだすたびに息がはずみ、動悸が激しくなった。川へ歩いていく彼、裸の体に身につけたトランクスが、彼を隠すよりもかえってセクシーさを際だたせていた。彼女は男性の体にこれほど引き寄せられたことはなかった。ディナーのために、ネイビー色のショーツと白いTシャツではなく、何か別の服を着ようかと思ったけれどやめた。ただ脈が打つところに、香水の〈ミッコ〉をつけてみた。彼のためじゃないわ、彼女は体を曲げて、膝の裏にこすりつけながら自分に言い聞かせていた。

今、エドナがエリクを絶賛しているのを聞きながら、彼女は絶対に彼に惹かれたりしないようにしようと思っていた。彼は世界を渡り歩いている。彼女よりいくつか年上だ。どのくらい？　年齢は三十くらい？　三十五かしら？　そんなことは重要ではなかった。彼女より年下でも、人生の経験でははるかに上だと思う。

きっと、世界中の女性を知っているはずだ。エリクのような男が、女の人なしで過ごすとは考えられない。全身から男らしさを発散させている彼だもの、みんなの、特に女の人の目を引くはずだ。彼がやさしく説得しないといけないのは、情事がおわったとき、相手をベッドから出すときだけだろう。ベッドのなかに引きこむのは、少しもむずかしくないはずだ。

自分を制しているのに、キャスリーンはいつの間にか、エリクが幅広のベッドに横になっている姿を想像していた。誰かと一緒だ。相手は彼女。彼の下になって、手足が自由にならない。彼は口で彼女の首を愛撫する。口ひげが――

いったい、自分は何をしているのだろう？　キャスリーンは首を振って、頭をはっきりさせた。そっとまわりを見まわした。ハリソン夫妻も、ほかのスタッフも、彼女の日頃にない態度に気がついていないようだ。みんなもう一度リクエストして、映しだされた未編集のテープに夢中になっている。

キャスリーンは立ち上がった。食堂を出て、誰にも気づかれないように静かにドアを閉めた。

エリクを除いて。

彼はキャスリーンが、広い玄関ポーチの先端まで歩いていくのを見ていた。階段のいちばん上に坐った。首をそらして空を眺めている。純白のシャツに、頭の上にまとめた髪の結び目から、巻き毛がほつれて絹のようにかかっているのが見えた。

彼はそっと目を閉じた。今日の午後を思いだす。彼女の髪はスイカズラの香りがした。その香りにうっとりしたのだった。

屋外の陰になったところに坐っている彼女が、気になってしかたがない。匂い立つような美しい姿から、目をそらすのはむずかしかった。みんなはテープを楽しんでいる。彼女から目をそらしたけれど、気持ちは玄関ホールにいる女の子のほうに向いていた。

女の子？　女か？　そんなことはどうでもよかった。どうしたのだろう、彼がいつも女にあてはめていたラベルに、キャスリーン・ヘイリーは入らなかった。彼女はほかの女のすべての要素があるのに、彼女たちのどれにも入らなかった。高級な感じがして、そこはかとなく気品が漂っている。それは誰にももちえないものだ、とてもカテゴリーに入れられない。しかし、彼女は女だ。ああ！　女そのものだ。彼女を見るたびに、どれほど興奮しているかわかるほど、パンツの前がふくらんでくる。

それもまた予想外のことだった。彼女は彼のタイプではなかった。ハリソン夫妻から聞いた話では、彼女はファッション関係の仕事をしているらしい。そのことをすぐ想像すべきだった。シンプルなショーツとTシャツを着ていても、オートクチュールのようにすてきだったじゃないか。だが、女が何を着ていようと、彼には関心がなかった。むしろ何も着ていないほうが好きだ。それに、官能的なボディ、豊かな腰、大きな胸が好きだ。

彼女は少年のようにほっそりしているのに、あの引きしまった小さな尻を見ると興奮してくる。その上に両手をあてて、見た目と比べて、どのくらい堅く引きしまっているのか感じたかった。あの長い、ほっそりした脚もそうだ。今朝の山登りのとき、彼の前を歩く彼女の脚の筋肉は、挑発しようとしていないのに見とれてしまった。それからあの胸。それほど大きくないけど、豊かで美しい形をしている。冷たい川から出てきたとき、乳首が誘うように生意気にぴくっと立っていた。

くそっ！　やっと成熟したばかりの女に、これほど夢中になっている。彼は女が好きだ、だが、裸のままで、静かに、ベッドで寝る女だ。女のキャリアなど考えたことがなかった。

啓発されるような話をする女を、求めたこともなかった。それなのに、今日、自分の心のカタログにさえ入っていなかったキャスリーンの気持ちを、一緒に考えようとしたのだ。以前はぼんやりしていたことを、はっきりとわかるように彼の脳を目覚めさせたのは、彼女がうっとりと、熱心に聞いてくれたためだった。

昨夜のキスは、突発的なものではなかった。最後の細かいことまで、彼は計画していた。彼女と口を合わせたかったのだ。しかし、満足はしたが、今は一度のキスよりもそれ以上を望んでいた。一回目の前菜《アピタイザー》はすばらしかった。同じ味がするかどうか、その先を試さなくてはいけない。

テープがおわり、巻き取られた。子どもたちから熱烈な拍手が起こって、エリクはうれしかった。

「もう一度、もう一度」繰り返し、ねだる。

エリクは笑いながら言った。「もういいだろう」

「さあ、子どもたち」BJが大声でみんなに声をかけて、手を叩いた。「子どもたち、おやすみの鐘がもうすぐ鳴るころだ。そろそろ宿舎に戻ろう、いいね。カウンセラーたち、グループごとに集めるように。今夜はほんとうに楽しかった。みんなでミスター・グッドジョンセンにありがとうと言おう」

彼に向かって、みんなが「ありがとう」と思いっきり大きな声をかけた。

キャスリーンは騒ぎが少しおさまったころ、部屋に戻ってきた。エリクは彼女のほうへ人垣をぬって近づいていった。「今日撮影したテープをきみに見せたいんだが。まだ編集していないが、どのくらい撮れたか、きっと見たいんじゃないかと思って」

「そうね、わたし……」躊躇《ちゅうちょ》した。彼と二人っきりになりたいのかどうか、自分でもわからなかった。

「どう?」彼はうながす。「ただで映画が観られるんだよ」彼女の肩にやさしく手を置いた。

彼女は笑った。「いいわ」

ほかのカウンセラーにおやすみを言う。ハリソン夫妻はエリクの勧めを丁重に断って、BJが十時のニュースを見られるように、急いで宿舎に戻っていった。キッチンの女性たちは、先ほどの映写会のあいだに後かたづけを終えて、帰っていた。もう建物には誰もいなかった。

「これが一本目のテープ」エリクが言った。「明かりを消してくれないか? そのほうがよく見える」

キャスリーンは大きな羽目板へ歩いていって、スイッチを切った。キッチンの小さな電球の光だけが部屋にもれている。彼女はベンチに戻った。

「用意はいい?」エリクが振り返って、彼女に微笑した。

「ええ」

彼はテープをスタートさせた。キャスリーンは食堂の長いテーブルに向かって坐った。エリクが彼女の隣に坐って、後ろのテーブルに肘をつく。長い脚を前に伸ばしている。キャスリーンは自分の裸足の脚を見下ろした。彼の脚とほんの少ししか離れていないけれど、それ以上は動けなかった。

今日撮影した映像が映し出された。彼の説明を聞いているうちに、すぐに彼女の気持ちもほぐれ、なごやかなおしゃべりになった。特に、グレイシーの汚れて、涙に濡れた顔が出てきたときには、噴き出さずにいられなかった。朝のハイキングのときにころんで、膝をすりむいたのだ。それほどの傷ではないのに、声を上げて泣いていた。

「まあ、エリク、かわいそうだわ」キャスリーンは笑いながらたしなめた。

彼もくすくす笑っている。「そうだね。でも撮らずにいられなかったんだ。グレイシーが大きくなって、歯列矯正器《ブレース》がとれ、コンタクトレンズをするようになったら、きっと目立つほど美しくなるよ」彼は手をキャスリーンの肩に置いた。

「そうなったらいいわ。あの子は幸せになる値打ちがあるもの。彼女の両親と弟は自動車事故で死んだの。彼女も負傷して、何か月も入院してた。そのとき、八歳だったのよ。つらい話だけど、その年齢では養子にいくのは、大きすぎるという判断だったのね。多分、十八歳まで孤児院で暮らすことになるわ、それからカレッジに行ければいいんだけど」

「ああ、なんてことだ」

キャスリーンはため息をついた。「ええ。ほかの子も、ほとんど同じような境遇なの。父親しかいないので、ずっと親と一緒にはいられない子が何人か。未婚の母の家で生まれたか、幼児のときに両親を亡くした子がほんの少し。たいていの孤児は、すぐ養子にもらわれていくわ」ちょうどそのとき、ジェイミーが小さなスクリーンいっぱいに映し出された。

「ジェイミーは例外なの。父親が母親と結婚しなかった。彼女はあの子が生まれたとき、あきらめて養子に出すことにしたの。でも、黒人と白人の混血なので、養子先が見つからなくて」

彼女の肩にまわしたエリクの手が、いつの間にか、愛撫をするように彼女のうなじをなでている。「彼のこと、きみも特別気になるんじゃないか？」

「ええ。それを見せないようにしてるけれど、気になってるわ」エリクが立ち上がって、テープを替えにいったのでほっとした。そうでなければ、彼にもたれかかったかもしれない。

二十分撮りのテープを四本、映写した。彼女の首か、背中か、肩に手を置く。場所は違ってもいつも彼女に触れていた。

彼女が撮ったクモが映し出された。キャスリーンは思わず、両手に顔をうずめた。不安定なカメラの動きに、二人とも笑った。クモが巣でダンスを踊っているように見える。

「ビデオカメラマンになりたいなんて、夢をもたないでよかった！」彼女は叫んだ。

「ハンデがあったんだよ。きみはカメラを自分で持てなかった。ぼくのほうも、何を撮ろうとしているのか見られなかったからね」彼女に近づき、唇を耳にあてた。「それにほかに気をとられていた」彼の口が羽のように軽く頬をなでた。そのとき、テープがおわった。「チェッ」彼はそっと罵ると、別のテープに入れかえるために立ち上がった。

キャスリーンも立ち上がった。膝ががくがくふるえていた。「もう……わたし、行ったほうがいいと思う……」

「だめだよ。もうひとつある。坐って」彼が命令するように言う。

キャスリーンはその言葉に抵抗できなかった。正直に言うと、ほんとうに帰りたいのかもよくわからなかった。またベンチに腰を降ろした。エリクはさっきよりもっと大胆だった。坐りながら彼女の肩に手をまわした。

そのまま数分がたった。スクリーンに、子どもたちが川ではしゃいでいる映像が出る。それから一瞬スクリーンが灰色になった。次の瞬間、キャスリーンはあっと声を上げた。水から出てくる彼女の姿だ。

スクリーンいっぱいに、キャスリーンが大写しになった。川の反対側の林が緑色のカーテンのようになって、彼女の体の細部までくっきりと際だたせている。彼女は撮られていると気づいてないので、自然で気取らない動きがかえって挑発的だった。シナモン・カラーのビキニのためか、まるでヌードのように見えた。濡れた髪が首と肩にまつわりついて、一瞬、恋人の指かとはっとする。手足や、胸や、おなかのしずくが、太陽の光でダイアモンドのようにキラキラと輝いている。テープの彼女が彼に気がついて微笑した。ぞくっとするほど魅力的だ――恥ずかしそうだけれど、とりこになりそうな微笑だった。

スクリーンが再び暗くなった。部屋のなかは深い沈黙に包まれた。キャスリーンは身動きができず、前をじっと見つめていた。テープが巻き取られ、それが大砲の音のように響いた。心臓がどきどきする。彼女はなんとか体じゅうに残っているエネルギーを使って、身じろぎもしないで坐っていた。

エリクが手の甲で彼女の顔に触れた。顎に指をあて、暗闇のなかで彼のほうに向けた。「ぼくの個人用に保存するんだ」ささやくような声で言うと、首を曲げて彼女の唇にキスをしようとした。

彼女ははっとして彼を押しのけた。急いで立ち上がると、演壇のほうへ逃げかかった。「レコーダーが……」

彼はすっくと立ち上がった。ものすごい速さで手をのばして、彼女のウエストを抱いた。「放っておいていい」乱暴に言う。彼女を両腕でかかえこんで、頑丈な男らしい体にぴったりと引き寄せた。髪を留めていたバレットを器用にはずして、もつれた髪を指で梳く。そのなかに指をからませながら、彼女の頭を仰向けにして、彼を見上げるようにさせた。「全部忘れて。このことだけを考えるんだ」

彼の口が彼女の口に重なった。自分だけのものにしたい、有無をいわせないというキスだった。けれど、とてもやさしい抱擁だった。彼の唇が彼女の唇をこする。口ひげがちくちくして、からかっているような感じがする。彼は彼女の口が開くのを待っていた。それから、彼女の口のなかの秘密の場所すべてが、飢えた舌で探られていった。

無意識に彼女は両手を上げて、彼の顔を愛撫していた。指で金髪をまさぐり、襟にかかっている髪に触れていた。

彼の腰が彼女の腰に押しつけられ、それにうながされるように彼女も体を動かした。彼のセックスのところで、二人の体はぴったりと重なった。彼の喉が鳴ったのを感じた。そう、聞いたのではなかった。彼はうめきながら彼女の名前を呼んだ。手は彼女の背をなで、細いウエストを楽しむようにそこで止まった。それからヒップのなめらかに盛り上がったところを愛撫する。大胆に、腰をやさしくおおって、彼のほうへ強く押しつける。

彼の口が彼女の耳たぶを噛み、誘うように少しずつうなじのほうへ動く。「なんという香水？」彼が息を吸った。喉元の三角になったところを舌の先でなめられて、キャスリーンはうめいた。

「〈ミツコ〉」すすり泣くように答えた。

「聞いたことがない」

「ほんとう？」

「うん。でももう忘れないよ」

彼の手は肋骨のほうへ動いた。ああ、すてき、いいわ。キャスリーンは思わず反応していた。彼の手は乳房をおおう。手のひらがまるで特別にあつらえたようにぴったりと乳房をかかえた。

ゆっくりと上手に、回転していく。彼女はもううっとりと、されるままになっていた。彼は首を曲げて、手のかわりに鼻と口でこする。彼女のコットンのシャツを通して、彼の湿った、熱い息を感じる。乳首のまわりで、彼がまた彼女の名前を呼んだ。小さい泣き声を聞いたと思った。キャスリーンはそれが自分の声だとは気づかなかった。

もう一度、彼の手が乳房に触れる。唇で愛撫されて突き出ている乳首を、親指でなぞる。

彼は口を耳に寄せて、楽しいことをするようにかすれた声で聞いた。「どこへ行く?」

「えっ?」彼女はとまどって、小さな声で聞き返した。

「きみの宿舎、それともぼくの?」

その言葉が、ぼんやりと官能的な陶酔にひたっていた気持ちを、揺り動かしてくれた。彼女はさっと氷のように冷たい水をぶっかけられた気がした。体をなめ、火をつけた情熱の炎は、たったひとつの質問で消えてしまった。

彼女は彼の体を押して離れた。締めつけられていた胸に酸素を入れたくて、荒く息を吸った。

「キャスリーン、どうして――」

「できないわ……できない……わたし」彼女は気持ちが変わる前に一気に言った。

「どうして、できないの?」彼はいったん口を閉じて、一瞬彼女を見るとやさしく言った。「そうか、悪かったよ。紳士が聞くことじゃなかったね」後悔したように、指を愛撫で乱れたままの髪につっこんだ。きまり悪そうにくすくす笑った。「今は『月のもののとき』だって、十五分前に言ってほしかったな」

彼が出した結論がどういうことか、キャスリーンはすぐにはわからなかった。こんなに暗くなかったら、彼の言葉にどんなに彼女がびっくりしたか、彼にもわかったはずだ。けれども、それでいい。彼と一緒に行きたくない本当の理由を知られるよりは、彼女が生理なのだと思わせたほうがよかった。

彼は二人のあいだのずれをうめるように、両手で彼女の顔をかかえた。「おやすみなさい」やさしく言って、唇に、それから額に軽くキスをした。

「おやすみなさい」彼女はつぶやくと、急いで食堂から出ていった。彼はそのまま突っ立って彼女を見送っていた。

4

「いい考えがあるの！」翌日の朝食の席で、エドナが大声で言った。

「何だね、ハニー？」BJがビスケットを噛みながら聞いた。

「キャスリーンに、エリクを〈クレッセント・ホテル〉に食事に連れていってもらうのはどうかしら」

キャスリーンのフォークが皿の上でかたかたと音を立てた。ぴくっと頭を上げると、エリクの楽しそうに輝く青い瞳と合った。

「〈クレッセント〉って、何なんです？」キャスリーンをじっと見たまま、ハリソン夫妻に聞いた。

「エリク、きっととっても気に入るわよ。一八八〇年代に建てられた、ユーレカ・スプリングスにあるホテルなの。ヴィクトリア朝のエレガンスをもったリゾートよ。あそこのダイニングルームはとっても壮麗ですてき！」

「わたしは行けない――」キャスリーンが言いかけた。

「ユーレカ・スプリングスまでどのくらいですか？」エリクが口をはさむ。

「五十キロくらいかな、一時間くらいかかるよ。ここには高速州間道路はないから」ＢＪが笑った。「きみには是非、あの町を見てもらいたいね。わたしたちはアメリカのスイスと言ってるんだ。ユーレカ・スプリングスは山のいちばん上にあって、あそこでは、一般の住居もビルも古風で趣《おもむき》がある。それにほとんど二階建て以上になっていて、一階は通りと同じ高さなのに、家の裏は十メートルほどの柱で支えている」

「それはおもしろいなあ」エリクは身を乗り出した。「ユーレカ・スプリングスのことは聞いたことがありますが、まだ行ったことがないんです」

「よかった。じゃあ、きまったわ」エドナが言った。

「待って！」キャスリーンが強く言ったので、三人の目が集まった。彼女はさっと頬を赤めて言った。「わたしは行けませんわ。わたしには……子どもたちが……今夜は……その規則に反しますから」

「あなたは委員会のメンバーですよ。命令されたら破れないわ」エドナが微笑した。「それにエリクには休暇が必要でしょ。彼はわたしたちみたいに、文明から離れていることになれてないでしょうから」

　キャスリーンはエドナをじっと見た。彼女の真意がわからなかった。なるほどエリクをこの大食堂の喧騒《けんそう》から解放してあげたいというのは、本当だろう。けれど、少し古風な縁結びをしようと考えているのではないか。それでも、自由な夜を過ごしていいと言ってくれているのに、それを断る上手な口実がなかった。キャスリーンは喉にたまったものをごくっと呑みこみ、小さな声で言った。「ちょっと出かけるのはすてきでしょうね」

「今日の午後、子どもたちを連れてかえったらすぐ、出かけていいですよ」エドナがひとつの使命をなしとげたように、うれしそうに言った。「エリク、〈クレッセント〉には地下にとってもすてきなクラブがあるの。あまり人がいないダンスフロアがまたいいのよ」

「すごいことばかりだ」彼はハリソン夫妻に言って、彼らに見えないようにキャスリーンにウインクした。

ああ、どうしよう。彼女はそっとうなった。昨日の夜あんなことがあったので、今朝、この食堂に入るにはとっても勇気がいった。いったい自分はどうしたのか？　頭がおかしくなっていたに違いない。彼をすんでのところで止めたけれど、これまでどんな男の人にもそんなことは許してこなかった。しかも、彼女はたった二日しか彼のことを知らないのだ！　彼にあのように応じたなんて、驚くべきことだ。

けれど、彼女はひとりよがりに解釈して自分を許していた。彼女の体を愛撫したのは熟練したテクニックだった。口だって、そうだと思う。あの熱い抱擁はとても年季が入っていた。彼は彼女が感じやすいことを見破って、それにつけこんだのだ。エチオピアでの取材先での悲惨な話をされ、医薬品の宣伝販売ショーを見た開拓民の妻のように、追いつめられた気がしたのだ。あんな話をどのくらいして、女たちの警戒心を解いてきたのだろう？　もしかしたら、あの話は本当ではなかったのかもしれない！

キャスリーンは過去の経験から、神経をとがらせてきた。だから進歩のない、ゆきずりの情事で戯《たわむ》れることはできなかった。人生を高められないつきあいも同じことだ。自己欺瞞《ぎまん》と、幻滅と、苦痛があるだけで、あとにはただ空虚な気持ちが残るに違いない。デイヴィッド・ロスに対して、彼女はトラのように闘ったのではなかったか？

昨夜は落ち着かない気持ちのまま、眠りにつく前に、キャスリーンは決心した。もしエリクがまた性的なものを求めてきたら、きっぱりと言うのだ。自分はロマンティックな男女関係に巻きこまれたくないんだ、と。

それなのに、もうエドナは二人のために、旅の計画を考えている！　ユーレカ・スプリングスまで、車で山をぐるっとまわる二車線の州間道路を通っていくと、数時間かかるだろう。エリクは、今日、山の反対側に馬で出かけるマイク・シンプソンのグループに同行することになっていた。それを知って、少しがっかりしたけれどほっとした。それは一日がかりのものになるはずだ。エリクはあの重いカメラをどうやって持っていくつもりだろう。方法はわからなかったけれど、彼はきっとなんとかして持っていくはずだ。彼は珍しい才能がある。構内を、機材をかかえて、好奇心いっぱいの子どもたちと一緒に大股で歩いている彼を見て、彼女はいくぶん嘲りながら思った。

その日は無事に過ぎて、キャスリーンのグループは、丘を登ってから構内に戻ってきた。ちょうどマイクのグループと会った。彼女はひそかにエリクが疲労困憊《こんぱい》するか、鞍《くら》ずれができるかしてほしいと思っていた。そうすれば、二人の旅が取り消しになる。けれど、彼は広い構内で、にこにこ笑いながら元気そうに声をかけてきた。

「やあ、キャスリーン、待ってくれ」マイクに何やら話すと、まとわりついている男の子の髪をくしゃくしゃにし、小さな女の子の顎をなでると走ってきた。白いニットのシャツに汗がにじみ、額には髪がくっついていたけれど、目を細めて笑っている彼は、これまでよりもずっと魅力的だった。

「今日はどうだった？」彼が聞いた。

「楽しかったわ。子どもたちはあなたがいなくて、寂しそうだったけど」それにわたしもそうだったと思った。「乗馬は？」

「少し手こずったけど、なんとかうまく乗りこなせたよ」とっても謙虚な人ね。

彼がじっと見つめている。ポニーテイルの髪とショーツとテニス・シューズでは、十二歳くらいにしか見えないだろう。キャスリーンは重心を移した。昨日のことを覚えているかしら？　そう思ったとたん、彼が彼女の唇に視線を移した。ええ、彼は覚えているわ。彼女は日焼けした顔が赤らむのを感じた。

「カメラはどうやって持っていたの？」どうしても聞きたかった。

彼が笑ったので、日焼けで黒くなった顔に、白い切れ込みが入ったようだった。「鞍の上のぼくの前に乗せたよ」

「うまいことを考えたわね」皮肉のつもりだった。

「とっさにどうするか、ずいぶん学んだからね」また大きく笑った。口ひげの下にあるのは、えくぼだろうか？「用意はいつできる？」彼が催促した。

「まだ行きたいと思ってるの?」なんとかやめてもらいたかった。「行かなくちゃいけないわけじゃないのよ、そうでしょ」

「わかってる。でもぼくは行きたい」彼は体を曲げて、陰謀をめぐらすようにささやいた。「ぼくがなぜあんなパックツアーに参加したと思う? 今夜のことをいろいろ想像しているのに、一日中きみと一緒で、きみに触れていられないなんてできないと思ったからだ。性教育はカリキュラムに入ってないんだろ?」

一日中、考え抜いて選んだ言葉はどこへ行ってしまったんだろう? 混乱した頭のどこかに、彼を侮蔑する言葉は隠れてしまったのか? じっくりと考えた理論的な言葉はどこかへ行ってしまい、心がうきうきするようなことを思っている。舌がもつれて動かないし、せっかく覚えていたきっぱりした拒絶などできそうになかった。

彼と目を合わせられなかった。落ち着かず、どうしていいかわからなくて催眠術にかかったみたいだ。彼女は木立のほうに目を向けた。のどかな午後のひとときだった。旗竿に旗がだらりと下がっている。なにやら騒いでいる子どもたちや、疲れた様子で宿舎に戻るカウンセラーの姿が目に入った。「一時間くらいでどう?」

彼は長い細い指のあいだに、彼女の巻き毛を取った。そして、やさしく引っぱると、耳の後ろにたくしこんだ。「五十五分」ハスキーな声でささやくと、踵《きびす》を返して宿舎のほうへ歩いていった。

心が揺れる。どうしようか。宿舎に急ぎながら、キャスリーンは胸が騒いでいた。何を着ていけばいい？　こんなときに着るものなど、持ってきていない！　アトランタのクロゼットがあれば……。一流デザイナーの手になるドレスや、ゴージャスな靴、センスのいいアクセサリーは、職業上の特権ですべて卸《おろし》売り価格で買いそろえていた。

部屋に戻って、小さなクロゼットのなかに渡してある金属の棒をがっくりしながら見た。下がっている服は哀れなものばかりだ。情けない。コットンプリントのワイシャツドレスか、ボイル（半透明の薄織物）のサンドレスは？　彼女は頬の内側を噛んだ。コットンプリントのほうは、柔《ソフト》らかく、シンプルで、かわいらしい《スイート》。そして、安全《セーフ》。サンドレスは柔らかく、シンプルで、セクシー。でもそれほどセーフじゃない。シャワーを浴びた後、まだ迷っていた。

何をしてるんだろう、自分がばかに思えて肩をすくめた。サンドレスをハンガーからはずす。ボイル地が雲のように肌に触れた。胸の部分は、キャミソールのようにカットされて、レースで縁取りした細い紐が裸の肩からかかっていた。前は縫いひだがデザインされていて、ウエストまで一列に並んだパールのボタンの両側にプリーツがあるので、淫《みだ》らな感じはしない。胸をおおうように薄い生地が二枚重ねてある。スカートはふんわりとしている。透けて見えたらいけないので、ベージュのパンティと丈の短いスリップを着た。サンドレスは彼女の目の色に合わせて、海の色に近い緑色を選んだのだった。ハニー・アプリコットの肌に似合うと思った。

持ってきたハイヒールは一足だけだ。素足にハイヒールのサンダルをはいた。暑さにうだっているのに、パンティストッキングをはくのは軽蔑していた。なくても大丈夫。なめらかさを保つようにいつも手入れして、たっぷりとローションを塗っていた。

髪は頭のてっぺんに上げてまとめて、オウムガイの飾りのついた長い金色のクリップで留めた。輪になった小さな金のピアスを耳につける。〈ミツコ〉を文字通り叩きつけているときに、エリクがドアをノックした。

本能的に、彼女は動悸を打つ喉元に手を当てた。落ち着いて！　無駄だと思いながらも、自分に命令する。もっと若いころ、初めてのデイトで、孤児院に男の子が迎えにきてくれたときよりも、今のほうがずっと胸がどきどきした。

もう逃げ隠れできない。無理に自分を励まして、しぶしぶ網戸のほうへ歩いていった。もう外は薄暗くなりだしているのだろう、エリクの姿がシルエットになっていた。

「ハーイ」彼女はつとめてさりげなく言った。

彼は自分の気持ちを偽らなかった。口をあんぐりと開けて、びっくりしたように目をいっぱいに見開いていた。全身を見まわして言った。「たった一時間前、ポニーテイルだった女の子はどこ?」

「五十五分前だったわ」彼女がからかう。彼はすぐにいつもの顔に戻って、目がくらむような笑顔を向けた。この笑顔にはいつもくらくらする。今までジーンズ姿以外の彼を見たことがなかった。水着は洋服に数えない。彼を見て、彼女も息が止まりそうになった。ぼうっとしてしまいそうだ。ブルーのシャツはぴったりと体にフィットして、キャメル色のスラックスが二枚目の肌のように、腰と腿を浮き上がらせている。まっすぐのびた脚を際だたせて、きちんと仕立てたらしく、長さも磨いたローファーの上のところにぴったり合っている。それにネイビー色のブレザー。がっしりした肩にそうように仕立てられている。彼は腰に両手をあてて、値踏みするように彼女を見ていた。

「きみ、ミズ・ヘイリー、すごいなあ。あそこでは」頭を後ろのほうへ動かして、キャンプを示した。「あそこの誰かの、きれいなお姉さんみたいだった。今は、誰かの、きれいな……ああ……」

「なんなの?」

「いや、そんなことはどうでもいいよ」彼は大きな声で言った。「思ったことを口にしたら問題になりかねない。すぐ行こう」

彼は彼女を外に押し出すようにして、彼女の宿舎から少し離れたところに止めているブレイザーのほうへ歩いていった。「きみが道を知っていたらいいんだが。ぼくは片方の目で運転しながら、もう片方で古い地図を見なくちゃいけなかった」

キャスリーンは助手席に乗りこみながら笑った。「道ならわかってるわ。でも何年間もここに来ているからよ。土地の人しかここへ登る道はわからないわ」

「そうだろうな」彼がうなずいた。「どっちに行けばいい?」

彼女は進行方向を教えて、シートに体を落ち着かせた。一日じゅう閉めきっていたので、まだ背が温かい。冷房を入れたのですぐ涼しくなった。「あなたってブレイザーに乗るようなタイプには見えないわね」考えながら言った。

エリクが笑って、ラジオのダイアルに手をのばした。「どんなタイプに見える?」おもしろそうに聞く。軽快な音楽が流れてきた。彼はそのまま手をシートの後ろにのばして、指で彼女のむき出しの肩をさっとなでた。びくっとした。

「まあ、わかってるんでしょ」彼女は気にしないふりをして、すぐに答える。「ミアータ・タイプ(二人乗りの小型オープンスポーツカー)よ。それかコルヴェット(スポーツカー)かな」

彼は今度はもっと大きく笑った。とても自然で、楽しそうで、しかも男性的な笑い声だ。本当に胸から響いている。「ダッジのヴァンはどう?」

「まあ、からかってるの!」

「違うよ。これはテレビ局のものなんだ。家で乗ってるのは、ほんとうにダッジのヴァンなんだよ。付属品は何もない。毛皮のマットレスもないし、四チャンネルのCD装置もついてない。車の外にも何も描いてないしね。でも機材を運ぶのに便利だ」

「想像できないわ」キャスリーンは正直に言った。それから膝をシートのほうへ上げて、少し彼のほうを向いた。「セントルイスに住んでいるんでしょ?」ハリソン夫妻が彼のことをあれこれ話してくれたのだ。

「うん。『オー・アンド・オー』っていう言葉を聞いたことがある?」

「いいえ」首を振った。

「そうだね、実際にテレビ業界で働いてなければ、わからないだろうな。『オー・アンド・オー』というのは、所有《オウンド》されて、管理《オペレイテッド》されるってことだ。各ネットワークによって所有されているテレビ局のことを表してる。連邦通信委員会の法規によると、各ネットワークは五つのVHF（超短波）テレビ局を持てることになっていて、UBCはそのひとつをセントルイスに置いている。実はぼくの住んでいるところなんだ。そこから、UBCは必要なときに、ぼくをどこにでも送る」

「おもしろそう。ごめんなさい、わたし、テレビ業界のことをあまり知らないの」

「ぼくもそうさ」彼は笑いながら言った。「知ってるのは、ぼくのカメラのこととその使い方くらいだから。しかし、いずれネットワーク・ニュースの取材以上の、もっと独創的なものをやりたい。テレビ局にいるのは勉強のためと思ってるんだ。いつか、自分自身のプロダクションを持って、コマーシャルとか映画とかそんなものもやってみたいなあ、そのためにはものすごい金がいるけど」

「でもネットワークはあなたのように有能な人には、たっぷり給料を払ってるんでしょう」

「いや、驚くほどじゃないよ。成功した花形はカメラの前にいるんで、カメラの後ろにいる男じゃない」人差し指で彼女の鼻の先をとんと叩いた。「今度はきみの番だ。ぼくは『服飾産業』のことをあまり知らないんだ」

キャスリーンは笑って、自分の仕事のことを簡単に話しはじめた。彼はほんとうに興味をもっているようで、じっと聞いている。彼女は内心びっくりしながら、夢中で話していた。彼はときどき鋭い質問をする。「毎年、ファッション・マーケットをいくつかまわるの。アトランタだけでなく、シカゴやダラスなどにも。数か月ごとにニューヨークにも行くわ」

「すごいなあ」彼はほんとうに感心したようだ。

「そんなことないのよ」彼女は笑った。「洋服の直しがきかないとわかっているときでも、お針子さんたちをなだめて、なんとかしてもらわないといけないことがよくあるの。それにカントリークラブのダンスパーティまでに、どうしてもドレスがほしいと言うお金持ちの顧客がいるでしょ。彼女はわたしを、石のように頑固な倉庫の発送係の言いなりになってるとなじる。店員は店員で、製造工場がこれ以上注文に応じられない人気商品をいつも切らしている」彼女は黙って、吐息をついた。「どう?」

彼は笑った。「だけど、秋には戻りたいんだろう」

戻ることは考えていなかった。キャスリーンは急にそのことを思いだして、すぐに目をそらした。「ええ」あいまいに答えた。〈メイソン〉を退職したことや、その理由を話したくなかったのだ。

彼女の気持ちをうすうす感じたのだろう、エリクは注意を道路のほうへ向けた。そして横目でじっと彼女を見た。

キャスリーンは上手に話をそらした。「少しスピードをゆるめて。この交差道路を左に行くの」

〈クレッセント・ホテル〉は、ユーレカ・スプリングスの町を見張るように建っていた。灰色の煉瓦の壁、青い屋根、赤い煙突。すべてヨーロッパ調に造られていて、建てられた時代を物語っていた。各階にはりめぐらされた広いベランダには、揺り椅子が置かれ、壮大な山のパノラマが見渡せた。建物の四隅は四角になっていて、てっぺんはピラミッドの形の屋根だ。

エリクは車を止めると、キャスリーンの肘を取って、車から降りるのを手伝ってくれた。彼は歴史のあるホテルのたたずまいに感動していた。エドナが世界中を歩きまわっている人に、このホテルをほめたたえていたのを聞いていて、キャスリーンは困っていたけれど、彼の賞賛の言葉がうれしかった。

ロビーに入って、もう一度びっくりした。ギリシャ式の円柱に、床はペルシャ絨毯が敷きつめられ、高い天井には彫刻がほどこされている。覆いのない白い大理石の暖炉があって、四方向から火にあたることができる。もちろん、暑い夏の夜は、薪は積み上げられているけれど火はたかれない。その代わりに、客たちは冷房のきいたロビーで、ヴィクトリア朝ふうの椅子に坐ってくつろげる。

ダイニングルームは、『不沈のモリー・ブラウン』の映画から抜け出してきたみたいだ。壁紙は赤と金のフロック加工（毛や綿を散布接着して模様をつける）。オーク材の床は年代を経た光を放ち、よく手入れされていた。テーブルクロスも、磁器やクリスタルや銀器を引き立たせるように赤。部屋の隅にはグランドピアノがあって、黒のタキシード姿の男性が優雅に弾いていた。

予約はエドナが二人のためにしておいてくれた。二人は支配人《メートルドテール》からテーブルへ案内された。時代がかったふるまいで、大仰にキャスリーンのために椅子を引いてくれる。飲み物の注文をとると、慎み深く下がっていった。

「スプリッツァーって、どんなもの?」エリクが彼女の注文したものを聞いた。

「白ワインとソーダ水のオンザロックで、レモンを搾《しぼ》ってるの」

「スコッチと水はどう? 健康的で中身がはっきりしてるよ」テーブルの上に肘をついて、その上に顎をのせて彼女をからかう。

「アルコールの強いものは好きじゃないの。パンチとか、とってもすっぱいものとか、アイスクリームの入ったものが好き」

彼は顔をゆがめた。「早く精気をつけたいときはどうする?」

「ビタミン剤を飲むわ」

彼は笑って、ちょうど来た彼のハイボールのグラスを上げた。二人がそれぞれ飲んだあとで彼が言った。「スプリッツァーを味わってみなくちゃ。なんでも試してみるべきだ」

彼は彼女の手から冷たいワイングラスを受け取って、慎重に彼女の唇が触れた場所を見つけた。グラスごしに彼女を見ながら、少し口に入れる。それを返してやさしく言った。「とてもおいしいよ」

キャスリーンの心がまた落ち着かなくなる。けれど、じっと見つめる彼の目からそらせない。彼は飲み物のことを言っているのではなかった。彼女に昨夜のことを思いださせているのだ。彼が彼女の口をすみずみまで味わったこと、それをよく知っていること、どんなふうに覚えていて、どんなふうに好きだったか、を。

ちょうどいいときにウエイターがメニューを持ってきてくれて、思わず抱きつきたいくらいだった。「何にしようかしら?」彼女はメニューを見るふりをした。本当は何も食べられそうになかった。心臓がふくらんで息苦しく、肺が押しつぶされているみたいだ。

「ぼくはもう決めてる」エリックはぱたっとメニューを閉じた。

「なあに?」彼女が笑った。

「フライドチキン。南部でだけ、ほんとうのフライドチキンを食べられる」

「いつかアトランタに行くべきね。世界一のフライドチキンを食べられるわ」

彼は彼女がしゃべっているあいだ、ずっと彼女の口を見ていた。それから目を見た。「そうするよ」約束するように言った。再び、あの覚えのある、心臓の動悸が踊るように始まった。

「きみは何?」ウエイターが用紙とペンを持ってきたので、エリックが聞いた。

「マスにするわ。焼いてください。それにレモンのスライスをのせたのが好きなんだけど」

彼女はウエイターに注文した。

彼女が離れていくと、エリックがまたテーブルの上に乗りだした。「もう一杯スプリッツァーをどう?」

「いいえ、もう充分。でももしよかったら、あなたはおかわりしたらいいわ」

「いや、ぼくももうたっぷり酔ってる」彼は手をのばして、彼女の手首を力強く握った。それを強く引き寄せて、脈を打っているところに熱烈なキスをした。「〈ミッコ〉だね?　いつもこんなにいい香りがするの？」彼女の手の甲につぶやきながら、親指で感じやすい手のひらを心臓がとろけそうなリズムでなでる。それはただ言っただけで、質問ではなかった。答えを求めていなかった。それで彼女は何も言わなかった。「きみのことを話してくれ、キャスリーン」

「どんなことを知りたいの？」息ができそうになかった。

「すべてだ。ご両親が亡くなったとき、さぞ大変だっただろう？」

彼女はそのことを考えたことがなかったけれど、手を握っている男性的な手の上に、自分の片方の手をかぶせて、重なった二人の手をじっと見つめた。

「わたしも死にたかったわ。怒ってたの。なぜ神さまはわたしにこんなことをするの？　わたしはいつも言いつけを守って、良い生徒で、お野菜も全部食べた、わかるでしょ、子どもが模範的だと言われることを全部やっていたのに」彼女はため息をついた。「そのとき、わたしはお友だちの家でひと晩過ごしていたの。わたしは風邪気味で、母が船に乗せようとしなかったから。だから事故のことも次の朝まで知らなかったわ。お友だちのおかあさんがラジオのニュースを聞くまで」

彼女は目を閉じて、その日に感じた痛みをもう一度思いだした。

「わたしはもうすぐ二十六歳になる。だから、ママとパパとはわたしの人生の半分しか一緒じゃなかったのに、それでも二人のことは、わたしの大きな部分を占めてるわ」彼女は静かに言った。「二人の思い出は、死んでから後に起こったことよりずっと鮮明に覚えてる」

「孤児院に預けられたんだね」

「ええ」やさしく微笑んだ。「両親の友人たちをうらんだのを覚えてるわ。わたしのことを心配だと言ってくれたけど、一緒に暮らそうとは言ってくれなかった。とっても親切だったけれど。今はその人たちの気持ちがよく理解できるの。でもそのときは、放り出された感じで、ひどい扱いだとうらめしく思った。あまりみんなの気持ちがわからなかったのね」

「少しくらいうらんだっていいと思うよ」彼は彼女の手を持ち上げて、すばやくキスをした。

「学校は?」

「孤児院で。教会の支援施設で――ああ、この言葉が大嫌いだったわ！　九学年まであったの。それから公立のハイスクールに通った。そこは、わたしが『外で』生活するための準備をさせてくれた」

「それからカレッジ?」

「孤児院の後援者からの奨学金があって、それを受けられる成績を取っていたけれど、キャンパスの近くのブティックで働いて、奨学金にプラスしていたの」

彼は勘がいい。微笑して言った。「かつぐんじゃないよ、ミズ・ヘイリー。きみは施しを受けていると見られないように、一生懸命に働いたんだろう」

「多分、そういう一面はあったわね」恥ずかしそうに認めた。

「続けて」

「後のことは知ってるでしょ。いえ、ほとんどそれですべてだわ。卒業した後、小売り店の店員をして、しだいに昇進して、二年前に〈メイソン〉の今の職場に応募したの」キャスリーンはあわてて、その話題から逃れようとした。それも、最近やめたばかりなのだから。

「あなたのご家族は？　名前からすると、スカンジナビア人の血統だと思うけど」

「そう、父はデンマーク系だ。外国移民の子として生まれた二世だった。祖父母は父がまだ幼児のとき、デンマークから移民してきた。祖父は時計職人だった。祖母は全然英語がわからなかったよ。ぼくが覚えているのは、白い髪を後ろにひっつめにしていたことと、彼女が作ってくれるクッキーのことだけ。あれは今まで食べたなかで最高だった」

「あなたが小さかったせいだわ」キャスリーンはにっこりと笑った。

「おそらくね」

「ご両親は？　おとうさまは何をしてらしたの？」

「なんとも堅物だった。意志強固でね。働きながら大学を出て、従軍して、それから帰国してから母と結婚した。シアトルの〈ボーイング社〉に勤めて、そこでぼくは育った。大柄で、頑丈な男だったよ、喧嘩早くて。だが、感傷的な映画を観て、よく泣いてた一面もあった」

「過去形で話してるけど」やさしく聞いた。

「ああ。十年前に亡くなったんだ。母は小柄でやさしくて、父が荒れるとおろおろしていたよ。彼女はまだ北西部に住んでいる」

　料理が来て、二人の話は中断された。キャスリーンは自分でも驚くほど、どんどん食が進んだ。レディらしくなく夢中で食べた。〈クレッセント〉のダイニングルームは、良質のカントリー料理と、ゆき届いたサービスで有名だった。エリクは酵母パンをフライドチキンのこくのある、自然のままのグレービーに浸して味わうと、うれしそうにほめた。ほかで食べたことがないほどおいしいと絶賛した。

彼からデザートを注文するように勧められたけれど、キャスリーンは断った。彼はなおも食後のコーヒーと一緒に、残ったパンに濃厚な蜂蜜をつけて食べたらいいと言う。それは素直に従った。

エリクのほうに請求書が置かれた。彼女が半分払うと言うと彼がにらんだ。

「だってわたしたちが来たのは、エドナの考えだったのよ」

「ミズ・ヘイリー、ぼくは男女同権には賛成だ——ある点ではね。だが、レディの食事したものを払うのはまた別のことだ。ぼくが支払いをする」

彼の引いた顎と頑《かたく》なな口調でわかった、この問題は引き下げたほうがよさそうだ。

「ダンスフロアはどこだろう?」エリクはダイニングルームを出て、ロビーのほうに歩きながら聞いた。

「行かないといけない?」キャスリーンはすぐやめにしたかった。

「なんだって? だめだよ、踊ろう。エドナが話をすっかり聞きたがるよ。一度でもいいから、きみと踊らなかったら、好意を無にすることになる」

またまた、意志の固そうな顔になった。議論の余地がなさそうだ。彼女は「地下よ」と教えた。

地下まで、彫刻を施した手すりのついた、幅広の階段が続いている。エリクは彼女をせかして降りていった。降りきると、静かなカクテル・ラウンジがあった。気取りがなく、居酒屋ふうだ。ネオンサインが、バーの背後にビールの銘柄を浮き上がらせていた。平日の晩なので人はあまりいなかったけれど、暗くなった小さなダンスフロアの前には、トリオが楽器を手に待っていた。

エリクは人があまりいないことや、誰も踊っていないことなどなんとも思わないようだ。トリオがスロー・バラードを演奏しだした。二人はオーソドックスに踊ったけれど、彼は彼女の手をとってダンスフロアに行き、腕を背にまわして引き寄せた。

三曲目になると、彼は彼女の両手を上げさせて、彼の首のまわりに置き、自分は両腕でしっかりと彼女のウエストを抱いた。頭を彼女の顔に近づけ、耳元にささやく。「このほうが好きだよ。音楽に合わせて愛撫してるみたいだ」

キャスリーンは、彼がさらに強く抱きしめたとき、一瞬息が止まりそうになった。ぴったり体を押しつけられた。おなかにあたる彼の体のふくらみで、どんなに彼女をほしがっているかわかった。鼻を髪にうずめて、甘い香りを楽しんでいる。口を耳にあてて、彼女の名前をささやいた。それから彼女の唇に唇をゆっくり重ねて、舌で押し開き、やさしくキスをした。「すばらしいよ。きみの体がぼくの体の動きとぴったり合って、こんなに揺れている。好きだ。きみのスタイルを愛してる、きみの香りが、きみの味が好きだ」舌がすばやく入ってきて、彼女はもっというように、彼にしっかりと抱きついていた。

音楽がいつの間に終わったのか。彼女は気がつかなかった。トリオは休憩するために楽器を下に置いていた。キャスリーンは恥ずかしくて、エリクを押して体から離した。

「その好きもののかわいい子を、早く連れていったほうがいいぜ。彼女はもうすっかりやる気になってる」

見知らぬ人の言葉に、二人は突然、現実に戻った。

5

キャスリーンは不快な、鼻にかかった声のほうを見た。若い男が二人、小さなテーブルのところに坐っていた。羽根のハットバンドがついたカウボーイハットを斜めにかぶり、横柄な顔で椅子にふんぞりかえっている。

顔が真っ赤になった。すぐに顔をそらして、エリクを待たずにドアのほうへ向かったけれど、硬材の床に家具がぶつかる音で、ぎくっと立ち止まった。

エリクだ。ライオンのように本能のまま、ばかげた話をしていた若い男二人のほうへ飛びかかった。ひとりの顎の下に右のこぶしが命中する。トール（北欧神話の雷、戦争、農業をつかさどる雷神）のハンマーをくらったように、衝撃でカウボーイが椅子から投げ出され、情けない格好で床にころがった。もうひとりの男は自己防衛の姿勢を見せようとして立ち上がったけれど、鉄拳がおなかにくいこんだ。痛みのあまり体を二つに折った。彼もまた顎にエリクの強烈なパンチを浴びた。

二人は屈辱的な格好のまま、かすんだ目でこわごわエリクを見上げている。「少し頭を冷やせ、俺のおごりだ」エリクはすかっとした様子で、テーブルの上に五ドル紙幣を投げた。

それから、君主の威厳さながらに、ドアのところにいたキャスリーンに近づくと、しんと静まった部屋から出ていった。

二人は階段をのぼって、ロビーを横切って玄関のほうへ歩いた。彼女はふるえながら聞いた。「エリク、大丈夫？」

「もちろん。どうしてそんなことを心配する？　きみにあんなことを言ったんだ、ノックアウトされて当然だよ」彼女を見下ろして、腕をしっかりとつかんだ。「二人とも息をしてる。約束するよ。それほど痛めつけてない」

けれど、彼女は心配だった。エリクが二人の男に向かっていったとき、一瞬だったけれど、彼の顔に浮かんだ表情に背骨までひんやりした。野獣のように顔をゆがめて歯をむき出し、こぶしをつくって、脅すように頭を低くし、今にも飛びかからんとしていた。

彼は父親の荒っぽい気性のことを話してくれた。彼にもバイキングの血が流れているに違いない。何かあると強く反応し、怒りに対して免疫がないのではないだろうか。

「正しい方向を教えてくれないか？　この町の道路は迷路みたいだ」エリクが聞いた。ブレイザーに乗って、駐車場から出てきたばかりだった。

穏やかなやさしい表情に戻っている。ついさっき、ラウンジにいた二人のカウボーイと喧嘩していた男と、同じ人だろうか？　キャスリーンは微笑を返したけれど不安だった。「数ブロック先までまっすぐだわ」

「まっすぐ？　まさか、からかってるんじゃないだろうね！」エリクは最初の鋭いカーブをまわりながら言う。

彼の言うとおりだ。ユーレカ・スプリングスの道路は独特だ。それぞれの道が丘へ向かって曲がりくねって上り、見た目には目的地がないようだが、いずれもっと広い同じ公道につながる。

今、走っている狭いまがりくねった道路には、年月を経た建物が並んでいる。ジンジャーブレッド（ショウガ入りクッキー）のような木造の家、屋根窓と、庭の花壇のゼラニウムや、ペチュニアや、ツルニチニチソウや、マリゴールドの花々が楽しい。百年以上前に建った家の大部分が、修理され、派手な色で塗られて、この界隈を、アーカンソー州のオザーク山地の小さな集落というより、ディズニーランドのように見せている。

「どこかで休んだほうがいいかい？」〈マウンテン・ヴュー〉に戻るハイウェイに着いたとき、エリクが聞いた。

「いいえ。数時間でも出かけられて楽しかった。でも明日からまたいつもの生活が始まるわ。それに、明後日は年長組の子どもたちとバスに乗って、バッファロー川へ浮輪《チューブ》の川下りにいくの」

「えっ、そりゃいい、ぼくも一緒に行っていいかな？」

「もちろん」彼女は暗い車のなかで、彼のほうを見て微笑した。

エリクはわかっただろう。暗くても、彼女の目は来てほしいと訴えていたはずだ。「もっとこっちに寄ったら?」彼のかすれた声には、欲望を隠しようがなかった。

彼女は二人のあいだのコンソールに注意して、できるだけ彼のそばに近づいた。二人の太腿が触れた。「うん、ずっといい」エリクは彼女を見下ろしながら言うと、危険覚悟でさっと唇にキスをした。

すぐ道路に目を移し、彼女の手を取って口に当て、手のひらにキスをした。そのまま離さずに太腿の上に置く。彼女の手はふるえていたけれど、彼はじっと握っていた。

幹線道路に出ると、エリクはキャンプ地までの道を知っていた。キャスリーンはモーターの振動と、おなかがいっぱいになったことで、しだいに気持ちが落ち着いてきた。淡い明かりに浮かび上がっているダッシュボードから、甘い音楽が流れていた。首を仰向けにシートにもたせかける。一生懸命、まぶたは閉じないようにしたけれど無理だった。

彼がスカートの下に手を入れて、太腿をなでながら動かした。最も柔らかな部分に触れるとそのまま手を止めた。キャスリーンは時々、指先がそこをなでるのを感じた。

眠い。彼のつけているコロンの香りにうっとりしてきた——印象的だけれど、強すぎず、たっぷりと甘さのある香り。潮風か秋風のようにさわやかで、清潔で、鮮明な香りだ。バイキングがフィヨルドに船を乗り入れる姿が、彼女の頭に浮かんだ。そのバイキングの顔はエリクで、岸で彼に大きく手を振っている若い女は彼女に似ていた。

それはもっと楽しい夢になった。岸に船をつないだ男は女に駆け寄り、たくましい腕で彼女を抱いて唇を奪う。口ひげがあたって頬がチクチクする。彼女はくすくす笑って彼の背中に手をまわし、ぴったりと体を寄せる。

キャスリーンはブレイザーが宿舎の外の駐車場に止まっても、まだ微笑んでいた。すぐ動けそうになかった。「目が覚めた?」エリクがささやいたとき、息がうなじを幻のようにかすめた。

「ううん」まだ眠い。

彼が笑った。「そうだろうと思った。帰ってきたよ。さあ行こう」

頭をはっきりさせる暇がなかった。彼は助手席のドアを開けて、彼女の膝の下と肩に手をまわして車からかかえ出すと、そのまま宿舎のほうに運んでいく。きしむ網戸を開け、音を立てて閉まらないように背で押さえた。それから月明かりが差し込む部屋のベッドのほうへ歩いていった。

彼女を枕の上にやさしく置いて、額にキスをした。ドアの横にある電気のスイッチのところへ戻り、天井の扇風機をつけた。けれど、明かりのスイッチはそのままにしている。そして上着を脱いで椅子の上に投げた。

どうしてこんなにけだるいのだろう。キャスリーンはこれまで、こんなにどうしようもなく体が動かないことはなかった。すべての筋肉から力が抜けている。それなのに、エリクが狭いベッドの彼女のそばに体を横たえ、彼のほうに引き寄せたとき、彼に対して体はぴんと張りつめていた。

彼は飢えたように彼女の唇を奪った。何も言わず、上手なキスなど思ってもいない激しさだった。ただがむしゃらに彼女の唇を吸い、舌を入れてくる。彼女は自分でも驚いていた。舌が彼の舌に触れたとき、彼女もまた誘惑し、せがむようにさらに口を開けて彼を迎えていた。

ゆっくりと、最初の飢えはおさまってきた。けれどけっしてなだめられることはなかった。エリックは息をするときだけ離して、ずっと彼女の口に軽く触れたままささやいた。「このために一日じゅう待っていた。昨夜はあれからずっと、どうしたら頭からきみの香りや、きみの体や、きみの肌触りを追い出せるか考えていたんだよ。そうでもしなかったら、完全におかしくなっていた。今は、もうだめだ……ああ……待てない」もう一度、唇を彼女の唇に重ねた。

キャスリーンはそれをしっかりと受け入れた。舌で彼の下唇をなで、それからなめらかな口ひげにさっと触れる。彼は喉の奥でうめいた。「ああ、キャスリーン、きみがほしい」そう言うと、下着のストラップの下に、親指を入れておろした。

彼は彼女の喉と胸を、ごちそうをむさぼるグルメのように、ひと口ずつ味わいながら軽く噛む。キャスリーンは彼の頭を引き寄せ、髪に指をからませた。豊かな感触を味わいたかった。

エリックはさらに乳房のたっぷりとした曲線にそって、唇をはわせる。いちばん上にくると、そのままそこに口をつけ、柔らかさを楽しむように愛撫する。

それから頭を上げて、彼女の気持ちを探るように瞳を見た。指でキャミソールのいちばん上のボタンをはずしだした。彼女は大きな信頼した瞳で彼を見ていた。抵抗しなかったので、彼は二番目をはずした。三番目。四番目。すべてが彼の指ではずされた。そのまま、彼はレーザー光線のような青い瞳で、彼女を刺し貫くようにじっと見つめている。

それから、ゆっくりと期待を引き延ばして、視線を下げ、キャミソールの前を開けてとうとう乳房を見た。「明かりをつけたい」かすれた声で言った。「きみをよく見たいんだ。きみの色を。ぼくがこうしているとき、きみがどうなっているのか見たい」話しながら、指の先で乳首を誘うようになでると、ほんの少しの刺激でそれは縮むように感じた。それから指でやさしくもむ。

これを止めないといけない。止めるべきだわ。この言葉は教理問答のように繰り返し頭に響いたけれど、彼女はどうしてもそれを実行できなかった。エリクの指はやさしかったけれど、執拗に彼女を探り、知り、なでながら、せがむように求めて、ついに彼女が今まで味わったことがない熱い興奮を導いた。

そしてそれはほんの始まりだった。彼は頭を下げて、口で乳房をおおった。甘い、熱い、濡れた罠《わな》にかかったようで、もう逃れられそうになかった。なおも舌で乳首を巻きこみ、頬を細めて巧みに口のなかにそれを深く吸いこむ。

彼の手が彼女の太腿を持ち上げて、官能的な愛撫をしようとしている。彼女が両方の膝を上げたのは、いつだっただろう？　異教徒の踊りのように、エロティックなリズムで、腰をくねらせたのはなぜ？　そんなことはもうどうでもいい。それ以上に、彼は口で彼女の乳房をなめ、なで、彼女を歓喜の高まりにもっていったのだから。

心臓がどきどきする。彼の手が彼女の体の中央にのびてきた。そこはもう興奮して熱くなっていた。彼女のなかの全神経は、弄《もてあそ》ばれ、興奮して疼《うず》くその一点に集中して脈打っていた。彼女は彼の名前を呼んだのだろうか？　彼にあの癒《いや》しの手で触れてくれるように頼んだのか？　黙っていても、彼は彼女の願いを感じとったのか？　彼女にはわからなかったけれど、彼の手をびっくりするほどぴったりと彼女の上にのせたとき、もう抵抗できなかった。指がいつの間にか、レース飾りの伸縮性のあるパンティのなかに入りこんできた。びくっとしたけれどうれしかった。彼女はあえいだ。どこまでやさしいのだろう、彼の指が触ると、体が燃えるようだ。そして濡れてくる。もうそこはたっぷりと湿っていた。

彼がベッドを離れて、シャツを脱ぎはじめた。ボタンがはずれる音がする。キャスリーンははっとした。

二人でこの部屋に入ってから初めて、彼女は自分が危険なゲームを始めているのがわかった。ああ、なんということ！　わたしは何をしてるの！

エリクはシャツを脱いで、乱暴にベルトのバックルを動かしていた。急に手こずらせているバックルを罵っている。

「な——なにをしてるの？」キャスリーンが強い口調で聞いた。

「ああ、服を着てするのが好きかもしれないが、それにそれもおもしろいと思うけど、今夜は暑すぎる。それに裸のほうがぼくは好きだ」

「だめ！」彼女は声を張り上げた。ベッドから飛び出ると、キャミソールをつかんで裸の乳房の上に持ち上げた。

「いやよ！」首を振りながら繰り返す。

彼は手を止めて頭を上げ、びっくりしたように彼女を見た。

「どうしたの、『いや』って。『いや』なのは、服を着てるほうがいいってことか？　それとも『生理でだめ』ということ？」

彼女は頭をそむけて、彼を見ないようにした。「だめなの」目の前の壁に向かってつぶやいた。

「なぜ？　おかしいよ、なぜ？」

なぜ？　ほんとうの理由を言うのがはずかしい。もし言っても、とうてい信じてもらえないだろう。こんな時代に、二十五歳にもなった成熟した女性が、まだヴァージンだなんてあるだろうか？　誰もいないわ。キャスリーン・パメラ・ヘイリーしかいない。

「わたし……わたししない……」おかしなことしか言えなかった。でもそれから決心がついた。しっかりと頭を上げて、彼を見て言った。「したくないの」

「したくない？」彼はかんかんに怒った。

一瞬、彼の怒り方があまりにも激しいので、びっくりして話ができなかった。こんな傲慢《ごうまん》な態度は不公平だと思う。いったい自分を誰だと思っているの？　彼女のことは？　前に、断られたことがないのだろうか？　それでも、彼女は彼の戯れの相手になりたくなかった。

今こそ、彼はそのことを学んでくれたっていいはずだ。「したくないと言ったの。本気よ」彼女は吐き捨てるように言った。

のみで彫ったような彼の口の端が硬く引き締まった。目が冷たい。「そうか」ゆっくりと言った。その声はびっくりするほど冷静だった。「きみを憎むよ、これだけのことをしておきながら、最後にこんな面倒なことにしてしまって」

彼は蛇のような素早さで、彼女のウエストに手をまわし、一方の手で手首を握った。その手を下におろした。彼が何をしようとしているのかわかった、彼女は「いや!」と抵抗した。

「いやじゃない。きみがどんなゲームをしようとしてるのかわからないが、今はぼくのルールでやる」彼女の手を、彼のズボンの前を張り切らしたセックスへぴたっとくっつけた。

「やめて、エリク。やめてくれないなら、あなたを絶対に許さないわ」彼女は頑固に言った。

彼は嘲るように笑った。「ぼくがそんなこと、気にすると思うのか? さあ、やるんだ、キャスリーン。触るんだ。感じるんだ。きみはこんなに念入りにじらしてくれた。それがどんなにうまくいったか知らせたい」彼の息づかいが激しくなる。彼女の手でセックスを上下にこすらせた。

それから、急にうんざりしたように彼女を突き放した。

彼女は怒りを見られないように、両手で顔をおおった。品性を落とされて恥ずかしかった。頰を涙が伝っていく。

「くそっ!」彼が罵った。「どうしてこんなにきみのことが気になるんだ、わからないよ」

静かな部屋に、彼の激しい息づかいがこもった。シャツとブレザーをつかむと、網戸のほうへ歩きだした。開けたとき、ドアがきしんだ。彼は外に出る前に、少し立ち止まった。

「わかってるだろ、ナイトクラブにいたチンピラは間違っていなかった。きみは好きもののかわいい子だ。そしてもうすっかりやる気になってた」


翌朝、キャスリーンは重い足取りで、食堂に向かっていた。エリクに会うのがいやだった。顔を合わせたとき、どうふるまえばいいのだろう。あんなに侮辱したことを言われて、自分は言い返したいのだろうか？　それとも、彼を誘惑しながら、最後は拒絶したと思われていることで、泣きたいのだろうか？　かっとして、急に変わった彼の声を思いだすと体がふるえてくる。でもどんな権利があって、彼は彼女と寝ることを期待したんだろう？　それを選ぶのは彼女の権利ではないのか？　キャスリーンは夜じゅう眠れないで悶々《もんもん》としていたのに、まだ答えが見つかっていなかった。

食堂に入ったとき、彼はまだ来ていなかった。子どもたちの挨拶に、彼女はいつものように答えた。カウンセラーたちが坐っているテーブルに加わり、つとめて冗談を言った。目が赤くはれぼったいのが気になる。なんとか隠したいけれど、それは無駄そうだ。

エリクの姿を見たとたん、心臓が跳び上がりそうだった。けれど、彼はキッチンからコーヒーの入った魔法瓶をもらうと、あたりに目をやることなくすぐ立ち去っていった。その背中はひどく強ばって見えた。

ほかのカウンセラーたちが、キャスリーンのほうをおかしそうに見ている。今までの話が中断していた。彼女は彼の姿を見なかったように、すましてコーヒーをすすっていた。

そのまま朝食を充分に食べたふりをして食堂を出ると、エドナがポーチに立っていた。彼女は率直だった。「昨日は、あまりうまくいかなかったのね？」ものすごい直感力だ。

キャスリーンは平気そうにとりつくろって、楽しいふりをしようとしたけれど、無駄だとわかっていた。エドナのことは長年知っている。いつも注意深く見守られてきたのだ。キャスリーンが何を思って何を感じているかは、たいていの母親が娘を案じる以上にわかっていた。

キャスリーンは深くため息をついた。スタッフの手前、明るくふるまっていたのだけれど、今は素直にがっくりと肩を落とした。「ええ」

「かわいそうに。あんな縁結びみたいなことをして、ばかでしたよ。BJはほうっておくように注意したんだけど、あなたがた二人は、お互いに惹かれ合っているみたいだったものだから。あなたたち、ほんとうにお似合いに見えたの。彼はとっても男性的で、あなたはとっても——」エドナはキャスリーンが笑ったので、びっくりして黙った。

「お互いに惹かれ合っていないことが、問題じゃないんです」

エドナの顔がかすかに明るくなった。「ああ。それなら、惹かれ合ってると思ってもいいってことかしら？」

キャスリーンは気がとがめて目をそらした。「ええ」声が小さくなる。「彼はとっても……彼はとっても世間慣れしていて、わたしは……」

「言いたいことはわかる気がするわ」エドナが悲しそうに言った。「いらっしゃい。歩きましょう。あなたのグループは、マイクに頼んでサッカーをするようにしたから」

エドナは今朝、彼女がおかしいとどうしてわかったのだろう？　ありがたかった。キャスリーンはエドナの体に腕をまわして、歩きだした。ハリソン夫妻の宿舎の後ろを流れる、小川よりも少し大きな支流のほうへ行った。二人は何も言わずに、クローバーにおおわれた地面に腰をおろした。日陰になっていて、のどかな場所だった。子どもたちは朝の最初の活動で遠くに行っている。どこからか、ＢＪが動かしている芝刈り機の音が聞こえてくる。木漏れ日を浴びた枝を飛びまわる小鳥のさえずりと、縄張りを争っているリスとアオカケスの声がうるさいくらいだ。川はちらばった石の上を、悲しみや、ためらいや、痛みとは関係なく流れている。

「彼を愛しているの、キャスリーン？」エドナがやさしく聞いた。

キャスリーンはポニーテイルの頭を、ブラシのように振った。「わからないの。正直に言って、ほんとうにわからないわ。たった数日しか、彼のことを知らないんですもの」

エドナは楽しそうに笑った。「かわいいのね、愛するのに、時間なんてあまり大切じゃないわ。お互いに一生をかけてよく知り合い、長いあいだ愛し合う人もいる。そうかと思えば、会ったとたんに、恋に落ちる人もいる。愛には時刻表はないわ。それに愛は分け隔てもしない。わたしたちがもっともいいときに起こるのよ、そうでしょ。愛することを恐れているの、

キャスリーン？　肉体的に、という意味ではないのよ」彼女は強調した。「両親を失ったと

きのように、エリクを失うのが怖いの？」

愛？　あの数時間だけでは、エリクをほんとうに愛する男性だとわからなかった。まだ

「愛」の段階に達するまでにはいってなかった。けれど、今のこの気持ちはあまりにも強す

ぎて、軽く考えたり、すべてを忘れきることができなかった。

それはまた別の問題だった。エリクは彼女に興味をもっている。彼女はそのことを知って

いた。二人のあいだには、お互いに惹かれ合う気持ちがある。それは否定できないと思う。

けれども彼と寝たら、そのときはどうなるのだろう？　彼は我が道を行くはずだ、新しい任

務で世界中どこへでも飛び、ベルトに新しい戦利品をぶら下げて新しい女のところへ行くだ

ろう。彼女はどうなる？　何も残らない、ただ喪失感だけ――男を失い、自尊心を失って。

今の時代、こんな彼女のことを、ほかの人はなんと古い道徳観かと、軽蔑の声を上げるだ

ろう。そんなことは彼女は気にしない。それが彼女には重要なのだ。けれど、彼女が彼を拒

んだのは、それがただ一つの理由だったのだろうか？

おそらくエドナは正しい。彼女は怖いのだ、まじりけなく。彼女にとって深く気にしてい

ることが、エリクにはひとつのエピソードにすぎないだろう。そう、彼女はそのことを恐れ

ていた。けれども進んで、そのことを告白する気になっていなかった。「彼は傲慢で、とっ

ても利己的で、スポイルされてるわ」キャスリーンは眉をひそめた。

「ええ、そうね」エドナはうなずいて、微笑みながら言った。「BJはぐずぐずしてるし、

ときどきほんとうになまけもので、いびきをかく。でも彼がいなかったら、わたしは何もできないわ、時には彼を殺したくなるけど」彼女はまた真顔になって、キャスリーンの手を握りしめた。「あなたはご両親を愛していたのに、まだあなたが幼くて、心の傷つきやすいときにお二人はいなくなった。そのトラウマを克服できないまま、美しい女性に成長した。でも誰かとその美しさを分け合わなければ、あなたは腐って、すっかりひからびてしまうわよ、キャスリーン。愛することを恐れてはいけないわ」

キャスリーンの目から涙がこぼれてきた。エドナの肩に手を置いて、小さな声で言った。

「あなたを愛してるわ」

エドナはその手を力づけるように叩いた。「わかってる。でも今はそんなことどころじゃないでしょう」彼女はこの年の人にしてはめずらしく、さっと立ち上がった。「悲しいのはあなただけじゃないとわかれば、気が楽になるかもしれないわね。今朝のエリクの様子では、彼もいいとは言えないわ。ハチにお尻を刺されたクマみたいに機嫌が悪かった」

「彼はどこ?」キャスリーンはそっと聞いた。

「事務所にいますよ。子どもたちの情報を見る許可をもらいにきたわ」

「まあ」立ち上がって、腰の汚れをはらいながら、気のなさそうに言った。

キャスリーンはエドナと構内に戻った。一日中、疲れきるまで子どもたちと動きまわった。エリクのことが心に浮かんでも、すぐに振り払って考えないようにした。それでもいつも彼のことが心に残っていた。

彼はランチにも現れなかった。がっかりだ。これでは、昨日の夜のことはなんとも思っていないこと、そして、自分はどんなに冷静で彼に関心がないかを見せられない。

夕飯に、やっと出てきた。

食堂の網戸を通って入ってきたとき、帝王のように堂々としていた。誇らしげな映画スターみたいに目をきらきらさせ、口ひげのあたりに微笑をたたえて、みんなの注目を集めていた。

キャスリーンはそのとき、マイク・シンプソンとおしゃべりしていた。マイクは彼女の注意を引いてびっくりし、同時に喜んでいた。彼女の隣で、明るく会話を続けていた。

エリクはトレイを持つと、キャスリーンのテーブルとは反対側の離れたベンチに、長い脚でまたいで腰かけた。平気で男の人といちゃつく女性のカウンセラーの隣だ。彼女の甲高い笑い声が食堂に響くたびに、キャスリーンは歯ぎしりしていた。つとめて二人を見ないようにした。

ハリソン夫妻がやってきた。エドナはひと目で状況がわかったらしい。キャスリーンと目が合うと、おもしろそうに微笑んだ。

そんなにおかしいこと？ 彼女はむっとした。

食事が終わると、彼女はトレイをキッチンに戻した。それにはどうしても、彼と戯れているカウンセラーのそばを通らないといけない。よし、無視しよう。

立ち上がって、Tシャツの裾を引っ張った。そうすると体の線がくっきりと浮き上がって、目立たせることに気がつかなかった。さりげなくベンチを越えて、キッチンのほうへ歩きだした。

「やあ、キャスリーン」

テニス・シューズが床にきしむような音を立てて止まり、彼女は前のめりになりそうだった。足は脳の命令を聞かず、勝手に動いていた。

彼女は無理に明るい微笑を作って、彼のほうを見た。

女性カウンセラーが彼の腕に腕をからめている。キャスリーンは乱暴な衝動がわいて、トレイを置き、そのカウンセラーの長い髪を引っぱってやりたかった。代わりに、やさしい声で言う。「ハロー、エリク、キャロル」わざと作った甘い声と、顔には微笑を浮かべた。緑の瞳に、ほんとうはくすぶっている火があったはずだ。「今日はどうしてたの?」

「エリクは事務所に閉じこもっていたけれど、その後、わたしのグループのスイミングにつきあってくれたの」キャロルは秘密を分かち合うように、彼のほうを見つめた。それからまたキャスリーンを見た。「彼ってカメラを持ってきてなかったのよ。純粋に楽しみで来たんだって」

この人の、ひとりよがりな表情が嫌いだと思った。けれど、エリクの口ひげが楽しそうにぴくりと動いたほうがもっといやだった。「それはよかったわ!」嘘なのよ。「少しくつろがなくちゃと思ったのね」

「明日、川下りは予定どおりかい?」エリクはキャスリーンの上手なあてこすりに気がついたようだ。ほとんど笑い声を上げながら聞いた。隣の女はぼんやりしていて気づきもしない。

「わたしは、行くつもりだけど」キャスリーンは自分のことを強調して言った。

「じゃあ、ぼくも行くよ」彼が言った。

「お好きなように」彼女は二人に背を向けると、トレイをカウンターに戻して食堂を出ていった。

なんて人なの！　よくもまあ、あんな態度がとれるもんだ！　彼女のことを笑ったも同然ではないか！　彼女は彼に冷たくして遠ざけ、出過ぎないようにしたかった。それなのに、彼女にそうやって、満足を覚えさせることもなかった。むしろ、彼女に礼儀正しくするように押しつけていた。

どうして彼女は彼と恋に落ちたなどと思ったりできたのか？　彼女は彼を愛していない。好きでもないのだ。心から彼のことを追いやり、ほかのことを考えたかった。

でもそれならなぜ、彼女は宿舎に戻ったとき、忘れようとしたことを忘れていたのだろう？　なぜ、ものを探しはじめたとき、何を探しているのか忘れたのだろう？　なぜ、ベッドに寝そべったとき、彼のやさしい手と熱い口が、彼女の体を喜ばせ、攻めつづけたことを思いだしていたのだろう？

口ひげはぜんぜんチクチクしなかった。むしろ柔らかかった。口のなかに乳首を入れられたとき、口ひげが乳房のふくらみをこすって、愛撫されているような快感があった。

こんな思い出にひたっていてはだめ。彼女はかすかにうめいて仰向けになった。でも自分を止められない。彼が触れたところを探して、擦《こす》り取ろうとしてみた。けれども神経があまりにも高ぶって生々しく、消そうとするよりももっと煽《あお》られて興奮してきた。うつぶせになって枕に顔をつけた。彼のことが忘れられない。あれからどのくらい時間がたっただろうか。心は現実から離れて、夢の世界を漂っていた。

そこには、まだエリクがいた。

6

日がのぼって、快晴だった。キャスリーンは自然の気まぐれで、今日のバッファロー川への遠足が取りやめにならないかと思っていた。そんなことがめったにあるはずがない。服を着て、小さなダッフルバッグ（ズック製の袋）に必要なものを詰めた。

　緊急用品がいる。絆創膏、殺菌剤、防虫剤、日焼け止めクリーム、日焼けしすぎて、あわてて日焼け止めをほしがる子どものために酸化亜鉛、ティッシュ、リップクリーム、胃薬、アスピリン、余分のタオル、余分のソックス、彼女自身の着替えをバッグに入れた。絶対に必要なものを忘れていないか確かめて、バッグを肩にかついだ。部屋を出て、構内の中ほどに向かう。

　いつものように朝食をとった。エリックが入ってきて彼の周囲がざわめき、明るい話し声が聞こえたけれど、彼女は心に決めたとおり絶対に見ないようにした。旅に出ることになっている子どもたちは、興奮しすぎてほとんど食べられない。鐘が鳴るとすぐ、外に止まっているバスのほうへ走っていった。窓側の席を取りたいのだ。

「楽しんでらっしゃい、気をつけるんですよ」エドナは窓の外に乗り出している子どもたちに手を振った。

「夕食には間に合うように戻ってきます。きっと子どもたち、おなかがすいて待ち遠しいと思いますよ」キャスリーンは笑いながら言った。

「そう、みんなを待ってますね」エドナの目の端に、エリクがバスに乗りこむ姿が映った。キャスリーンに何か言いたかったけれど、ただ彼女の手を叩いた。「楽しむんですよ」

キャスリーンは運転手に明るく声をかけた。何年も前から、彼女のためにスクールバスを運転している人だ。エリクの機材は、バスの後部の空いた席に置かれていたけれど、彼は自分のそばにカメラを置きたいと言い張った。それから、キャスリーンと狭い通路をはさんだ隣の席に坐った。

やっとみんな落ち着いた。運転手はギアを入れ、バスは〈マウンテン・ヴュー〉の門をくぐっていった。バスのエンジン音におかまいなく、子どもたちは大きな声で歌ったり、口げんかしたり、おせっかいをやいたり、あざけったりしている。これではおしゃべりなどできそうになかった。

運転手のすぐ後ろの席で、キャスリーンは窓外の景色を見ていた。エリクはどうしているのだろう。そっと彼のほうをうかがうと、彼女を見ている目と合った。最初、彼はためらいがちに微笑んだけれど、彼女が目をそらさずに彼をじっと見つめたので、うれしそうに口を大きく開けてにこっとした。彼女もさすがに笑い返さないではいられなかった。

数キロ進むごとに、二車線のハイウエイにそった、眠ったような町を通り過ぎていく。町の名前は気にしなかった。みんな同じように見える。どの町にもおみやげ屋を兼ねたガソリンスタンドがあった。なかには郵便局もある。そのために改装されたモビールハウス（自動車で引くトレーラー型の移動住宅）が多い。まにあわせの旗ざおから、アメリカ国旗がほこらしげに翻っている。ハイウエイに向いて建っている民家も、みんな同じように見えた。洗濯物は、乾かすために戸外に並んでかかっている。ポーチ――それぞれの家についている――には、夕刻の時間を過ごすためにぴったりの椅子が置いてあった。どんなに質素な家でも、ほとんど例外なく、山脈をパノラマのように見渡せるだろう。夏の農産物を育てている菜園には、どこでもかかしが立っていた。この小さな敷地に作物を作るのは、楽しみのためだけではなく、その家の家族の数か月分の食料になるのだ。

　キャスリーンはそのような町のひとつで、バスを止めてもらった。ガソリンスタンドで、子どもたちにトイレを使わせてもらう。そして横にあざやかな〈グラペット〉のロゴがある老朽化した冷却庫から、好きな冷たい飲み物を一本取り出すように言った。

　彼女の頭のなかではエリクのことが離れなかったけれど、子どもたちのことに気をつかっていたので、いつの間にか彼の姿を見失っていた。あちこち見渡して、やっと目に入ってきた。彼は道路を横切って、木陰になった丘の上にぽつんとある一軒家へ歩いていた。

　何をしてるのだろう。思わず後をついていって、彼が興味を引かれたものがわかった。今にも崩れそうなポーチで、ひとりの男がフィドルを弾いている。男が坐っているのは、〈レインボウ・ブレッド〉という字が錆びてほとんど消えかかった、バス停の金属製のベンチだった。

男の肌は日に焼けて乾き、深い皺が刻まれていた。まだらな白髪が頭からおかしな角度に突き出ている。デニムのオーバーオールは、片方しかストラップを留めていない。それを隠すためのシャツを着ていないので、たるんだ胸が弦を動かすたびに、小刻みに揺れている。

もっと洗練された場所だったら、二重顎で押さえられている楽器がヴァイオリンだと呼んでさしつかえなかっただろうが、キャスリーンは、名器として有名なストラディヴァリウスでさえ、これほど大事にされている楽器を見たことがなかった。たこのできた指は、汚れているうえにニコチンもついているように見える。男はその指でフィドルを弾いていた。何の曲かわからないけれど、メロディはしだいに高まっていった。

エリクの近づいてくる気配に、彼は歯の欠けた顔で笑いかけ、ポーチのペンキの塗っていない板石の上を角張った裸足の足で軽く打った。

エリクのカメラのまわる音がしだしたので、キャスリーンはびっくりして立ち止まった。彼はさらに老人のほうへ寄っていく。男はそれでも変わりなく演奏を続けている。近代的な機材を少しも気にしていなかった。エリクはさらに近づいて、夢中で弾いている男のすぐ足元にかがみこんで、カメラを直接顔に向けた。

網戸が開いて、使い古したタオルで手をふきながら、同じぐらいの年格好の女性が出てきた。微笑んで、エリクのカメラに気がつくと、頭の後ろにまとめて丸めていた白髪のほつれを無意識になおした。色あせたキャラコの服は、やせぎすの体にはだぶだぶだった。足は夫と同じ裸足で、ほとんど同じようにたこができている。タオルを肩にかけると、音楽のリズムに合わせて手を叩きはじめた。

男の演奏がおわると、彼女は男のほうにかがみこんで、頬にチュッとキスをした。「それ、わたし大好きなの」あけっぴろげに笑った。

エリクは立ち上がると、彼女の手を取り、唇に近づけてやさしくキスをした。彼女は笑って、舞踏会でのあだっぽい女のように、細く色の薄い睫毛をぱちぱちさせた。

「お二人ともありがとう」エリクは言って、後ろを向いて、ポーチからひょいと跳んだ。三頭の猟犬がポーチの陰で寝ていたけれど、不意の侵入者に眠そうな目を開けることもなかった。

やっとエリクは、彼と轍《わだち》のついた道のあいだに立っていたキャスリーンに気がついたようだ。彼女と肩を並べると、微笑んで、何も持っていないほうの手で彼女の顔に触れた。黙って、頭でバスのほうを示した。みんなに戻るように、バスの警笛が鳴っていた。

「なぜ?」バスが動き出すと、彼女は聞いた。「なぜあの人たちをテープに撮りたいと思ったの?」子どもたちの歌声は少し静かなキャンプソングになっていて、話がずっとしやすくなった。

「二人が美しかったからだよ」答えは簡単だった。「そう思わないかい?」

今はそう思う。けれど、エリクが撮影しに行かなかったら、二人のことを目に留めなかったし、気がつくこともなかっただろう。

「ええ」ぼそっと答えた。「美しいわ」

彼はじっと彼女の口を見た。青空と同じ色の瞳には、束の間、あきらめとひとすじの望みが交差した。「きみもそうだよ」彼女だけに聞こえるように言った。彼女ははっとして彼を見た。「あの夜は悪かったと思ってる」彼はまた小さな声で言った。「断るのはきみの特権だ」彼とBJは、昨日の夜、夕飯の前にビールを飲みながらじっくり話した。エリクはいろいろと教えられた。今では彼女から拒絶されたことを理解できる。そのために怒りもおさまっていた。

キャスリーンは、あれからずっと、彼の詫びる言葉を聞きたかった。足元にひざまずいて、許しを請うのを見たかった。今の彼の声には後悔がにじみ出ていたので、彼女自身も反省し、非難されるところがあると思った。「わたし、フェアじゃなかったわ」

「きみに会って、ぼくはルールブックを捨ててしまったんだよ、キャスリーン・ヘイリー。これからは、一緒にぼくたちのルールを作ろう。それがフェアだろ?」

やさしい笑顔と熱心なまなざしに、もう逆らえなかった。キャスリーンははっきりとうなずいた。「そうね、エリク。いいわ」

彼がそっとキスの真似をした。それを見て、彼女は顔を赤らめ、目を伏せた。そして、また彼をやさしく見た。

ジャスパーの町を越えてしばらくすると、運転手は右にハンドルを切って、曲がりくねった埃のまいあがる道を、バッファロー川の川岸のほうへ向かった。

大昔、川はオザーク山地から大峡谷を削りとっていた。バッファロー川に沿った場所では、急流の上に急な崖がそびえたっていることが多い。灰色の岩壁に蔓が生い茂って、その下を川が流れている様子は、古代のバビロンの空中庭園（ネブカドネザル王が王妃のためにつくった庭。世界の七不思議のひとつ）を思わせる。この川はカヌーや、魚釣りなどのウォーター・スポーツの愛好家に、大変人気があった。

キャスリーンは過去何年間も、ここを訪れていた。土地の人しか知らない遊び場所にすぎなかった頃から、旅行者に人気のある場所に成長するのを見てきた。二週間単位のキャンプ中でも、彼女は必ず子どもたちをこの白く泡立った川まで連れてきた。スポーツ用のチューブは近所の店で借りられる。それを持って、川岸にそって岩の丘を登り、水が泡立っている滑らかな岩の上まで行く。それからチューブの内側に坐って、それに乗って岩を越える。急流の流れにまかせて一キロ近くいくと、流れの静かなところに運ばれて立てる。

子どもたちには冒険だったけれど、水の深さは一メートルか、少し超えるくらいだったので安全だった。それでも、キャスリーンは決して目を離さなかった。今日はマイク・シンプソンのグループと、パッツィという女性カウンセラーのグループが一緒に来ている。人数は四十人に近い。

エリクはカメラをかついで、子どもたちと一緒に岩を登り、彼らの期待に胸をふくらませた表情や声をおさめた。それから、白く泡立つ水を得意そうに下っていく表情もうまく撮れた。予定していた撮影を終えると、機材をバスに置きにいって、スイミング・トランクスに着替えた。

彼の裸の体は完璧だった。肌には傷ひとつない。子どもたちにまじって水しぶきをあげ、大声で彼らをからかう。子どもたちのほうは、かまわれたくて、競って彼の注意を引こうと向かっていく。

お弁当を食べると、カウンセラーとエリクは、子どもたちに三十分間休んで、水に入るように言った。

二時頃、マイク・シンプソンが川から上がってきて、チューブを岩の浅瀬に置いた。「キャスリーン、昼ご飯から、人数を数えてないんだ。やったほうがいいかな?」

「ええ」彼女ははっとした。みんなで楽しく過ごしていたので、そのことを考えなかった。エリクに強く誘われ、子どもたちも喜ぶので、自分も何回か急流を下っていたのだった。エリクと、マイクと、それにパッツィの四人で、水に浮かんでいる子どもの名前を挙げていく。

「足りないわ」どの子だろう。キャスリーンはかすかな不安で考えこんだ。

「まだ上流のほうに何人かいるよ」エリクが安心させるように言った。

数分たった。何度も数えてみたけれど、どうしてもひとり足りない。

「ジェイミーだわ!」キャスリーンが叫んだ。「ジェイミーはどこ?」あわててまわりを見る。そこにいてほしい。「誰か、彼を見た?」

「あわてないようにしよう」マイクが言った。「みんなに、彼を見たかどうか、聞いてみる」

「わたしもそうする」パッツィが言った。

「子どもたちを心配させないで」キャスリーンが注意した。「表情に出さないようにね」

「わかった、そうする」マイクがゆっくりと歩いていった。

エリクが言う。「対岸の森のなかに上ってみるよ。きみはこのあたりを探してくれ」

「ありがとう。エリク……」彼女は彼の腕に手を置いた。

「わかってる」彼はすぐに気持ちを察した。「みんなで彼をみつけよう」

売店のほうへ行って、ジェイミーの特徴を話して聞いてみた。誰も彼を見ていなかった。チューブを借りた店にも行ってみる。店の主人はジェイミーを見ていなかったけれど、川で見つけたと言ってチューブを持ってきた人がいると言った。低くたれた枝にからみついていたらしい。胸騒ぎがしてきた。ジェイミーは急流に巻きこまれ、足で立つ前に、下に沈んで流されたのではないだろうか？ 彼はとても小柄だ。それに運動が苦手ときている。泳ぐことはできるけれど、それほど上手ではない。

胸を最もいやな予感がつきあげる。ジェイミー！ 心のなかで叫んだ。いや！ 彼女は川のほうへ走った。マイクが万が一にでも、彼を見つけていてくれないだろうか。川岸に戻ってきたけれど、彼の顔は厳しく、すぐどういう状況かわかった。パッツィも同じだ。

「キャスリーン、どうすればいいだろう？」マイクが聞いた。彼のこんな顔は初めてだ。いつもはあんなに穏やかで明るい表情をしているのに、今はぴりぴりと緊張していた。

「警察に電話しましょう。森林警備員に」彼女は内心は焦っていたけれど、落ち着いた口調で言った。

そのときだった、パッツィがうれしそうな声を上げた。「あそこにいるわ！」

キャスリーンはパッツィが指さすほうを見た。対岸の急な崖を、エリクとジェイミーが降りてくる。「ああ、よかった」二人が川を横切って、こちらに歩いてくる。彼女は神に感謝した。

二人がすぐ近くに戻ってきても、彼女はジェイミーを抱きしめたらいいのか、怒ったほうがいいのかわからなかった。どちらもしなかった。エリクが先回りしたのだ。

「キャスリーン、ぼくたちの小さな偵察兵が見つけたものを見てくれ！」エリクの声は楽しそうだったけれど、目はわかってやってくれと言っていた。

「そうだよ、キャシー、見てよ」ジェイミーが叫ぶ。アメリカ先住民の矢じりみたいな石を持っている。「エリクがクリークか、チェロキーか、チカソーのものかもしれないって言ったんだよ。ほんとうにそうだと思う？　エリクは確かだって言うんだけど。どう思う、キャシー？」

熱心な黒っぽい瞳が、無邪気に彼女を見上げている。いとしいと思った。彼女はやせた小さな子を抱きしめた。

なんとかほっとさせてやりたい。できるだけ抑えた声で言った。「わたしも本物だと思うわ。どの種族のものかはよくわからないけど。戻ったら、ＢＪの本を借りて調べるといいわ。きっと見つかるわよ」

「そうする」待ちきれない様子だ。

「ジェイミー」彼女は去っていく彼に声をかけた。「もうすぐ出発よ。もうどこへも行かないでね」

「はい」彼は早く貴重品をみんなに見せたくて、走っていった。

あまり心配しすぎたせいで、キャスリーンは膝が痛くなった。エリクが腕で支えて、頑丈な体にもたれさせなかったら、熱くなった岩の上にくずおれていただろう。

マイクとパッツィはちょっと戸惑って、あわてて子どもたちのほうへ走っていった。みんな今の騒ぎでゆるんでいた気持ちがひきしまった。

キャスリーンはエリクのほうを向いた。「どこで彼をみつけたの?」声がふるえていた。

「こっちだよ」彼は彼女の手をとって、二人っきりになれるように、駐車しているバスの後ろに連れていった。みんなから見えないところに来ると、彼は行方がわからずにやっと家に帰ってきた人を抱くように彼女を包みこんだ。

彼の胸毛が鼻をくすぐる。彼は背をやさしくなでた。「ジェイミーは自分が行方不明になっていることを知らなかった。だから、さっき彼を叱らないように合図したんだ。トイレに行きたかったと言っていたよ」彼の胸の奥から笑いが伝わってきた。「ウンチに行きたかったんだって、言ってた。誰にも見られないように森のなかに入っていったんだ。その後で、彼は言った。おわってから少し探検をしたくなって、あの石をみつけたんだって。矢じりに違いないとぼくは保証したよ。彼はまったく自分の世界に入っていて、どのくらいみんなから離れていたか、どんなにみんなが心配しているかわからなかった」

「エリク、彼に……子どもたちに何かあったら、わたし……」おしまいまで言えずに、ふるえた。

「わかってる、わかってるよ。でももうすんだことだ、何もなかった。後で、ジェイミーに、あんなふうにひとりで歩きまわったらいけないって、注意しておくよ」

「ありがとう」キャスリーンは彼の唇の下のうっすらと毛がはえかかったところにささやいた。

「ごほうびはもらえないのかな?」彼はやさしくのぞきこんで、指で彼女の顎を上げて、彼の顔に向けさせた。

彼がすぐそばにいる。彼はたくましい。彼女は彼が、彼の力強さが必要だった。彼女はうなずいただけだった。彼の頭が近づいてきて、温かい唇が重なる。体がしびれていた。心のこもったキスだった。彼が口を離しても、キャスリーンは一瞬、そのまま彼の体にぴったり抱きついていた。

彼はキャスリーンの肩をしっかりと抱きながら、川岸のほうへ歩いていった。みんながチューブで遊んでいる。なんでもなかったようにふるまうんだ。キャスリーンは心に決めていたけれど、気がつくとはらはらして神経質に子どもたちに接していた。腕時計の針を見ても、進み方がいつもより遅い気がする。やっと時間だ。笛を吹いて、みんなに帰ることを知らせた。

彼女はバスのなかで、エリクの横に坐った。いやなふりをすることもない。みんながバスに乗りこむとすぐ、人数をかぞえて、坐り心地の悪いシートにどすんと腰をおろした。彼が彼女の手をしっかりと握ったけれど、もう拒まなかった。

〈マウンテン・ヴュー〉に着いたとき、ほかの人たちはすでに食堂にいた。この日のために、規則が変わっていた。いつもはまずシャワーを浴びて、ひと休みをするのだが、それは省略する。すぐに夕食をとっていいことになった。子どもたちはバスから大騒ぎしながら降りると、ほかの子どもたちに早く会いたくて、食堂へと駆けだしていった。それに比べて、つきそいの大人は喜んでいるとは言えなかった。くたくたになってやっと食堂にたどりついた。

エドナとBJがキャスリーンの沈んだ表情と、顔色の悪いのを心配したので、彼女は簡単に、ジェイミーが一時行方がわからなくなったことを話した。二人は彼女が叱らなかったことをわかってくれた。BJがジェイミーに、ほかの人から離れた行動をするとどんなに危険か、注意することになった。

彼女はエリクに厳しく見守られて、なんとか夕食を飲みこむように食べた。けれど、まだ思いだしてもぞっとして、動揺がおさまらなかった。とても味わって楽しむどころではなかった。その夜ほど、夕刻の鐘の音を聞いて、うれしかったことはなかった。

キャスリーンが食堂の階段を降りて、宿舎のほうにとぼとぼ歩いていると、腕をしっかりとつかまれた。「さあ、ぼくと一緒に行こう」エリクだ。有無を言わせない。

「どうしたの?」彼女は彼の腕から離れようとしたけれど、無駄だった。「もう寝たいのに」

「そうしたらいい。だが、その前に、緊張をほぐしたら? このまま寝たら、きっと今日起きたことで、悪夢にうなされる」

ほんとうにそうだと思った。けれどすぐには応じられなかった。二人が歩いているのは彼の宿舎の方向だった。「どこへ連れていくの?」キャスリーンが聞いた。

「ドライブしよう」

彼女の思っていたこととは違っていた。けれど、エリク・グッドジョンセンは、彼女が予想したことをこれまでやったことがあるだろうか?「ドライブ?」彼女はあまり気が進まなかった。「どこへ?」

エリクが彼女を見下ろして笑ったので、白い歯が見えた。「まあ、見てるんだ」彼女の気持ちを察して、皮肉な調子で言うと肩を抱き寄せた。

素直に従おう。彼女にはもう逆らう意志も気力もなかった。それに、彼に決めてもらうほうが楽だと思った。これまで何かというときは、いつも自分ひとりで決めなくてはいけなかった。少しのあいだでも、ほかの人の言いなりになるのはほっとする。

彼は先に彼女をブレイザーに乗せてくれた。車は構内に向かって、それからメインゲイトから出ていった。

「こっちはスイミング・エリアよ」車をターンさせたので、彼女は注意する。

「ああ、でもこれから行くところまでは、少し歩かないといけない。きみに、あるものを見せたいんだ」

彼女はまた黙った。夜気は涼しくて、ほんの少し雨の気配があった。エリクは窓を開けていたので、キャスリーンはシートに頭をのせて目を閉じた。顔に涼しい風があたる。

ブレイザーが止まる気配に目を開けた。スイミング・エリアだ。「きれい、でもここなら見たことがあるわ」さりげなくあてこすった。

エリクは笑った。「気分がよくなったんだね。そうやって辛辣《しんらつ》なことが言えるようになった」彼は助手席のドアを開けて、彼女を引っ張って出してくれた。「こっちだよ、うぬぼれ屋め。ここからは歩かなくちゃいけない」

川には行かないようだ。彼女の予想と違う。彼は彼女を引っ張って、森のなかに入っていく。

「エリク」彼女は心配になった。「あなた確かに――」

「どこに行くのか、わかってるのか?」後の言葉を引き継ぐ。二人をおおっている木々の枝が茂っているので、かすかな月光さえ差しこんでこなかった。「うん、場所はわかってる。このあいだの晩、見つけておいたんだ、ぼくはとっても……気持ちが揺れ動いて……鎮める場所が必要だった」彼は彼女の手をしっかり握りしめた。

二人は黙ったまま歩きつづけた。彼はこの場所をよく知っているようだ。彼女は顔が赤くなった。彼女のために、蔓や石をよけるようにしてくれる。「どこへ――」

「しっ、よく聞いて」彼は彼女の言葉をさえぎった。「川の音が聞こえないか?」二人は立ち止まった。彼女は耳をすました。急流の音が聞こえた。

森の最後の境を通り抜けた。月光がエリクの目的地を照らし出している。川のそばに、砂糖よりも細かい白い砂がいちめんに広がっていた。それは小石がぎっしりとつまった川床につながっている。三十メートルほど上流に、大きな岩がいくつかあって、それが早瀬を作っていた。砂浜では水の流れはとても速い。巨大なオークやエルムの木が天然の天蓋《てんがい》のように川の上をおおっていて、ここでは川幅が狭くなっているので、親しみやすく、秘密の場所のような感じがする。美しかった。

「どうやって見つけたの?」キャスリーンはすごいと思った。何年もキャンプに参加しているのに、この場所を見つけられなかった。びっくりするけれど、ここは踏み固められた道からはずれているし、好奇心旺盛な子どもたちと一緒に、自然ハイキングをするには危険すぎる地域だっただろう。

「歩いて、フラストレーションを追い出していたって言っただろ」彼は微笑んだ。「行こう」

二人は川岸に走った。エリクはブレイザーから持ってきていた毛布を、砂の上に敷いた。キャスリーンは立ち止まって、川下りの後、ずっと着ていた服を脱いだ。それより前、太陽をいっぱい浴びるために、ビキニのストラップをほどいて、乳房のあいだで蝶結びをしていた。ストラップをつけなくてもいいようにデザインされていたので、そのことを意識しないで水のなかに入っていった。

「うわっ! 冷たい!」彼女は叫んだ。

水が足首を越えて流れていく。

「慣れれば大丈夫だよ」エリクが請け合う。

彼は少し先まで歩いて渡ろうとしたけれど、水は彼の膝より上まで来ないようだ。彼は流れに逆らってうずくまると、小石のつまった川床に坐って、背中を早瀬につけた。「渦巻き《ワール》風呂《プール》みたいだ」彼が気持ちよさそうに言った。

キャスリーンはエリクを追って、おそるおそる中流のほうへ進もうとするけれど、速い流れのために今にもバランスを崩しそうになった。とうとう彼のそばに行き着いた。彼女は彼の頑丈な肩に手を置いて、水のなかにそろそろと坐った。痺《しび》れるほどの冷たさにはっとした。

「よく我慢できるわね?」彼女が聞いた。やっと腰を川床につけて、前方に両足を伸ばした。

「すぐ慣れるよ」彼が言った。「すばらしいだろう?」

彼の言ったとおりだと思った。渦巻き、泡だって流れる水の音が子守歌のようだ。体を流れ過ぎていくにつれて、彼女の気持ちを鎮め、緊張感を取り去ってくれる。彼女は両手で体を支えて、後ろに体を曲げた。腰を持ち上げて、足を流れに浮かばせる。水の流れが速かったので、ブラのカップの下をくぐって、水が噴き出た。

「ビキニが流れていきそう」彼女は気になって笑った。

「じゃあ、なおしてあげる」エリクが言った。

7

どうなったのかわからなかった。気がついたときは、ブラが噴き上げられて、渦巻く水のなかに流れていった。

「エリク！」彼女は金切り声を上げて、あわてて両腕を交差して胸を隠した。「何をするの？」

「ビキニの上がなくなる心配をとってあげたんだよ。もうなくなったんだから、心配することは何もない」彼はうれしそうに肩をすくめた。笑顔に目がくらみそうだった……それに危険だわと思った。

「わざとブラをはずしたのね！」

「すまない」彼はあっさり言った。「さあ、安心して、水を楽しもう」彼は頭を後ろに反らして、異教徒の彼の祖先が天を拝んだように、顔を空に向けた。目を閉じる。

キャスリーンがほんとうに心配しているのは、速い水の流れではなくて、心臓の速い動悸だった。こんな大自然のなかで、真夜中に、男盛りで自分の思うままに行動する男と、しかもすぐかたわらで裸同然で坐っている。

不安はつのっていくのに、彼が彼女を見もしないと、しゃくにさわっていやな気がしてきた。彼はまったく超然として、彼女に興味がなさそうだった。しだいに、彼女は楽な気持ちになって、前のように、両手をついて後ろに反り返った。冷たい水で堅く引き締まった胸の谷間が、水面から下になっているのを確かめた。キャスリーンとエリクは黙っていた。二人のまわりには水の流れる音しか聞こえなかった。彼のささやく声が耳元でしたとき、彼女は驚いて跳び上がった。

「あれが聞こえた?」

耳のなかのどくどくという動悸しか聞こえなかった。「なあに?」

「あの木の、上のほうの枝にいるフクロウが見える?」彼はオークを指さしたけれど、彼女には何も見えなかった。「いいえ、どこ?」

「あそこだよ。あの枝……ちょっと待って。ここはよくない」彼は彼女の後ろにまわり、見事な筋肉の太腿で、彼女の腰を両側からはさんだ。彼女の背中は、彼の胸がたくましく支えてくれている。後ろから腕を伸ばして、目標の木を指さした。「あれが見える? 川の上のいちばん低い枝の上だ」

彼女は目をこらして見たけれど、フクロウどころか、何も見えなかった。「見えないわ」

彼女はため息をついた。

「そうか、でも驚かないよ。あそこには何もいないんだ」彼女のウエストに手をまわして引き寄せながら、耳に唇を押しつけた。「嘘をついた。きみをしっかり抱きしめたかったから」

彼女は彼からもがいて離れようとしたけれど、彼は敏感に彼女が本気ではないとわかっていた。「そんなことをしてたら、いつかトラブルに巻きこまれるわよ」彼女の注意する声は低くかすれていた。「いたずらをしたのは二度目だわ」

「そうだ。そして二回ともうまくひっかかった」彼女のうなじに告白する。彼の息が温かい。彼は髪をこぶしでやさしくなで上げて、その下の香水をつけた肌にキスをした。髪を肩に戻しても、彼の手はじっとそのままおとなしくなってはいなかった。

魔法のような指で彼女の首をなで、それから背骨にあてて、脊柱《せきちゅう》を数えるようにゆっくりとおろしていく。欲望をそそりながら、指を広げて手のひらで、肋骨のまわりから胴のなめらかなところにぴったりとあてる。手のひらはそのままで、指でかすかになでる。その手を動かしてほしい。キャスリーンは熱くなっていた。彼の指はじらし、時折、ビキニの伸縮するバンドの下に滑りこませるけれど、彼女に触れるのは我慢している。

「濡れたシルクみたいな肌だ」彼女の耳元にささやく。彼の舌が、耳たぶの後ろの肌にからまる。かすかに、手が上のほうへ動いた。

左の乳房の下側をやさしく押さえる。「心臓がどきどきしてるよ、キャスリーン。ぼくのせい？」

手が乳房の下側をなぞっていく。彼女は気持ちがよくて喉を鳴らしたいくらいだった。

「ええ、そうよ」

「ああ、キャスリーン」

彼は両手で彼女のはりきった乳房をおおって、手のひらで交互に押したり、注意深くもんだり、かかえ上げたり、指先で乳房のすでに疼いているてっぺんをいじめたりする。彼はやっと一方の乳房の愛撫をあきらめ、彼女の顎を揺らして、頭を自分のほうへ向けさせた。彼女を後ろに向かせて、彼の片方の太腿にのせ、燃えるようなキスを浴びせた。

二人の唇がぴったりと合った。お互いに吸いながら、味わい、楽しみ、それからディープ・キスをまた味わい尽くす。彼女はこんなに奔放に、次々と楽しみながらキスをしたことはなかった。

彼の手はすばらしく正確だった。彼女の体のくぼんだところ、カーブを描いているところ、平たいところをたどっていく。両脇をなでながら下がり、乳房を再び味わうために、ひきしまったおなかの上を動く。彼の手は好奇心がつきることがない。彼の唇は満足することがない。執拗に彼女を攻めつづける。彼女は今までこれほどの喜びを味わったことがなかった。欲望の種は彼女の奥深くに植えられ、しだいに成長し、ついに満開に花開いた。

キスで我を忘れ、彼女は彼に寄った。頬に彼の悩ましげなあえぎ声を感じて、彼がまわりに巻きつけたうっとりするシルクのような網から抜け出した。大きくなった彼のセックスを、彼女のヒップがこすっていた。

「ごめんなさい」頭を彼の熱い胸にもたせかけながらささやいた。

「あやまることはないよ」声は少しいつもと違っていた。「ここから出してあげないと、きみは凍えて固まってしまう」彼は手を離して立ち上がり、彼女のほうへ手を差しのべた。彼女は遠慮して、自分で水から出ると、流れに負けないように急いで、彼を通り越して岸のほうへ渡った。

砂は日中たっぷりと太陽の光を吸収して、まだ暖かかった。キャスリーンは彼に背を向けて、几帳面に腕で胸を隠していた。さっきは水がわずかでも防護になっていたけれど、それがないと、まるっきりむきだしになっている感じだった。

濡れた衣擦《きぬず》れの音がした。彼がスイミング・トランクスを脱いでいる。彼はそっと近づいてきて、彼女のすぐ後ろに立った。「キャスリーン」彼は両手を彼女の肩に置いて振り向かせた。彼女は顎を胸にうずめるようにして、目を堅く閉じていた。

「きみは男と一緒になったことがないんだろう?」彼女は答えなかった。彼は人差し指で彼女の顎に触れて、彼の顔を見させた。「そうなんだね?」彼女は目を開いて、彼の突き刺すような目を見た。彼はもう一度聞いた。

彼女はうなずくほかなかった。「ええ」

彼は両腕でやさしく彼女を抱いた。二人のあいだを邪魔している彼女の腕はそのままにさせていた。額を彼女の額に当ててささやいた。彼の息が風のように彼女の顔にかかる。「BJがそれとなく教えてくれた。かわいそうなことをしたね、なんてきみはかわいいんだ。悪かったよ。きみがヴァージンだなんて、どうしてわかる? 最初から、そのことに気がつくべきだったんだが」彼は静かに笑った。体の振動が彼女の体に伝わる。

彼女は自分の両方の肩を守るように抱きしめていた手をほどいて、彼の胸に置いた。「ヴァージンはとてもめずらしいから、そのことに思いいたらなかった」彼は自分を責めていた。ため息をついて、後悔するように言った。「ぼくのことを怖がったのは、不思議じゃないよ」

彼女はすぐに頭を上げた。「違うわ、エリク。ああなったことが怖かったの、あなたが怖かったんじゃない」一生懸命に訴えた。

「それで、今は？」

今？ 彼女は自分に聞いてみる。今はどうなの？ 今は彼を愛しているとわかっていた。今朝、彼が老夫婦を撮影しているのを見ていて、そのことがわかったのだ。彼は伯爵夫人に接するように、老婦人の手を取ってキスをしていた。それを見て、今までになく強い感動を覚えたのだった。ジェイミーのことだってそうだ。あんなに心配してくれて、その後は、危機を察知して控えめだったけれど、しっかりした処置をしてくれた。今は彼が大切な存在になっていた。

ええ、彼女は彼を愛している。彼にどれほど愛しているか、知らせたかった。それを表したかった。彼女は恥ずかしそうに両手を彼の肩に置き、彼の目をじっと見上げた。彼女のことをどう思っているのだろう。「今は怖くないわ」

彼女が近づいて、乳房を彼の裸の胸にぴったりくっつけると、嚙みしめていた彼の歯のあいだから息がもれた。彼女を今にも壊れそうな磁器のように、注意しながら手をそっとウェストにまわして引き寄せた。体が触れあった瞬間、火花が散るかと思った。二人とも強力な刺激に衝撃を受けた。

「キャスリーン」彼が彼女の髪のなかにしゃがれ声でささやいた。「一緒に横になろう」強く、必死な、でもとてもやさしい声だった。

そのままひとつになって、二人は砂の上に広げた毛布のほうへ歩いた。彼は坐ると彼女を見上げて、また彼女に手を差しのべた。彼女は親指をビキニの横にひっかけ、そろそろと太腿から膝へおろし、それから几帳面にビキニから足を抜いた。

かたわらに坐った彼女に、エリクが手をのばし、ゆっくりと彼女を一緒に寝させた。彼は横向きになり、彼女を彼のほうへ引き寄せて顔を合わせた。

「もし少しでも痛くしたら、ぼくを止めてくれ」

「あなたはそんなことはしないわ」彼女は彼の額から落ちた銀色に輝く髪をなでた。

「いや、するよ。しなくてすめばいいと思っているが」

「それなら、わたしは痛くしてほしい。そうしてほしいの」

彼は彼女の名前をやさしく呼んだけれど、唇が彼女の唇をとらえたので、声は途中で消えた。舌は彼女の口をくまなくなぞり、それぞれの違いを感じ取り、彼女だけの味を覚え、彼女の唇に彼の口の美酒《ネクター》を塗る。今度は手。手のひらに熱烈なキスを押しつけ、それを彼の胸にあてた。

「きみにぼくを知ってほしいよ、キャスリーン。ぼくに触れてくれ。きみがぼくと同じくらい知ってくれるまで、何もしたくない」

彼女は彼をじっと見つめながら、今まで知らなかった彼の胸を手探りしだす。指がちぢれた胸毛を波立たせ、肌の下の堅い筋肉をなでる。ふさふさとした黄褐色の毛のなかにある硬くなった茶色の乳首に偶然触れて、恥ずかしくなった。エリクがあえいでいるのがはっきりとわかる。それから、彼女が触れるのを待ち望むように息を止めた。彼女はもう処女らしい恥じらいを捨てた。好奇心いっぱいの指で、ふくれた肉体の蕾《つぼみ》に触れて調べる。

彼が唾を呑みこんだのが聞こえた。「ぼくも同じことをしてもいい？」

彼女はそっと笑った。「してちょうだい」

彼が乳房にもっと触れやすいように、体を動かした。彼の両手が乳房をおおって、持ち上げた。親指で谷間を甘く挑発しながら、頭を下げた。冷えていた肌に彼の唇が触れた。温かい。はっとした。彼の動きがとても繊細だったので、キャスリーンは何をされているのかはっきりわからなかった。乳房の奥深く子宮までも感じて、彼にやめないでと叫んでいた。

今、彼女は弓なりになりながら、彼の熱いものをぴったりとおなかにつけられていた。なぜ前は、彼のことを怖いと思ったのだろう？　彼のセックスは別のものではなく、彼そのものだ。それはエリクだった。彼の本質だった。

彼女の手はひきしまった平らな胃のあたりから、おなかのシルクのような体毛の跡にそって、もっとたくさん、もっとふさふさと生えたところまで動いた。それから彼のセックスを握る。

「ああ、すごいよ、キャスリーン。いいよ……ああ、いい、いいよ」言葉は重要ではなかった。言葉の裏にある切迫した声の調子のほうが、彼の気持ちを伝えていた。声に出した言葉よりもっと押しつけるような声で、彼女が喜ばせていることを教えている。彼の反応で自信ができて、彼女はもっと大胆になった。

　彼は手のひらを彼女の太腿の付け根のあたりに置いて、円を描きながらなでる。指がゆっくりと、小さな曲線になったところを探り、柔らかく、されるままになった、湿り気を帯びたところをみつける。彼はそっと動いて、彼女の太腿のあいだに寝そべった。

　それから、彼は秘めやかな場所の入り口に、ゆっくりと入ろうとしていた。「できるだけやさしくするからね。誓うよ」彼は小さな声で言った。そして彼自身のすべてを彼女に与えた。

「愛してる」彼はささやいた。「ごめんよ。力を抜いて、楽にして」

　二人は長いあいだ、堅く抱き合っていた。時を超えて、永遠と思われるほど。エリクは彼女にキスをした。いつのまにか出ていた頬の涙を、気づかって唇でなめる。両手で顔の上でからんでいた髪を梳《と》かし、指でなでてたっぷりとした房をつくる。そして輝くばかりに美しいなかに顔をうずめ、深く息を吸って香りをかいだ。

　キャスリーンは思わず知らず動いて、彼のセックスを強くしめつけていた。彼の息づかいが、速くなり、彼女の耳元に小さなハリケーンのように聞こえた。彼を興奮させたのだとわかった。わざとなかを動かした。今度は、彼の反応は繊細ではなかった。

　最初、ためらいがちに攻めていたけれど、それから本来の彼に戻って、あの究極のゴールに突き進むまで、彼を止めさせるものはなかった。ヨタカが仲間に哀調に満ちた声で呼びかけるように、クライマックスの瞬間、彼は自然と彼女の名前を呼んだ。

裸の二人は、原始的な無垢《むく》なものに囲まれていた。激しく流れる川、風のささやき、星の輝く黒い空、すべてが自然の威力のあかしだった。キャスリーンとエリクもまた同じだった。二人は夜とともに、一体になった。


「キャスリーン?」

「なあに?」

「ほんとうに、大丈夫?」

彼女はすりよって、静かに笑った。「わかってもらえるには、どうしたらいいの? こうなってから、あなたが聞くのはこれで四度目よ」

エリクは彼女の肩に手を置いて、感触を楽しむように滑らかな肌をなでる。絶えず手を動かしながら、彼女の腕の下にすべり、豊かな乳房を見つけた。「わかってるさ。きみが居心地が悪くないってことを、確かめたかっただけ」

彼女はまた笑った。「わたしのことを信じて。とても気持ちがいいわ」ゲスト用の宿舎の狭いベッドで、彼女は体を動かして、ヒップを彼のおなかにぴったりとくっつけた。

愛がこんなに焼き尽くすほど激しいと思わなかった。これほど限りがないものだと、考えたこともなかった。二人が川のそばで一緒に寝てから一時間は過ぎていても、それを経験したことを大切に思っていた。それの一秒ごとを思い起こせる。

エリックはトランクスをはいていた。キャスリーンはビキニの下をはいて、Tシャツを着ていた。ビキニのブラはどこに行ったのかわからない。二人はそのことで笑い合った。見つけられるだろうか。毛布をたたんで、ブレイザーのほうへ歩きだした後で、腕をお互いにからみあわせながら、彼女は言った。「エリック、すばらしかったわ」

「ぼくも」彼は額にちょっとキスをした。「もっとすてきになるよ、約束する」

これ以上よくなるって、想像できない。今まで本で読んできたような、クライマックスで無重力の感覚はなかったけれど、これは美しいと思った。体はなぜだかわからないけれど、熱い思いで満たされ、まだずきずき痛む。

「ぼくの宿舎でひと晩すごしたら、ぼくたち、キャンプから追い出されると思う?」車がメインゲイトを通ったとき、エリックが聞いた。車のヘッドライトを消して、構内をのろのろ運転で進めていた。

「誰にも気がつかれなかったらいいんじゃない」彼女は歌うように言った。

「きみは思ったとおりだ、そういうところが好きだよ、キャスリーン・ヘイリー。冒険好きな女の子だ」彼は彼女の膝をなでた。

「待って!」彼女は急に言った。「キッチンの裏口に」

エリックは歯を見せてにやっと笑った。「腹がへったの?」

その質問に、彼女は罰として、彼の耳に音を立ててキスをした。「ううん、でも何かもらいたいの」

「そうか、急ぐんだな、そうでないとつかまるぞ」

「すぐ戻ってくるわ」彼女は車のドアを開けながらささやいた。

一分もしないうちに、茶色の紙袋をかかえて戻ってきた。「なかに何があるの?」彼はそっとブレイザーのギアを入れて、車を宿舎に向かう暗い道のほうへ動かした。

「まあ、待ってなさい」彼が最後の木を通り過ぎたときに、じらすように言った。

部屋のなかに入って、目が暗闇になれると——明るいライトなどいらなかった——エリクはシャワーが使えると言った。

「深いバスタブがほしいなあ、でもあるものでなんとかしよう」彼はわざと苦難を負っているように言った。

シャワーは、温かいお湯と石鹸と、裸の肌と、好奇心いっぱいの手と、飽くなき欲望の口との饗宴になった。「そこの女、髪を洗ってくれ」彼はひざまずいて、ふざけて、彼女につるつる滑るプラスティックのシャンプーのボトルを渡した。

彼女は笑って、まじめに洗いはじめる。石鹸の泡をいっぱいたてて髪をこする。彼の口が胃のあたりを通っていくときは気が散る。両手も同じ。彼女の太腿の後ろとヒップを愛撫して、口ひげはお臍《へそ》を攻めつづける。彼が立ち上がったとき、キャスリーンはふるえていた。

宿舎用に貯めてあるお湯がなくなりだして、水はぬるくなった。「きれいになった?」エリクは石鹸のついた乳房をマッサージしながら聞いた。

彼女はタイルにもたれた。こんなに上手に触れている手のこと以外は何も考えられない。

「ぴかぴかよ」

「ほんとうかな?」彼の声の調子で、キャスリーンは満ち足りて閉じていた目を開いた。彼の手が彼女の体をなでながら、太腿のあいだの赤褐色のヘアが密集したところに触れている。彼女は知ったばかりの欲望が再びわき起こった。彼の目は情熱でくすぶり、泡だらけの手は彼女をなでまわした。

「エリク」またほしい、彼女は腕を彼の首にまわして腰をくねらせ、彼の両手にあったセックスに体をくっつけた。彼が強く深くキスをするので、彼女の背中はタイルに押しつけられ、水はすっかり冷たくなっていた。

二人は体をふいたけれど、裸のままだった。キャスリーンはキッチンからとってきた紙袋を彼にあげた。「あなたによ」彼女は言った。袋には、よく熟れた、香りのいいアーカンソーのピーチがたくさん入っていた。

「ありがとう!」

彼らは床の絨毯の上に坐った。キャスリーンは持ってきた小さな果物用ナイフで、彼のためにゆっくりとピーチの皮をむきだした。エデンの園のイヴみたいに、彼を誘惑するような目になっている。二人とも旺盛に二つのピーチを分け合い、体に欲望をそそる滴《しずく》をたらしながら食べた。

「あなたの顔、べたべたしてる」彼女がじっと見つめる。

「ほんとうだ。気になる?」

彼女は首を振り、甘えた目を輝かせて言った。「ううん」彼のほうへ体を曲げて、唇をあてると軽くなめた。唇から顎へ、それから首へとなめていく。エリクはその前からじっと息を止めていた。彼女の唇は彼の胸を動き、小さなピンクの舌で乳首をみつける。とたんに彼はうめいて、指を彼女の髪に巻きつけた。

今は、あれからもう一度、簡単にシャワーを浴びたあとだった。二人は彼の狭いベッドで、手足をからませて横になっていた。彼は彼女の髪に愛の言葉をささやき、乳房の神秘なところを吟味し、指の愛撫で彼が引き起こした変化を楽しんでいた。

わずかなふるえがキャスリーンの血管のなかで、起こりだした。彼女は肌に当たっている彼の毛のはえた胸や、長い脚が彼女の脚をこする感触が好きだった。彼の男らしい石鹸の香りと、彼独特の麝香《じゃこう》の香りがまじりあって、もう一度彼を知りたくなった。

「エリク?」

「しっ、静かに。きみは眠ってることになってるんだよ」

「エリク、お願い――」ふくらんだ乳首が彼の指のあいだで軽く押されたので、言葉が出なかった。彼は彼女の耳元に口をあて、誘うような舌で刺激する。「エリク、また愛して」

「キャスリーン、痛くなるよ、ダーリン、そして――」

「お願い」

「キャスリーン……」

彼の声で、ためらい、躊躇しているのがわかる。また愛してほしかった。だからヒップを彼にこすりつける。彼の動悸が不規則に激しくなった。彼の手がゆっくりと彼女の太腿の後ろにすべり、やさしくそれを上にあげて、膝を胸まで近づけた。

彼はそっと彼女のなかに入って味わう、それからゆっくりと引き出す。彼女の乳房に置いた手を腰へ滑らせて、そこに手のひらをぴったりと当て、さらに近くにもってくる。

キャスリーンは吐息をつき、ちぐはぐな言葉をつぶやいたけれど、エリクにはわかったようだ。彼はもっと強く彼女のなかに入ってきた。なおも指は彼女の体をなで、彼の愛撫を求めて張り切っていた乳房を探り当てた。彼女の体中がふるえた。彼は今までになくそっと彼女に触れたけれど、限りないやさしさと、そうせずにいられない気持ちがこもっていた。

熱い気持ちは高く広がり、体とともに跳び上がりそうだった。続けざまに、小さな爆発が体のなかで起こる。はじけるように歓喜の花が開いて、それぞれの神経に点火し、胸の内に火をつけた。彼女は彼がさらに奥深く入れるように、彼に腰を押しつけ、彼の名前を驚きと愛をこめて叫んだ。

彼はゆっくりと彼女を陶酔から戻らせた。彼女を敬い、愛していると言った。男性からこれほどほめたたえられたことはなかった。彼女はそんなに美しいのだろうか？　彼からそれほど崇《あが》められ、女としての魅力をほめられるほど？　彼女はそうなりたかった。彼のためにそうでありたかった。

彼が体を離したとき、驚いて彼をじっと見つめた。「エリク、あなたはまだ――」

彼はやさしく彼女に微笑した。「そうだよ。今のはきみのためだ」そして、彼女の口を求めて深くキスをした。「きみの顔を見たかったんだよ」

あんなに求めたりして、彼を失望させるのはいやだった。「わたしは……わたしが言いたいのは、今のは……あまりにも速くて……」

彼は彼女の上に体を伸ばして笑った。「きみはもっと習わなくちゃいけないね、ミズ・ヘイリー、それに、ぼくはきみに教えるのが大好きだ」頭を下に向けて、舌ではりきった乳房の谷間を交互になめた。

頭をあげて、彼女の太腿のあいだに手を滑りこませ、濡れたところを指で愛撫しながら顔を見る。「きみはすごくすてきだ」

「あなたも」

「きみのここ、とっても柔らかい」指が二つの溝のあいだに入りこむ。

彼女の首が弓なりになる。「ああ、エリク。そんなふうに触るなんて信じられない」

「信じるんだ」体を曲げて、ひとつずつ乳房にキスをして、それから開いた唇にキスをする。

「きみは信じられないくらいすてきだ」彼女の溝のなかを愛撫しながら、声がもうかすれていた。

彼が再び勃起してきた。彼女にはそれがわかった。彼が上にのり、それから挿入したとき、彼女はもう充分受け入れられるようになっていた。彼女はため息をつきながら、押し寄せる官能の嵐に溺れた。激しく攻められ、一気に、もう知っているあのクライマックスへ向かう。

彼女は目を開けた。彼が彼女の顔をじっと見つめている。彼は彼女を自分のほうへぐっと抱き寄せ、さっきより深く突き入れ、与えなければならないものをすべて彼女に与えた。そして波が二人に激しく押し寄せたとき、彼の唇は彼女の名前をはっきりと呼び、目はしっかりと愛を伝えていた。

二人は朝食で会った。顔が合うたびに、とても楽しい秘密を分かち合ったやましいことのある子どものように、笑いかけた。二人は茶目っ気のある違反をして、うまくやりおおせたのだ。ほんとうに、やったのだ。誰にも見られず、彼は夜明け前に彼女を宿舎に送っていった。

エドナは二人のことをあやしいとにらんでいたけれど、二人はそのことに気がつかなかった。ほかの大人は、雨で意気消沈していたので、それ以外のことに気づいていなかった。カウンセラーにとって、雨は頭痛の種だった。災害に遭ったみたいだった。二百人の扱いにくい子どもたちを、一日中、屋内に閉じこめていないといけない。

それでも、こんなときのために、ウォルト・ディズニーがある。今日は午前中に映画鑑賞、それから午後の手工芸の時間の後に、もう一本映画をみせればいい。

エリクは今朝は何でも来いという気分だったので、雨で行事が変わっても困らなかった。「これで、雨の日をどうしているか撮れる。それに、このファイルをまだ少し見おわっていないんです」彼はエドナに説明した。

一時間後、子どもたちは大きなテレビ・スクリーンの前に坐らせられた。映画が始まると、拍手と足踏みが起こった。エリクが三脚の上のカメラのスイッチをつけたとたん、うまく作動しないことに気づいた。彼はそっと罵りの声をあげたけれど、『わんわん物語』の声にかき消された。ただひとり聞こえたのは、彼のそばにいたキャスリーンだけだった。

「どこがおかしいか、むずかしすぎて説明できないよ」彼女に聞かれて、彼は言った。「だが、このカメラはとても特殊なものだから、ほんの小さなことがうまくいかなくなっても使えなくなるんだ。どこが悪いのかわかってるんだが、交換する部品を持ってきていない」いらいらして、彼はまた低くうなった。「くそっ」

「何か方法はないの?」暗くなった部屋だったけれど、人に見られないように、彼女は彼の袖の下に手を滑らせて腕のなかにつっこんだ。

「一日中、きみとベッドにいる」エリクが彼女のほうにかがみながら、ふざけて流し目で見た。

「わたし、真剣よ」

「ぼくもだ」

彼女はまじめな顔になって咳払いした。「カメラのことを言ってるの」

「ああ、カメラか」彼はわざと急にわかったふりをした。「さあ、セントルイスに行って、直してもらわなくちゃいけないだろうな」

「エリク」彼女は絶望的な声でささやいた。

彼は彼女の顎に触れて言った。「ここで待っててくれ。すぐ戻ってくる」彼は彼女から離れて、ドアから出ていった。

ひとり見捨てられた感じがした。彼女はスクリーンではねまわって歌っているキャラクターをじっと観ていたけれど、エリクがいないまま一日を過ごすと思うと、独創的なアニメーションを楽しむことさえできなかった。

彼が戻ってきたとき、肩と髪はぐっしょり濡れていたけれど、足取りは意気揚々としていた。「フォートスミスの飛行場に電話したんだ。もしぼくらが今すぐ発つなら、二時半のフライトに乗って、ぼくの用事をすまして今夜戻ってこられる。テレビ局の技術者に電話した。ぼくが必要な部品をあちこち探してくれるそうだ、あっちに着くまでに見つけてくれるだろう」

「あなた、一日中出かけるのね」彼女は嘆いた。

「そしてきみはぼくと一緒に行く。途中まではね」彼は矢継ぎ早に質問されるのがわかって、彼女の唇を指でふさいだ。「エドナに、きみにフォートスミスまで車で送ってもらえないか聞いた。雨だから許しが出たよ。つまり、ぼくが今夜戻ってくるまで、きみがフォートスミスで、時間をつぶしていてくれるならだけど」

「まあ、なんでもないわ、エリク。わたし、映画に行くか、ショッピングをしてる。それなら一緒に車のなかでずっと過ごせるもの」衝動的に彼女は腕を彼の胴にまわして、濡れたシャツの前に顔をうずめた。

「気をつけて」彼は体を離しながらささやいた。「ぼくたちがすてきなショーを見せたら、映画がそれほどおもしろくなくなるよ、それに、急がなくちゃ。十五分で、きみの宿舎の外でピックアップする。いいね?」

「ええ」彼女ははりきって答えた。

彼は言ったとおりの時間に、クラクションを鳴らした。彼女はぴっちりしたジーンズと、緑のシルクのブラウスの上に、雨でも大丈夫なようにプラスティックのウィンドウブレーカーをはおってブレイザーに乗りこんだ。

「いつもそんなに誘惑してるの?」エリクは彼女の口にキスをしようと、体を曲げながら聞いた。ちょっとした挨拶のつもりのキスが、ほかのキスと同じように、情熱があふれる激しいものになった。少し触れただけで、二人の口はお互いを飢えたように求め合い、拒まれることはなかった。とうとう二人とも息ができなくなって、唇を離し、エリクがぼやいた。

「今日はぼくの一生で、いちばん長い日になりそうだ」

彼女はフォートスミス方面へのハイウエイの道を教えた。彼は雨で滑りやすくなった道をできるだけスピードを上げた。フォートスミスまで三時間以上かかった。エリクはやっと二時四十三分発の、セントルイス行きの飛行機に間に合った。カウンターで予約したチケットを受け取ると、キャスリーンのほうへ戻ってきた。「今夜十一時十分着のフライトに乗って帰ってくる。九時間ほどあるよ。そんなに長いあいだ、ひとりで楽しめる?」

「昨日の夜のことを考えてるわ」

「それならきみには暇がないね」彼はにやっと笑った。それからまじめな表情になった。

「ブレイザーから目を離さないでくれ。カメラは一緒に持っていくが、ほかの機材はすべてあの中だ。きみがどこかに行くときは、ロックを忘れないようにね」

「わたしの命をかけて守るわ」

「そんなこと、言うんじゃない」彼はカメラを、小さなエアターミナルのなかのターコイズブルーのビニールとクロムのソファに置いて、彼女の肩をしっかりつかんだ。「ぼくたちの命は、賭事《かけ》で失うには貴重すぎるんだから」

「ああ、エリク」彼女は待ちきれなくて言った。「キスして」

彼はもどかしくて待合室を見まわした。大きな板ガラスの外に、彼が乗るターボプロペラの飛行機が見えた。「こっちへ」彼女の手をつかんで、電話ボックスのほうへ引っ張っていった。

そのなかに入って、ドアを閉めようとした。「チェッ、だめだ」どうしても閉まらない。「かまわん、見せてやれ」彼は両腕で彼女をしっかりとかかえた。口は彼女の口を押し開き、舌で彼女の柔らかい唇のあいだのおいしいところに入りこんだ。熱いキスをしながら、時と場所が許すときには、もっとすばらしいことができる約束をこめた。

彼はよろめきながら彼女の体を離した。「逮捕される前に、ここから出たほうがいい」笑おうとしたけれど、出発の時刻が差し迫っていたのに、どちらも相手から離れられないでいた。

彼のフライトが拡声装置でアナウンスされたけれど、飛行機に燃料が補給されているあいだ、もう少し貴重な時間をしっかりと抱き合っていられた。

「ぼくたち、ばかになってるね」彼は最後にもう一度彼女を抱きしめながら、髪のなかにささやいた。「数時間たてばきみに会えるのに」彼は彼女の口にしっかりとキスをした。「今夜、会おう」

「ここにいるわ」彼女は微笑した。

彼のカメラを、客室係が神経質に注意深くセキュリティ・チェックする。エリクはそこを通ると、待っている機体に渡したステップのほうへ、彼女に投げキスをしてさっとドアを通っていった。ステップに上る前に、彼はカメラを肩からとって一方の腕に下げた。もう一方で、乗客と仕切るガラスの後ろに立っているキャスリーンに手を振った。それから、彼は見えなくなった。

喉にいやなものがつまって、ふくれている。彼女はせっかちにそれを呑みこんだ。何が心配なの？　今夜、彼に会えるのに。おばかさん！　彼女は自分をさとした。

飛行機のドアが閉まった。簡易ステップがはずされた。ゆっくりと飛行機が飛行場の端に移動し、離陸態勢に入った。着陸したばかりの個人用飛行機がターミナルへ向かう途中、滑走路を横切るのを待った。

キャスリーンはガラスの背後から、パイロットが離陸の準備のために、エンジンの回転速度を上げた轟音を聞いた。パイロットは加速させ、飛行機は滑走路を猛スピードで走りだした。彼女が歩きかけたとき、滑走路をはずれて交差レーンに入っていく単発式の飛行機に目を引きつけられた。濡れた路面の上でめちゃくちゃにスピンしだした。ぞっとして見ていると、飛行機は滑走路の、大型飛行機が近づいているほうへ戻っていく。

キャスリーンは爪が皮膚に食いこむほど、固く手を握りしめた。血が出て濡れたことを、そのときはわからなかった。わかったのは、二機が彼女の目の前で衝突したことだった。

「いや！」衝突の瞬間、叫んだ。小さいほうの飛行機が、大きいほうの飛行機の機首に傾いたまま突っこみ、すぐに炎を上げて目の前で分解した。

「いや！」彼女はまた叫び、永遠と思われるほど立ちつくしていた。それから、地面を震わせる音がして、エリクの乗ったジェット機の燃料タンクが目を射るような光を放って爆発した。彼女の目の前は粉々に吹き飛んだ。

8

キャスリーンはガラスのドアに体をぶっつけた。開かない。こぶしで滅茶苦茶に叩く。手から血が出てきても気がつかなかった。猛烈に叫びつづけ、オートロックのドアを開けようと、爪がはがれるほど叩いた。

ターミナルは地獄のような大混乱になっていた。サイレンは鳴りわたり、人々は目の前にくりひろげられている大事故を見るために、ドアや窓のほうへ殺到した。チケット・カウンターには人がいなかった。キャスリーンは見物人のあいだを、無理矢理通り抜けていった。どうすればいいのかわからない、必死に出口を探した。やっと正面玄関に出てビルの西側にまわり、ぬかるんだ地面に出た。離着陸場の周囲は高い金網のフェンスで囲まれていた。見たところ、どこにも入り口がないようだ。

キャスリーンは自分の身を顧みず、フェンスを上りだした。手は鋸《のこぎり》の歯のような金属で切れ、洋服は有刺鉄線に引き裂かれたけれど、かまわずに上りつづけた。やっといちばん上まで来て、反対側の地面に飛び降りることができた。手のひらと膝をでこぼこのコンクリートですりむいた。

とにかく飛行機に近づきたかった。燃えて、息が詰まるほど黒煙を上げている破壊された飛行機のほうへ走った。それはまるで火葬用の燃料のように見えた。

「いいえ。彼は絶対に生きているわ」彼女は走りながらも言い続けていた。

救急車が飛行機のまわりを取り囲んでいた。小さなほうの飛行機はほとんど原形をとどめていなかった。これでは、パイロットと乗客の死は疑いようがない。大きいほうの飛行機は前部だけが燃えていて、消防隊員が命とりになる炎を消火しようと懸命になっていた。

「おい、そこの人、頭がおかしいのか?」キャスリーンは後ろから飛びつかれて、地面に投げ飛ばされた。「いったい、ここへどうやって入ってきたんだ? おれたちの邪魔をするんじゃない」

消防隊員の顔は煙で煤《すす》け、げっそり憔悴《しょうすい》していた。作業用の黄色のゆったりしたレインコートに帽子をかぶっている。彼の言うとおりだ。彼らがエリクの命を助けてくれているなら、邪魔をすべきではない。キャスリーンは彼が助けられるのを待っていると信じていた。

彼女はよろよろと歩きだした。飛行機から離れながら、消防隊員が火を消し、ほかの救助隊員たちが、飛行機の後部の緊急出口から乗客を運び出しているのを見ていた。

乗客たちは非常に注意深く運び出されていた。彼女はしだいにパニックになってきた。自分の力で這い出してくる人もいるし、反対にようやく隊員に助けられて運ばれている人もいる。ほとんどの人が血を流し、また意識がない人や明らかに死んでいる人もいた。キャスリーンははっとして目をそらした。エリクは死んでいない。彼女にはわかっていた、彼は死ぬはずがない。

彼女はぎくっとした。運び出されているひとりの乗客に釘付けになった。見るからに、男は重そうだ。筋骨たくましい二人の男が苦労しながら、ジェット機から運び出している。キャスリーンの心臓の鼓動が驚くほど大きくなった。輝く金髪が見える。血が流れていたけれど、灰色のライトのなかで確かに輝いていた。

「エリク！」彼女の肺から声が押し出された。ストレッチャーの上に革紐で結びつけ、待っている救急車のほうへ運ぼうとしていた男たちのほうへ走っていった。

「待って！」隊員がストレッチャーの脚をたたみ、車のなかへ入れようとしていたとき、叫んだ。

彼女は一生懸命に彼らのほうへ走った。息が切れて声が出ない。「彼は……ですか？　わたしは……」

「彼は死んでいない」救急隊員がやさしく言った。「ぼくが見たところでは、頭をひどくぶっつけただけだ。さあ、彼を病院へ行かせてくれ」

「でもその……それは……」彼女はエリクの鼻にかかった携帯用酸素マスクを指さした。

「彼に酸素を吸入させている。肺に煙をいっぱい吸いこんだんだ。さあ、どうか――」

「あなたと一緒に行きます」キャスリーンはエリクの青白い、静かな――静かすぎる――顔をのぞきこみながらきっぱりと言った。

「だめだ」別の救急隊員が初めて言った。「ここには医療処置が必要な負傷した人を乗せる。

そこをどいてくれ」

言うとおりにするほかなかった。彼女はさがって、エリクを救急車の後ろに入れるのを見ていた。男たちのひとりがストレッチャーの背後から乗りこみ、ドアを閉めて彼女の視界をふさいだ。

エリクが、外からは見えない内臓を負傷していたらどうしよう？　内臓から出血していたら？　それも多量の出血だったら？

救急車が動きだして、彼女は運転席のほうへまわった。ウィンドウを叩きながら言った。

「どこに彼を連れていくの？」

「セント・エドワーズ」隊員は運転しながら叫びかえした。「サイレンについて来い」

セント・エドワーズ・マーシー・メディカル・センターは、飛行場から車でほんの五分ほどのところにあった。キャスリーンはエリクのブレイザーを運転し、負傷者を乗せた救急車のサイレンを追って、現代的な医療センターの緊急病棟の入り口を通っていった。

エリクが乗せられた救急車は、屋根の張り出したドライブウエイに止まり、ストレッチャーが降ろされた。彼女はブレイザーを止めて、エリクに教えられたとおり、反射的にしっかりとロックした。勾配のある自動ドアの入り口を這うように上っていった。キャスリーンがちょうどドアを通りぬけたとき、エリクは医療チームにつきそわれて処置室に入るところだった。彼女はほっとした。この病院には災難に充分対処できる人員が配置されている。

エリクのそばにつきそっても、彼女には何もできなかった。仕方がない、彼女は殺風景なよそよそしい待合室の、坐り心地の悪い椅子に腰かけた。

そして、祈った。

セント・エドワーズには確か礼拝堂があるはずだ。けれど、どうしてか、慰めを求めようと思わなかった。できるだけエリクのそばにいたかった。日頃から、彼女は信仰心が篤《あつ》く、今までもたびたび信仰に頼ってきた。今も同じだ。彼女はこういう危機のとき人々がよく祈るように、神にエリクの命を守ってくださるなら、これからは気をつけます、何でもしますと約束した。

それから数時間は、混乱し、胸が痛み、恐れを抱きながら過ぎていった。エリクのいる部屋から誰かが出てきたり、入ったりするたびに、キャスリーンは情報を得たくて目で追いながら走りよった。けれども、ぞんざいに脇に押されるか、同情的なまなざしだけで、何も教えてもらえなかった。そんななかにも、不運な衝突の犠牲者の身寄りの人たちがあちこちの部屋に呼び出され、骨までしみる泣き声や苦悶の声が響いてきた。

電話が鳴る、軽傷の患者たちが行ったり来たりしている、エレベーターのドアが開いたり閉まったりする、医者や看護師が走りまわっている。それでも、キャスリーンはそのようなことはいっさい気がつかなかった。目はエリクが命がけで闘っている部屋のドアを、じっと見つめたままだった。彼女が彼を見さえすれば、多分、彼女を見たら、彼の病状は違ってくるのではないか。危険から抜け出せるように、なんとか彼女の力で彼を励ますことができないだろうか？

これ以上、この状態に耐えられなかった。彼女は三日月形の受付のデスクへ行き、大きな咳払いをして、カルテを見つめている看護師の注意を引きつけた。

「はい？」看護師がキャスリーンを見上げた。

「ミス——」キャスリーンは看護師の、白いポリエステルの制服の胸もとにピンで留められた名札を見下ろした。彼女は自分の誤りを訂正した。「ミセス・プレイサーですね？ お願いです……あの……ミスター・グッドジョンセンのことで……空港から運ばれたんですが。何か教えていただけませんか、彼の状態はどうなんでしょう？ お願いです」

「ご親戚の方ですか？」ミセス・プレイサーは断固たる態度で聞いた。

キャスリーンはとっさに嘘をつこうとしたけれど、できなかった。それに、世故《せこ》にたけたミセス・プレイサーが、彼女のことを信じるとは思えなかった。彼女は灰色のタイルの床を見下ろして、小さな声で言った。「いいえ。わたしたち……あの」

「ああ、わかりました」ミセス・プレイサーの言葉に、キャスリーンは頭を上げて、先ほどよりやさしくなった青色の瞳をのぞきこんだ。どういう訳か、エメラルドの瞳に、赤褐色の髪、引き裂かれた洋服のキャスリーンは、ミセス・プレイサーの心にやさしい光をともしたようだ。「わたしが様子を見てきましょう」彼女は音のしないゴム底の靴で歩き去りながら、振り返って言った。「その手のために、殺菌剤も持ってきましょうね」

キャスリーンは両手を見下ろした。初めて気がついた。打撲で紫色になり、擦り傷がたくさんついて血が流れたままだった。爪がはがれて、血が固まっている。いつはがれたんだろう？ もう一度見上げたとき、もうミセス・プレイサーは行ってしまっていた。

待っているあいだも心配だった。彼女はエレベーターのドアが開いたり閉まったりする回数を数えながら、デスクで待っていた。

「ありがとう、大丈夫です」ほかの看護師から問われても、簡単に答えた。

やっとミセス・プレイサーが、スイングドアからせかせかと出てきた。デスクの前に来ると、キャスリーンに、真ん中に強く匂う黄色の塗り薬がついた四角いガーゼを手渡した。

「これで手をおふきになってください。しみて痛むかもしれませんが、その切り傷をきれいに消毒しないとだめですよ」

「エリクは？」キャスリーンは必死に聞いた。

「彼はレントゲン検査が終わりました。内臓は負傷してませんし、骨折もないようですよ」

「ああ、ありがとうございます」キャスリーンは小さな声で言った。体がくらくらとして、目を閉じた。

「けれど」ミセス・プレイサーがくわしく説明した。「まだ意識が戻っておられません。昏睡状態が続いていて、頭に一か所、深い傷を負っているんです。頭皮を数針ぬっています。早く目が覚めれば、それだけ治りは早くなるんですが」

キャスリーンは喉から出かかっていた叫び声をやっと抑えた。「わたしが彼に会って、話しかけられれば……」

ミセス・プレイサーは途中から首を振っていた。「今はだめです。お気の毒ですが、そうしないほうが、彼の病状にはいいんですよ。彼が目を覚まして、容態が安定していたら、ドクターがあなたをほんの数分間、会わせるように必ずいたします。それまで、お待ちになっていただかなくてはいけないと思いますよ」

キャスリーンはミセス・プレイサーの袖に手を伸ばして触った。「ありがとうございます」再び夜勤に戻る看護師の背に向かって、そっと言った。

もう外がすっかり暗くなったことに、キャスリーンは気がつかなかった。救急病棟の外の駐車場に、明かりが自動的にともった。大通りには車が多くなり、ヘッドライトがつき、赤いテールライトが点滅している。彼女はじっとその場に残っていた。

ミセス・プレイサーは何度もスイングドアを通っていったけれど、デスクに戻るたびに、キャスリーンのほうを見て気の毒そうに首を振った。特別に変わったことはないのだ。彼女にはすでに、キャスリーンの聞きたいことがわかっていた。

今度はミセス・プレイサーが行ってから、少し戻ってくるのに時間がかかっている。キャスリーンは自分の時計を見ながら、希望をもった。もうすぐ、何かニュースをもってきてくれるのではないか。そのときだった、病棟の入り口の自動ドアが開いて、ひとりの女性が飛びこんできた。

キャスリーンはふと彼女のほうを見た。小柄で、金髪の、とても魅力的な女性だった。受付のデスクに急ぐ彼女の完璧な顔立ちは、心配のせいでくもっていた。コットンのタイト・

スカートが小柄な体にぴったり合って、柔らかなコットンのブラウスは、かわいらしいふっくらした乳房をくっきりと浮き上がらせている。

彼女は高いデスクの上に手のひらをのせて、少しのあいだミセス・プレイサーの代わりをしている看護師のほうへ緊張した顔を向けた。

彼女の声はハスキーだった。一言ずつ発するたびに、あわてているのでもつれていた。

「ミセス・グッドジョンセンですが、あの、ドクター・ハミルトンから、エリック・グッドジョンセンのことで、お電話をいただいて。その、ドクターは、わたしが来ることをご存じだと思うのですが」

「はい、確かに承知しています、ミセス・グッドジョンセン。こちらへ」看護師はてきぱきと、美しい若い女性をスイングドアのほうへ案内した。キャスリーンがあれほど頼んでも、彼女の思いを長いあいだ制していたドアだった。

ミセス・グッドジョンセンはデスクからさっとまわると、優美に、すばやく治療室に入り、ドアが彼女の後ろで閉まった。

そして、それと同時に、しっかりと、堅固に、キャスリーンの心を囲むドアが閉まった。

彼女は身じろぎもせずに坐っていた。少しでも動くと、粉々の破片になりそうで怖かった。頭に熱がどっとのぼってくる。耳たぶのなかが熱く、ずきんずきんとして、燃えているみたいだった。肺が強くしめつけられて、空気が入ってこないような気がする。喉の奥から上がってくる胆汁を呑みこめなかった。

頭がぼんやりしてきた。気を失いそうだ。頭のなかが、がんがんする。まわりの人たちは冷静に自分のことをやっているけれど、この音を聞かれているに違いない。みんなわからないのだろうか、キャスリーン・ヘイリーは死にかけていることを？　それも、今。ゆっくりと苦痛を味わい、拷問のような死の目撃者になれたのに。彼らは見ていなかった。気にしていなかった。

彼女は外に出て、この場を立ち去らなければならない。

エドナからやさしくさとされた。でもそれだけではなかった、彼女は自分がそうしたかったから、そのとおりに行動したのだった。けれど、再び彼女は愛して、愛するものを失った。再び愛する勇気をみつけたけれど、両親が彼女を見捨てたように、エリクもまたそうするのだろう。ただ彼女は彼に捨てられるのをじっと待っていられなかった。その前に、去っていきたかった。

注意深く行動するのだ。キャスリーンは急いで離れたり、跡形もなく消えたりしないように、立ちあがってデスクのほうへ行った。デスクの上の何も書いてない処方箋申し込み用紙を取り上げて、それにエリクの名前を書いた。そしてふるえる指で、用紙を彼の車のキーをつけた金の輪に通した。キーを身分証明書とともに置いた。きっとその場所だったら、ミセス・プレイサーが見つけてくれるはずだ。

キャスリーンが向きを変えたとき、デスクに急いで近づいてきた背の高い、頑丈そうな金髪の男とぶつかった。彼女は頭をそらした。目からあふれて、頬をどんどん流れ落ちる涙を、誰にも見られたくなかった。

それから少し時がたった。ミセス・プレイサーのきびきびした軽やかな足取りにも、彼女の高揚した気持ちが反映していた。あのハンサムなミスター・グッドジョンセンが意識を回復して、弟と義理の妹の姿を認めて話をするようになったのだ。それから、彼はキャスリーンという女性のことを聞いていた。

あの女性だ、彼女の心にはすぐキャスリーンが誰か頭に浮かんだ。ミセス・プレイサーはドクターの承認を得て踵を返すと、スイングドアを通っていった。

ドアを押して待合室をさっと見わたしたけれど、こぼれ落ちそうに大きなエメラルド色の瞳と赤褐色の髪の美しい女性はいなかった。手にひっかき傷をつけ、心配そうな、愛情にあふれた顔をした女性の姿は消えていた。

「どうか彼女がどこにいるか教えてくれませんか?」エリックは強引に聞く。彼の目は深い空洞のなかに落ちくぼんでいた。疲労と心配と最近受けた負傷のために、くっきりとした皺が、堅く結んだ彼の口や、疲れてふちが赤くなった目のまわりによっている。「どうしてなんだ、ちくしょう?」こぶしをパイン材のテーブルにぶっつけた。

「エリク、落ち着いて。怒鳴るのをやめなさい」BJはおだやかにさとした。「わたしたちは知らないんだ、キャスリーンがどこに消えたのか。ほんとうに知らないんだよ。きみと同じように心配してる」

「ああ……」エリクは自暴自棄と絶望のあまり、呪いの言葉をあげた。安楽椅子にどすんと体をぶつけると両手で顔をおおった。

この月で二度目だった。エリクは〈マウンテン・ヴュー〉に来て、ハリソン夫妻にキャスリーンの消息を尋ねていた。そして二度とも、二人は彼に、彼女がどこにいるかわからないと答えていた。

あれから二週間、彼は彼女に何があったのか知る手だてもなく、じっと病院で寝ていた。意識を回復したとき、彼はすぐ彼女のことを聞いた。看護師は彼の言うキャスリーンの特徴と一致する女性がいたけれど、いなくなっていたと言った。彼は心配で頭がおかしくなっていた。ドクターは病状の悪化を心配して、鎮静させるために皮下注射をしたほどだ。

再び目が覚めたとき、エリクは自分の無能さを罵り、ボブとサリーが心配して言うきまり文句に対してフラストレーションを起こした。そして、なおさら絶望的な気持ちになった。

「その女性とは、ゆきずりの関係なんかじゃないと言ってるだろ、ボブ！」彼は弟に怒鳴った。「くそっ、彼女はひとことも言わずに、去っていったりしないよ。多分、誰かに襲われたか、殺されたか、レイプされたか、そんなことがあったんだ。そう思わないか？　えっ？」絆創膏を貼ったこめかみの血管が脅すように浮き上がった。ボブは看護師を呼び、ヘラクレスのようなもがきと悪口雑言《あっこうぞうごん》のはてに、またエリクを鎮静させるため、無理矢理注射を打ってもらわなければならなかった。

再び目が覚めた。ボブとサリーがじっと見守っていた。二人とも神経をすりへらし、打ちひしがれた表情をしていた。「エリク、彼女はデスクの上に、メモをつけてきみの車のキーを置いていった。拉致《らち》されたんじゃないよ。彼女は何か事情があって、自分から静かに出ていったんだ」ボブは助けを求めるように妻を見たけれど、サリーは義理の兄のほうを見て深く同情していた。

「おそらく……ああ……」ボブは口ごもった。「兄貴は彼女を誤解して……その……彼女の気持ちを」

「ここから出ていけ。家へ——どこへでも行け。ぼくにかまうな」エリクは言った。「ぼくをひとりにしてくれ」それから彼は二人に背を向けて、うち沈んで窓の外をじっと見つめていた。その後数週間、ずっと厳しい、苦々しい表情のままだった。

体のことなどどうでもよかったのに、日増しに回復していった。看護師を威嚇し、ドクターに悪態をついても、体は順調によくなっていった。頭痛は一日ずつ薄れていき、頭皮の傷の痛さはやがて痒《かゆ》みになり、しだいに気にならなくなった。

ボブとサリーは最初の危険が去ったときに、いったん引き上げたけれど、彼の退院が決まると、戻ってきてセントルイスに同行した。二人は彼のブレイザーを交代で運転し、エリクは後部座席でずっと考えこんでいた。

彼は入院中、毎日、ひどく心配しているハリソン夫妻に電話をしていた。キャスリーンの消息を聞きたかったのだ。二人は何も知らないと言った。あの雨の日に、キャスリーンが彼と一緒に出ていってから、彼女を見ていなかった。彼はできるだけ早く、〈マウンテン・ヴュー〉に戻りたいと、二人に伝えた。

エリクは新聞で飛行機事故の記事を読んで、自分が生きているのが幸運だったことを知った。しかし、乗客十一人とパイロットは幸運ではなかった。それでも、時々考える。ほんとうに彼自身を幸運だったと思うのか、と。キャスリーンがいないというのに……

彼女はなぜ痕跡もなく消えたのか？　彼女が去ったときには、彼の負傷の程度や、あるいは彼の体がすっかり回復するかどうかはわかっていなかった。何かあって、彼女は突き動かされるように去ったのだ、しかし、何があったんだ？

彼は数週間、セントルイスでいらいらしながら養生した後、〈マウンテン・ヴュー〉で、彼女の消息を求めて手がかりを探しはじめた。ハリソン夫妻はアトランタの彼女の家から送られてきた手書きの短い手紙のほかは、キャスリーンから何も便りを受け取っていないと言った。

エリクはその手紙を読んだ。そこには、元気にしていること、二人にまた後で連絡するとあるだけだった。彼女のことを心配しないように言って、忙しい真夏に二人のところを去ったことを深く詫びていた。それがすべてだった。

二度目の〈マウンテン・ヴュー〉は、むなしい旅だった。木々の葉は秋の色に染まりだしている。エドナにやさしくせかされて、彼は陰鬱な現実に向き合った。

「アトランタで調べたことを、もう一度話してちょうだい」

彼はため息をつき、やや背をまっすぐにして椅子に坐りなおした。「彼女はあの事故の後すぐに、あっちへ戻ったんです。そして、アパートの賃貸契約分の金を払って破棄し、電気や水道などの費用を払って、荷物を詰めて出ていった。移転先の住所は置いていっていない。〈メイソン・デパート〉にも行ってみました。彼女はもうあそこで働いてなかったこと、知ってました?」

「いいえ」夫妻はともにショックを受けていた。

「夏の初めにやめていたんです。でも彼女は仕事の話をするたびに、まるで秋には戻る様子だった」

「彼女は自分の仕事を愛していたわ、エリク。なぜそんな仕事をやめたかったのかしら?」

「その理由を聞くのに、店員のひとりに賄賂《わいろ》をつかいましたよ。ランチをごちそうしてね。上司が彼女に熱を上げていたらしい。彼は結婚しているって聞いた」

「そう、それでわかりますよ。キャスリーンは決して既婚者に惹かれたりしませんもの」エドナはきっぱりと言った。

エリクは不作法に鼻を鳴らして立ちあがり、窓のほうへ行った。再び二人の顔を見たときは、体のすべての毛穴から怒りがにじみ出ていた。「どうしてわかるんです? 彼女はぼくたちみんなをだました、ずるい嘘つきのあばずれなのかもしれない」

「それは聞き捨てにできませんね」エドナはソファからがばっと立ち上がった。彼の顔をめがけて指を振って食ってかかる。「キャスリーンのことで、そんなふうに言わないで。あなたはわたしと同じように、それが嘘だとわかってる。わたしの家で、彼女の悪口を言わせるわけにはいきませんよ」

「それではなぜ、彼女は罪を犯したり、脅えた子どもみたいに逃げ出したんです?」彼は詰め寄った。

エドナの怒りは鎮まり、落胆したために体から力がなくなった。こめかみが痛むのか、こすりながらそっと言った。「わからないわ」

「多分、彼女は脅えた子どもになってるんだ」BJがソファから静かに声をかけた。「きみが負傷して病院に入れられ、もしかしたら死ぬかもしれない。そのことに直面できなかった、そんな危険にさらされることができなかった、きみを失うかもしれないという思いに耐えられなかったんだろう。彼女はきみと深い関係になったのではないかね」BJは目を細めてエリクを見た。彼が打ち明けてくれるのを待ったけれど、返事はなかった。BJは続けた。「それに違いない。彼女はこれまで危険だと思われるような先例をつくっている、いつも逆境から逃げているんだ。いつかは、真正面からぶつからないといけないんだが。それは彼女にとって容易なことではないはずだ。彼女にはまだそのための覚悟ができていないのだと思うよ」

エリクはそのことをじっと考えているようだった。しかし、さらに人を寄せ付けない表情に戻った。「でも、どんな理由があるにせよ、彼女はお二人とぼくから逃げ出して、見つけられたくないという意思表示をしている」彼は椅子の背に乱雑にかけたデニムのジャケットを取り上げて、ドアのほうへ歩きだした。「これまで彼女を探して、ぼくの人生の二か月を無駄にしてきた。これ以上探すつもりはありません。キャンプについての作品が放映されるときはお知らせします。ご協力に感謝します」簡潔な、ぶっきらぼうな言葉だった。エドナは、彼が無理に言っていると思った。断固たる決意の下に、言葉には出さないけれど、痛々しい幻滅があるのがわかった。

エリクは自分のダッジのヴァンのほうに向かい、なかに坐ってドアを閉めた。その様子を見ながら、エドナは自分の推測は間違っていないと思った。彼はキーをまわして、車をスタートさせる前に、打ちひしがれてハンドルに頭をもたせかけていた。

9

キャスリーンは組んだ膝にわずかにかかったスカートを、レディらしくぐっと引っ張った。中年の秘書が微笑した。とっても魅力的な女の子だわ、と彼女は思った。

キャスリーンも微笑み返した。ここはサンフランシスコの高級デパート〈カーホフ〉のオーナー、ミスター・セス・カーホフの重厚なオフィスだ。奥の部屋にいるオーナーの面接を待っている彼女は、いかにもキャリアウーマンらしい態度だった。

しかし、ほんとうは外見とは違い、心の乱れを隠していたのだ。キャスリーンの心が心配のあまりふるえていることを、誰がわかるだろう？　彼女はこの仕事がとてもほしかった。経済的な心配のためではない。早く健全な心をとりもどし、平静にならなくてはいけないと思っていた。アーカンソーの病院の待合室で、エリクの妻が飛びこんできたのを見てから、その両方がアンバランスになっていた。

あの光景がいまだに甦《よみがえ》ってきて、胸に痛い。無駄と思いながら、その痛みを消したくて、無意識にじっと目を閉じていた。はっとして、すぐ目を開けた。秘書にそんな弱い瞬間を見られたくなかった。彼女は見ていなかった。デスクの後ろで、ファイル・キャビネットに屈みこんでいた。

　二か月が過ぎれば、苦しみは薄らぎ、痛みはほのかな思い出として残るだけだ。人はそう思うだろう。けれども、記憶はずっとそのままで、ぽっかりと開いた傷のままひりひりと痛み、血が流れている。

　キャスリーンは広いピクチャー・ウィンドウから、サンフランシスコの地平線をながめた。〈トランスアメリカ社〉のビルをじっと見つめた。はるか遠くに湾が見える。燦々《さんさん》たる日の光のなかで、大きなサファイアのようにきらめいていた。

　自分はどうしてあんなに幼かったのだろう？　なぜ、彼が結婚していると考えなかったのだろう？　彼女はそのことを一度も、心に浮かべたことがなかった。相手に目がくらみ、彼の魅力のとりこになっていたので、目の前のこと以外は見ていなかったのだ。

　彼はうわべは彼女に関心があるようだったけれど、あれは偽りだった。肉体的にも、感情的にも、あれほど彼女は応えたのだ。それを思いだすと、恥ずかしさと屈辱のあまり涙で目がくもってくる。彼は熟練した手と口で彼女を導き、彼女は喜んで彼を求めていった。二人があれほど親密に愛し合っていたことが、あのときは神聖に思えていたのに、今はそれが彼女を傷つける。

　病院で、彼女は美しい女性が、ミセス・グッドジョンセンと名乗るのを聞いた。その名前のおかげで、美しい女性はエリクのベッドの横に立つ権利をもち、あれほどキャスリーンが待ち望んだ負傷の程度を聞かされたのだ。キャスリーンは逃げ出したかった、疲れきるまで走り、地球の端から滑り落ちて、忘却のかなたに呑みこまれたかった。

　彼女はほんとうに逃げた。飛行場に戻って、そこで清掃クルーが飛行機の残骸を運び去り、飛行場をいつでも使えるようにするまで待った。そして、東へ向かう最初の飛行機に乗ってアトランタへ戻った。

　この一日の試練で、キャスリーン・ヘイリーはぐっと成長していた。それまでも、彼女は自分のことを成熟し、世故にたけて、人の心の痛みや苦しみに通じていると思っていた。なんと愚かだったんだろう。エリクは彼女の純潔だけではなく、もっといろいろな方法で、彼女の無垢なものを奪っていったのだ。彼は男が自分の利益になることだったら、どんなに一生懸命になるか見せつけていた。デイヴィッド・ロスなど、エリク・グッドジョンセンに比べると素人だった。キャスリーンはこれほど人の心を弄ぶ、ずるい男がいることを知らなかった。今はよくわかった。もう決して、やみくもに男の人と深い関係になることはないだろう。以前の、世間知らずだった若い娘はいなくなった。代わりに、傷ついた手と、傷ついた心をもつ女性がいた。どちらも、癒すには長い時間がかかるだろう。

　彼女はあの後、数日間、『リトル・ロック』新聞を買って、むさぼるように事故の記事を読んだ。エリクの名前は死者のなかに入っていなかった。それでも自分で確かめてみたかったので、病院に電話した。彼の傷の治療は順調にいっていて、まもなく退院できるだろうということだった。お部屋につなぐか、伝言を残されますかと聞かれたけれど断った。履歴からこの自分の人生のなかで、このできごとを、今はいちばんに打ち切りたかった。

ことを削り取ることができたら、そうしただろう。けれど、そんなことは不可能だった。彼女はそのことをすんだこととして忘れて、いい経験をしたんだと考えようと思った。そこから前に踏み出すのだ。すぐに始めたかった、ほかの土地で、別の人間として。それで、アパートを引き払い、何をするか決められるまで、手頃なホテルに移った。

それから数週間がたったが、何もなかった。彼女はアトランタの新聞売り場で買える、市外の新聞の広告欄を読んだ。国中の大きなデパートに、問い合わせの手紙を送ったけれど、返事が来たとしても、丁重だが感情を交えない断りの手紙だけだった。そのあいだずっと、預金額は致命的な打撃から立ち直れない彼女の心と同じように、確実に減りつづけていた。

それから業界紙の広告を探してみた。名前も、電話番号もなく、履歴書を送る私書箱だけが目に留まった。広告によれば、いくつかの仕事があるけれど、それが何かは特別書かれていなかった。機械的に、さして望みを抱かず、あてにしないで、必要な事項を記入して送った。

びっくりした。数日のうちに返事が届いた。もし彼女がファッション・バイヤーの仕事にまだ興味があれば、同封の番号に電話して、面接の予約を取るようにというものだった。まだ興味があれば、ですって！　キャスリーンは急いで、銀行の預金を調べた。倹約すれば、カリフォルニアへの旅に賭ける価値があると決めた。

「ミズ・ヘイリー？」

沈着な、自信ある態度の秘書に名前を呼ばれて、彼女は空想から抜け出した。上品で、ほっそりした、ファッショナブルな女性が、オフィスのなかから出てきた。ドアから出ていく途中で、キャスリーンを値踏みするような鋭い目で見た。この女性も応募者なのだ。「ミスター・カーホフが、ただ今からお目にかかります」秘書が慇懃に言った。「お待たせして申し訳ありません」

「ありがとうございます」キャスリーンも同じように答える。「とんでもありません」

重々しいドアのほうへふるえる脚で近づき、なかに入った。なぜこんなに神経質になっているのだろう？　こんなことは彼女らしくない。いつもは自分にとても自信があった。これもまたエリク・グッドジョンセンから受けたものだろうか、この言いようのない自意識と不安定な感じは？

劣等感などもってはいけない。決心して、彼女は顎を引き締め、ふかふかの青い絨毯の上を、威嚇するように大きなデスクのほうへ歩いていった。

デスクに向かっていた男性は、彼女を平静な表情で見上げた。それから少し驚いたように黒っぽい目を見開いて、じっと彼女を見つめた。「ミズ・キャスリーン・ヘイリー？」すてきな低音で聞いた。

「はい」彼女は微笑した。

「どうぞおかけなさい。セス・カーホフです」彼は立ち上がらなかったけれど、彼女は差し出された、きれいに磨かれた手をとって握手した。

「ありがとうございます、ミスター・カーホフ」坐りながら言う。「お会いできて光栄です」

彼女は一時的に失っていた自信を、取り戻しかけていた。自分は流行の先端をいく、有能なファッション・バイヤーに見えるはずだ。リネンの軽やかなスーツは今シーズンの流行だったけれど、古風な金色はすでに昨シーズンの終わりに注文していた。ほっそりしたスカートは彼女のサイズ六に完璧に合っている。短めの上着はきりっとした雰囲気を醸《かも》し出し、その下のクリーム色のクレープのブラウスで、女らしい柔らかさを演出していた。

茶色のパンプスとそれに合ったクラッチ・バッグは、昨年、ニューヨークに出張したとき、湯水のようにつかったグッチで、自分のために買ったものだった。アクセサリーは金の丸いイヤリングだけ。スーツの色を鮮やかに浮き上がらせる濃い赤褐色の髪は、うなじのところでゆったりとまとめていて、頬に自然にほつれ毛が何本かかかっている。化粧は彼女の全身と顔色に合わせて注意深く選んだ色で、上手に仕上がっていた。

デスクの向こう側の男性を見て、キャスリーンは彼がハンサムなのに気づいた。髪は黒っぽく、ウエーブがあり、形のいい頭にぴったりくっついている。感受性の鋭い美しい男性だった。粗野で精力的な感じではなく――

そこまで！　キャスリーンはミスター・カーホフを評価しながら、自分に命令した。誰かと比較している。彼の口は官能的で、柔らかそうだった。鼻は細長く、顔のほかの部分と彫刻のように調和している。

彼はハンサムだったけれど、キャスリーンの注意をひときわ引いたのは目だった。あざやかなチョコレート・ブラウンで、深みがあり、沈んだ感じがしたけれど、謎めいてなく、つねに何を考えているか伝えようとしていた。はっきりと見開き、温かく、誠実さと……なんだろう？……思いやりを示していた。

キャスリーンの緑の瞳は、彼の形のいい顎から、くっきりと輪郭が浮き出た肩を見下ろしていった。そこで目が凍りついた。ミスター・カーホフの地位にふさわしく、大きな革の椅子があると思っていたけれど、不調和な光を放つ金属だった。セス・カーホフは車椅子に坐っていた。

彼女ははっとしたけれど、すぐに立ち直った。ショックを受けたことを、どうか気づかれませんように。けれど彼は気づいていた。「初めて見ると、かなりぞっとするだろうね？」彼は椅子の肘掛けを見下ろしながら聞いた。「だが、慣れると、それほどひどくはないよ」彼は心を動かさずにはおられないまなざしで彼女を見て、微笑んだ。

「ぞっとなんかしませんでした」彼女は正直に答えた。「思いがけなかっただけです」

彼はにこっと笑った。「ドアの外に、『注意。なかに車椅子の男がいます』と札をかけておこうかとよく考えたよ」

キャスリーンは自然に笑った。「それで退屈な面接をたくさん、除外できたかもしれませんわ」

「そうできたかもしれん。多分、そうすべきだった」二人はお互いに認め合いながら微笑んだ。「みじめに聞こえるかもしれないが、率直に言っておこう。わたしは大学の卒業式の夜に、自動車事故に遭った。男子学生社交クラブの友だちの三人は死んだ。わたしは死ぬのは免れたが、背骨を折って下半身の麻痺が残った」

「とても幸運だったんですね」

彼は椅子の肘掛けに肘をついて、こぶしの上で顎を支えた。「それはめずらしい返事ですね、ミズ・ヘイリー。たいていの人は『お気の毒に』か、それに近いことを言う。わたしは何年も、この体に対してみんながどう反応するか、分類してきた。哀れみか戸惑いを表して、それから目に留まらないようにするか、さもなければまったく無視して、まるでそれが見えないようにする。きみはそれのどれでもなかった。わたしはきみが好きになりそうだ、ミズ・ヘイリー」

彼女はにっこり笑った。「わたしもあなたが好きですわ」

彼は人が良さそうに声を上げて笑った。「コーヒーでもどうですか?」返事を待たずに、デスクの上のコンポーネントのボタンを押した。すぐに秘書が入ってきた。

「ミズ・ヘイリー、こちらはミセス・ラーチモントだ。彼女はわたしたちの仲でも、そう呼ぶように言い張っている」

「どなたからも、わたしたちが熱烈な愛情関係にあると、疑われたくないんです」ミセス・ラーチモントが言い返した。クレア・ラーチモントは五十代の初めぐらいだ。キャスリーンの目には、魅力的で有能そうで、経営者にとっては理想的なアシスタントに見えた。

二人は互いに愛情を分かち合い、からかい合いながら、上司と秘書という関係をしっかりと確立していた。彼女はキャスリーンのほうを向いた。「あなたはクレアと呼んでくださっていいんですよ」

「ミズ・ヘイリー、コーヒーはどうかね？」セスがまた聞いた。

「はい、クリーム付きでお願いします」彼女はクレアに頼んだ。

「そして、わたしは――」セスが話しだした。

「存じております、ミスター・カーホフ」彼女は言って、オフィスを出ていった。

「どんなに貴重な人か、わかるだろう？」セスがキャスリーンに聞いた。

「お二人は大変うまく息が合っておられるようですね」

「そうだよ、とてもうまくいってる」彼はデスクの上で、両手を握りしめた。「それでは、わたしのこれからの経営方針を伝えよう」

　彼は、一九二〇年代に祖父が創立したデパートの簡単な歴史を話しだした。それから年月を超え、大恐慌や、第二次世界大戦を経て、〈カーホフ〉は生き残ってきた。セスの父親は戦後を乗り切り、会社の規模も利益も大きくしてきた。彼は三年前に死んでいる。

「会社は当然、長男であるわたしがまかされると誰もが思っただろうが、父の遺言には、実権はわたしの伯父にいくと決められていた。わかるだろう、父はわたしの下半身が麻痺したとき、脳みそもそうなると思ったんだ。彼はけっして、わたしの体がこうなったことを許さなかった」

　セスの声にはうらみがましい感じはなく、ただ深く沈んだ悲しみが伝わってきた。「とにかく、伯父が昨年急に死んでね。事実上、わたしは力ずくでこのオフィスに移ってきた」

彼はいったん話をやめて、クレアから銀色のトレイを受け取った。トレイの上には、カップと、コーヒーの入ったガラス・ポットがのっていた。クレアはコーヒーを注いで、二人に勧めるとまた出ていった。

「ミズ・ヘイリー、〈カーホフ〉はサンフランシスコのファッション業界で、重要な位置を占める可能性をもっていると思うんだ。しかし、これまではヴィジョンのない古い体質の男たちの手に握られてきた、父も含めてだが」

彼はコーヒーをすすって、また続けた。「わたしが実権を握ってからは、ヘッドをはねだした——もちろん、二重の意味だよ」彼が微笑した。はっとするほど魅力的な微笑だった。「それは容易なことじゃなかったよ、わたしが解雇した何人かは、ここに二十年かそれ以上いたからね、しかし、それでも必要なことだった。各部の責任者には、職場を改造するための時間を充分与えたつもりだ。それでもしなかったとき、責任者をやめさせた。ちょっといいですか」彼は話をやめた。「もっとコーヒーをいかがです?」

「いいえ、けっこうです。ありがとうございます」キャスリーンはカップをトレイに置きながら言った。

「もうすぐこの面接の核心にいくので、我慢してください、ミズ・ヘイリー。この話がどうなるのか、気になってるだろうが」

「我慢などしていませんわ、ミスター・カーホフ」

彼は微笑んで、電動の車椅子のギアにかみ合うレバーを押した。デスクをまわって彼女のそばに来た。体と脚の長さから見て、事故の前の彼は長身だっただろう。

「わたしはうちの店のために、品物を買いつけて、店のすべてのファッションをコーディネイトしてくれる人を探している。きみに秘密を教えよう。今年の終わりまでに、〈カーホフ〉をもう二店舗建設する予定だ。来年のクリスマスまでには、ベイエリアに〈カーホフ〉は三店舗になる」

「まあ、すばらしいです！」彼女は心から感嘆した。

「わたしもそう思う。しかし、拡張とともに、うちのイメージを広げたい。何年間も、〈カーホフ〉の商品は、固定した顧客が目当てだった。一年に四着から六着のドレスを購入するような客だ。大変保守的で、予算を気にする。センスは控えめで、想像力はない」

「そういうお客さまは多いですわ。すべてのファッション関係者の悩みですもの」キャスリーンは手厳しく言った。

彼は笑った。「だから、うちのイメージを新しくする必要があると思っている。わたしは〈カーホフ〉の客層を変えたい。一年ではなく、一シーズンごとに四着から六着のアンサンブルを買ってくれる客がほしい。おしゃれで、現代的で、流行に関心があって、勇気があって、流行を作りだすような。流行の先端をいき、みんなの注目を集めて影響を与えるような人だ。市民生活に積極的に加わる人。職業をもっている人。あるいはその両方。どちらでも、そういう女性たちはそれにふさわしいおしゃれをする。それに彼女は自分と同じように、子どもたちも美しく装わしてやる」

「すごいですね」キャスリーンは感動して言った。「正確に市場調査をしておられる」

「ええ、やっていますよ。わたしはうちを、セクシーな下着から、初めて社交界にデビューする人のガウンまでのすべてを扱う、時代の先端をいく女性向けのデパートにしたい。トレーニング・ブラからブライド・メイド（新婦付き添いの若い娘）のドレスまでを売る、広い層のジュニアのための部門もほしい」

　キャスリーンの胸は高鳴った。「価格の範囲は？」と聞く。

「高価から非常に高価なものまで」

「アクセサリーは？」

「ベストのものだけ。お客がシルクのイブニング・スカートを引き立たせるために、三百五十ドルのベルトがほしいなら、〈カーホフ〉に来てくれれば、選択範囲が広いことを教えたい」

「男性と子ども用は？」

「それらの部門には、ほかのバイヤーを雇っている。だが、彼らの注文をチェックして、きみの部門に後れをとらないようにしてほしい。その権限ももってもらいたい」

「デザイナーはどうなんです、アメリカ人デザイナーのものがよろしいんですか？」

　彼は額に皺をよせて考えこんだ。「特に限定はしないが、ヨーロッパよりもニューヨークから買いたいね。これはヤンキー・プライドだと思うが」

「購買予算は？」

「この点では制限はない。ずっと上がると思う」

夢みたいな話だ！　キャスリーンは制限なしでできる仕事に思いをはせて、無意識に唇を嚙んだ。

「いつから始められますか？」

出し抜けに聞かれて、彼女は驚いて跳び上がった。大きな燃える瞳でセスを見つめた。

「な、何をです？　つまり……わたしが……？」

「そうです、あなたが仕事を獲得したんです。もしやっていただけるなら、ですが。給料は年間四万ドル、セールス・ボーナスと従業員割引を除きます。それで満足でしょうか？」

満足でしょうか、ですって？　彼女はどう答えていいかわからなかった。「ミスター・カーホフ。確かなんですか？　つまり、ええ、わたしは仕事がほしいです、けれど、ほかの方を面接なさらないんですか？　多分、少し待たれたほうが……」

「いいえ、ミズ・ヘイリー。あなたがドアを入ってきたときから、わたしが望んでいたのはあなただとわかってましたよ。ここで大げさな考えをぺらぺらしゃべって演説をぶち、わたしが何を言っているか聞いてない女性を軽蔑しているんです。あなたは人の話をよく聞く。あなたには品位と経験がある。あなたの着ているものと、履歴書でそれがわかります。あなたの趣味は非の打ちどころがない。それに、これはわたしには大変重要なことですが、あなたは非常に女らしい。わたしはうちのお客があなたのように見えてほしいですよ――自信があるけれどあたりが柔らかくて、独立心があるけれどとても女らしい」

キャスリーンは彼からじっと見つめられて、顔が赤くなった。

「喜んでお受けします、ミスター・カーホフ。こちらのご都合に応じて、すぐ働けます。あるいは住む場所を見つけて、アトランタから身のまわりのものを移してきたらすぐに」

「大変けっこうです、こうしましょう」彼はデスクの上のカレンダーを調べた。「十六日の月曜日は？　それなら十日ある。もっと時間が必要なら、知らせてください」

「ありがとうございます。充分過ぎるくらいですわ。仕事を始めるのが楽しみです」

彼の微笑は温かかった。「けっこう」

彼女は手を差し出した、彼はそれを心をこめて握った。握手は強く、気持ちがよかった。

「ありがとうございます、ミスター・カーホフ。あなたのご期待に背《そむ》きません」

「そのことは心配してませんよ。ただミスター・カーホフなどと呼んでもらいたくない、わたしをセスと呼んでください」

「それでは、わたしをキャスリーンと」

「キャスリーン」彼女の名前を言うのを楽しむように、甘く発音した。

彼女は彼を気にしながら立ち上がった。彼は車椅子なので、坐ったままでいなければならないだろう。けれど、ドアのほうへ歩いていると、彼女の後を追ってくる車椅子のモーターの、柔らかなウィーンという音が聞こえた。

「あなたのためにドアを開けられたら、是非そうしたいんだが、キャスリーン、どうか開けてもらえますか？」

キャスリーンは彼と一緒に笑った。「ええ」彼がドアを通れるように、ドアを支えて、その後についていった。ダークグレイのスーツ姿の男性が、秘書のデスクの横に立っていた。

「ああ、ジョージ」セスが声をかけた。「もう行く時間かね?」

「はい、セス。お姉さまとランチのお約束の時間です」

「ジョージ、きみに〈カーホフ〉の最も新しい従業員を紹介したい。ミズ・キャスリーン・ヘイリーだ」

「では、彼女が決まったんですね!」クレア・ラーチモントがデスクの後ろから大きな声をあげた。「まあ、とってもうれしいです」

「なぜ?」セスがからかった。「彼女をきみの代わりに雇ったかもしれないんだよ」

「それは、絶対にありませんわ」彼女は落ち着いて言った。それからキャスリーンに愛想良く微笑した。「歓迎します、ミズ・ヘイリー」

「キャスリーンです」キャスリーンは言った。クレアは微笑んで彼女を見て、うなずいた。

それから自分のコンピューターのほうへ戻った。

「キャスリーン、ジョージはいつもわたしと同行する。わたしの身のまわりの世話をしてくれる運転手で、セラピストで、飲み友だちで親友だ。ジョージ・マーティンだよ」

「ミスター・マーティン」キャスリーンは言って、微笑した。

「どうぞジョージと呼んでください、そうでないと、あなたが呼んでも聞こえないかもしれない」彼が言った。背が高く細身で、しっかりした品性と頼もしさを感じさせる中年男性だった。歓迎するように微笑した。

「では、みんな、きみを除いてファーストネームで呼び合うようになったよ、ミセス・ラーチモント」セスが言ったので、クレアは振り返って彼を見た。いつものように、皮肉を言われても動じない。「そんなことより、新しい従業員が入るんですから、組織のことに目を向けてください——保険のこととか、いろいろありますよ。それに、キャスリーンの転居費用のために、五千ドルの小切手を出してください」

キャスリーンは反対しようとしたけれど、セスが止めた。「クレアの言うとおりだ。あなたが大会社の引っ越しをする重役なら、当然こういう配慮を受ける。そして、うちではあなたを重役だとみてるんですよ」

「ありがとうございます」彼女はすべてに面食らっていた。財布に小切手をしまうと、セスと再び握手した。「十六日にお目にかかります」彼女は期待をこめて言った。

「わたしたちはみんな楽しみにしてますよ」セスは彼女の手を強く握りながら、あまりにも純粋で、悲しげに見える微笑を浮かべた。

彼女はクレアとジョージにうなずいて、別れの挨拶をした。エレベーターを待っているあいだ、腕時計を見た。自分を祝いたかった。まるまる三十分間、エリクのことを思っていなかった。

サンフランシスコに移るのは、国の反対側に行くと思っていたわりには容易だった。

キャスリーンはセスの面接を受けた後、まっすぐダウンタウンの軽食堂に行って新聞を買った。ツナサンドを食べながら、広告欄をじっくり調べて適当なアパートを探した。電話で問い合わせて、いくつかのリストは除いた。残りは高価なタクシー代を払って行ったにもかかわらず、探していたものと違うことがわかっただけだった。そのうちに日が暮れてきた。ホテルにチェックインして、疲れきったことと、うれしいことがあったので気分が楽になり、夢をみずにぐっすり眠った。

翌朝、心づもりにしていたものよりももっといい場所を見つけた。それは古い一軒家を四つのアパートに改造したものだった。家具は古風だったけれど、家の外見と同様に清潔で趣があった。居住者だけがメインドアの鍵を持ち、彼女のアパートは一階だった。ベッドルームとリビングルームがつながっていて、部屋の隅に小さなキッチンと、それに小さなバスルームがあるだけのものだったけれど、当面それで充分だと思った。大家と話し合って、手付金と最初の月の賃貸料を置き、それから飛行機を手配してアトランタに戻った。

アトランタで、車を中古車のディーラーに売った。投げ売り同然だとわかっていたけれど、自分で売る時間と手間を省きたかった。その車で、サンフランシスコまで運転する気はなかった。今までも家具付きの家だったので、自分で処分しないといけない所帯道具はほとんどなかった。大半は慈善団体に寄付をした。持っていくわずかな身のまわりのものは、サンフランシスコへ行くときに、同じ飛行機に積むように箱に詰めた。そして数日のうちに、ベイシティの新しいアパートに落ち着いた。

彼女はこの宝石のような街がすっかり気に入った。秋の訪れとともに、きびきびとやる気が起こってくる。ゴールデンゲイト・パークをジョギングし、フィッシャーマンズ・ワーフを見物した。

もっと実際的な仕事もかたづけた。まず、中古の小型車を買った。セスが「引っ越し費用」として払ってくれたお金にわずかな差額を足して、クレジット・カードにサインした。さっそくその車に乗って、地図を片手に試行錯誤しながら、丘の多い街のなかをまわって新居まで行った。仕事のない、何もしないでいい自由の時間を楽しんだけれど、新しい仕事場に入る前の日曜日の夕方までに、準備はすっかりできていた。

「明日から、わたしはやりなおすのだ」キャスリーンはアパートに着いて、折りたたみ式のソファベッドに横になりながら、暗闇に向かってきっぱりと言った。「二、三か月すれば、彼のことを思いだすこともないだろう」

頭の下から枕を引っ張って、胸に抱きしめた。「もう思いださないわ。絶対に思いださない」柔らかい枕に顔をうずめて誓いながらも、あざやかに彼の顔を思い浮かべていた。彼女に手を振って、飛行機のなかに消えた彼の姿に、強く目をつぶっていた瞼から涙があふれ出た。

「エリク、エリク」彼女はすすり泣いた。「なぜわたしにあんなことをしたの？　なぜ？」

彼は彼女のことを考えているのだろうか？　彼はこの瞬間、何をしているのだろう？　寝ている？　きれいな奥さんを抱いている？　あの油断のならない手でなで、巧みな口で嘘を言ってるのかしら？

　彼女にしたように、あんなに熱烈に奥さんを愛撫するのだろうか？　もしかしたら、彼の激しさに彼女は冷たいのだろうか？　だから彼はほかに愛人を求めるのか？　従順な人を。自分のような。キャスリーンは恥ずかしくてたまらず、枕に顔をうずめた。

　あの金髪の女性が彼の愛と名前をもらっているのは当然だ。キャスリーンはその女性に嫉妬を覚えたけれど、それと同時に彼女のことをひどく哀れだと感じた。彼が誠実ではないことを知っているのだろうか？　それとも、キャスリーンが初めての不倫の相手だったのか？　いいえ、もちろん違う。何度も経験がなかったら、彼は一片の罪の意識もなく、彼女をあれほどすんなりと誘惑できなかったはずだ。

　彼を憎みたかった。彼を憎んだ！　けれど、横に寝返りをうって、自分を守るように膝を胸にかかえたとき、ぴったりくっついていた彼の頑丈な引き締まった体を感じて、胸が痛んだ。彼のあたたかな抱擁がなくて、体がひやりとした。彼のベッドでの一夜が彼女をだめにしたのだ。そのために、夜じゅう彼の力強さがほしくて、時折、頑丈な彼の腕のなかで目を覚まし、彼のしっかりした呼吸のリズムを聞きたくなる。

　そしてこの夜もまた、いつものように、彼女をむしばみ、彼女の心を押しつぶし、精神を損なう死よりももっと残酷な痛みを感じた。

　翌朝、彼女は早く起きた。お化粧をしながら、バターを塗らないトーストを食べて、コーヒーを二杯飲んだ。心に決意を刻みこんだ。毎日をおおっている絶望をとりはらって、あらためて熱を入れ、新しい仕事に取り組むのだ。そうすれば救われるだろう。そうしなくてはいけない。

彼女は念入りにドレスを選んだ。第一印象を良くしたい。それが、新しい雇用者にも部下に対しても肝心だ。テイラードのネイビー色のドレスを選んだ。デザイナーズ・ブランドのもので、ニューヨークに買い付けに行ったときサンプルとして買ったのだけれど、小売り価格のほとんど四分の一だった。

丸い襟なしで、左側に、首から胸を通って膝までボタンがついている。ほっそりした長袖。シフトドレス（胴はぎのないシュミーズのような型のドレス）のような型だけれど、靴とバッグと合わせて銅色の革のベルトをしめた。革が彼女の髪の色とほとんど同じなのは偶然の一致ではない。首のまわりに、ペイズリーのスカーフをして金のピンで留めた。スカーフはネイビー色と銅色と緑。小さな金のイヤリングをする。髪は機能的なことと、仕事をする女性に見えるように後ろにまとめた。

ドアの後ろ側いっぱいに付いた鏡でチェックした。バスルームで三十分のあいだに整えた成果は出ている。可能な限りでは、これがベストだと思った。

サンフランシスコの通りを覚えながら、車を運転した。ラッシュアワーにもあまりびっくりしなかった。アトランタの有名な交通渋滞を生き抜ければ、どこでもやっていけるだろう。

本社のある超高層ビルに着いて、駐車場係に自分が誰であるか名乗った。彼は微笑して言った。「はい、承《うけたまわ》っております。ミスター・カーホフが、あなたにこれをお渡しするように言われました。お車のフェンダーに貼り付ければ、いつでもここに駐車できます」

「ありがとう」彼女は駐車場のほの暗い洞穴のなかに車を向けた。

十二階に着くと、セスの部屋に行った。予想どおり、クレア・ラーチモントはすでにデスクに向かって仕事をしていた。彼女は楽しそうに手を振ってくれたけれど、肩と顎のあいだに電話機をはさんで話をしていた。

「そのとおりです。ミスター・カーホフは、そういう提案は今日の終わりまでに準備し、彼の同意を得るようにとおっしゃっています」彼女は電話を切った。「キャスリーン！　今日はあなたの大切な日でしょ。興奮してる？　引っ越しはすべてうまくいったの？　何か必要なものはないかしら？」

キャスリーンはにっこり笑った。「最初の質問には『はい』。二番目にも『はい』です。そして最後の質問には、『あなたにお知らせします』だわ」

「ごめんなさい」人が良さそうに笑った。「セスはいつもわたしのことを、おしゃべりめ、とおっしゃるわ」

「セス？　それはあなたのポリシーでは、ミスター・カーホフと言うところでしょう」

クレアがウインクした。「彼をじらすためにそうしてるだけなの」

キャスリーンは笑った。「彼はなかですか？」

「まだいらしてません。今朝は理学療法《フィジカルセラピー》の日です。彼とジョージは月曜日と木曜日に、プールで運動をするんです。ですから二人はいつも一時間遅れます。ミズ・カーホフがおられます。彼のお姉さまです。今お会いになったほうがよろしいかと思います」

キャスリーンはクレアの顔をよく見た。この前ののびのびした感じが欠けている気がした。

「そう?」キャスリーンはどういうことか聞きたかった。

「ご自分でどういうことか理解なさってください」クレアが用心して言った。雇い人のことをいろいろ批評したくないのだ。キャスリーンは彼女の慎み深さに感心した。

「コーヒーをおもちします」彼女がドアのノブに手をかけたとき、クレアが言った。

キャスリーンはドアを開けて、なかに入った。窓のところに立っている、姿勢のいい女性の姿が目に入った。キャスリーンは自分の背後で、ドアを音を立てて閉めた。ミズ・カーホフの注意を引きたかった。

「クレア?」女性はその音に振り返った。「まあ」間違いと気づいて言ったのは、そのひとことだけだった。

「こんにちは、ミズ・カーホフ、キャスリーン・ヘイリーです」キャスリーンは近寄っていったけれど、どうしたわけか、握手する手が出せなかった。相手の女性も同じだろう。自分を守るように胸の前で腕を組んだ姿は、何よりも雄弁に彼女の気持ちを伝えていた。

「ミズ・ヘイリー、ヘイゼル・カーホフです」まるで中世の時代の農奴に挨拶する領主のようにうなずいた。「弟が、あなたを雇ったことを話してくれました」

このような話に、なんと答えればいいのだろう? 言葉がみつからず、キャスリーンはほんの少し前のミズ・カーホフと同じように、やや頭を下げた。気まずい沈黙だった。二人は身構えて、互いに相手を値踏みしていた。

ヘイゼル・カーホフは年長の小柄な女性だったけれど、プロポーションがよかった。タッサーシルクのスーツはカットがすばらしく、体にぴったりと合っていた。金髪を短い、おとなしい形にしている。少しやりすぎなところを言ってよければ、それは宝石類だった。両方の中指にダイアモンドをちりばめた指輪、それにダイアモンドのついた腕時計と三連のブレスレット。耳には小さなダイアモンドのピアス。上手にメイクをしていたけれど、目と口のまわりのかすかなクモの巣状の皺は隠せていなかった。セスよりもかなり年上だろう、とキャスリーンは思った。中年に充分さしかかっている。

彼女の弟と同じように、人の注意を引く目だ。けれど、彼のように同情と寛容さを秘めた輝きのある目ではなく、彼女のは冷たく傲慢な感じがした。色もセスのあざやかなチョコレート・ブラウンではなく、生彩を欠いた灰色で、生命力も自発性もなく、何も明かさないけれど、すべてを見ている表情のない突き刺すような視線には、心がひんやりとした。

「この街はいかが？　お気に召してるんでしょう」やっと彼女が口をきった。

「はい」キャスリーンは答えた。それから笑顔を浮かべて、そっと笑い声をあげた。「確かに違ってますわ」

「ほんとうにね」

別の意味がありそうだ——その言葉にすぐ応じるのはむずかしい。キャスリーンは気後れせず、また言ってみた。「〈カーホフ〉で働くのを楽しみにしてるんです。セスは大変魅力的なお考えをお持ちです」

「弟はよく衝動的に行動したり、言ったりするんですよ」

ヘイゼル・カーホフがキャスリーンのことをよく知っていたら、突然、彼女の瞳に緑の炎がきらめいたのは、抑えている怒りが今すぐにも爆発する警告だとわかっただろう。

キャスリーンは新しい雇い人に対してもひるまなかった。「それではわたしを雇われたのは、その衝動的な態度のひとつだと思っておられるのですか?」

ヘイゼルは微笑したけれど、表情にはユーモアのかけらもなかった。

「〈カーホフ〉で働きたいと熱望する若い女性はたくさんいたでしょうに、セスは完全にあなたを気に入ってしまった。帰宅したとき、あなたの肉体的な特徴を興奮して話してくれましたわ。パーフェクトだって」灰色の瞳はまるでいやなものでも見ているように、キャスリーンの体を上から下まで見通した。「弟を利用しようとする機会をもったのは、あなたが最初ではありません」

こんな露骨な侮辱があるだろうか。キャスリーンは驚いた。「そんなつもりはありません! わたしはここで仕事をする権限を与えられています、一生懸命、〈カーホフ〉のために働くつもりです。セスはたいへん知的で、ヴィジョンをもたれた——」

「彼は体が不自由ですわ」ヘイゼルはさえぎった。「その事実を食い物にしようとする女性から、わたしはいつも守っていなければならないの。すべてのことで、彼はわたしに頼っています」彼女は興奮してほとんど怒っていた。あやうく自分を取り戻したようだ、無礼なことを言うのをやめた。すっと体をまっすぐに立てなおすと、キャスリーンから離れて出ていこうとした。「けれど、今お話ししたことはたいしたことではありませんわ。あなたはここにはそう長くいないと見ていますよ。あなたのようなタイプはそうですもの」

キャスリーンは怒りに体がふるえた。今にも言い返そうとしたとき、ジョージがドアを開けて、セスが車椅子でオフィスに入ってきた。「やあ！　わたしの愛するレディたち！　もう会ったようだね」

10

　そう、二人は会った。けれどキャスリーンにとって、それは対決、いやそれ以上に思えた。あの最初の朝が、それからのヘイゼル・カーホフとの衝突を決定したのだ。ヘイゼルはデパートのジェネラル・マネジャーだったので、たびたびキャスリーンのやり方を邪魔した。ずる賢く、二人だけのときは、いつもよそよそしく傲慢な態度だったけれど、セスがいるときは楽しそうなふりをして、キャスリーンにやさしかった。

　ヘイゼルほどひどい気性の人がいただろうか。キャスリーンは彼女ほど性格の悪い人に会ったことがなかった。彼女は最初の出会いからずっと、意識してキャスリーンを軽んじていた。キャスリーンは働きだしてすぐ、ヘイゼルが〈カーホフ〉の従業員から嫌われていることを知った。誰に対しても口うるさく、いくら強い性格の人でも、彼女の悪意に満ちた言葉には、涙にくれることが多かった。けれど、セスがまわりにいるときは、同じヘイゼルの口から歯の浮くような甘い言葉が出てきた。弟のそばに立って、微笑しながら彼の考えを賞賛するけれど、彼が聞いていないときは嘲っていた。

　しかも彼女は、セスに対してひどく所有欲が強かった。ジョージでさえ、ヘイゼルがセスの世話をやいているときは後に控えていた。セスは彼女にいつまでも甘やかされ、とまどっていることが多かったけれど、そのために彼女を疎《うと》んじることはなかった。助けを押しつけられているように見えても、ほかの人と接するときと同じようにやさしく受け入れていた。

セスは姉とは違い、従業員に崇拝されていた。自分を哀れまない人を哀れむことはできないものだ。彼はいつも自分の車椅子を、戦車《チャリオット》だと冗談を言った。彼は女性の従業員とふざけたり、男性従業員と友だち感覚でつきあい、新入りの店員でさえ会社にとって重要な人物だと感じさせた。充分な賃金を払い、従業員はそのことをわかっていた。その代わり、勤勉な働きを期待したし、彼らもそれに応えた。そのため、〈カーホフ〉のひいき客はおのずと忠実になり、ほかのデパートが見習わなければいけないほど、丁重な応対を受けていた。

最初のあわただしい日々、キャスリーンとセスは、主に彼のオフィスで帳簿を調べた。前任者のバイヤーが出しておいた注文書をチェックし、どの品物が届いていて、どれがこれからのホリデー・シーズン用として来るのかを見た。商品はひどすぎないものか、ぞっとするものばかりだった。キャスリーンとセスは絶望してうめいた。

「できるだけベストを尽くそう。十月には、きみにニューヨークに行ってもらいたい。春のシーズン用に、きみの満足のいくものを買ってきてほしい。そのときこそ、我々は最初の大きな躍進をする」

「でもそれまでに」キャスリーンは頭をひねりながら言った。「わたしがこれまで買い付けてきたところに電話してみて、もっといい製品を送れるかどうか聞いてみます。遅すぎなければいいのですが」

セスは賛成してくれた。キャスリーンは店の「個性《パーソナリティ》」を学びはじめた。彼女とセスは彼の特別仕立てのヴァンに一緒に乗って、デパートを訪ねることになった。ジョージは二人を、オフィス・ビルの正面玄関から数メートル先の、特別の駐車場に止まっているヴァンまで案内した。改装されたヴァンは銀色に塗られて、内装は黒だった。リフトでセスの車椅子をなかに入れるようになっている。ヴァンは豪奢だった。キャスリーンは、ジョージがセスの椅子を降ろしてロックしているあいだ、高価なレザーのふかふかした座席に腰を降ろしながらそのことを言った。

「ああ、そうだよ」セスはまたジョークを言う。「フェラーリがほしかったんだが、この車椅子め、あれには合わないんだよ」

キャスリーンはすぐに笑った。

セスはほんとうに驚いているようだ。七階建てのビルの上層階の部屋を、キャスリーンに与えようと考えていたのだが、彼女は一階の小さな倉庫用の部屋を希望した。

「それのほうがずっと便利なんです。実際に」彼女は確信をもって説得する。「製品が入ってくるたびに、目録をつくることができますし、生産者の送り状とチェックして、それらが各部に送られる前に調べられます」

「しかし、キャスリーン」彼は反対した。「我々にはそういうことをする従業員がいるんだが」

「わかります。その人たちも助けてくれるでしょう。でもわたしはそれを自分でやりたいんです。少なくとも指揮をとりたいんです」結局は彼女の言い分が通った。

十月の最初の週が近づいて、彼女はその月末に予定されているニューヨークへの出張を楽しみに待っていた。夜会服を箱から取り出して、アフターファイブ部門に委託する前に、スチームをあてるためにハンガーにかけているとき、めまいが襲った。

少しのあいだ、すぐ近くのテーブルの端を握って目を閉じていた。頭をたれて、必要な血がのぼってくるのを待った。ようやくゆっくりと頭をまっすぐにして、深く息を吸った。

湯気の立ち上るスチーム・マシーンを扱っていた女性が気がついた。「キャスリーン？大丈夫ですか？　気分が悪そうですよ」

「い――いいえ。大丈夫よ。ちょっとめまいがしただけ。もっと朝食をたくさん食べなくちゃいけないわね」時々、あまり仕事に集中しすぎてランチを遅らしたり、食べるのをまったく忘れたりすることがある。そのため、その日の終わり近くになると、体がついていかずによろよろとする。原因は、彼女が朝食をきちんと食べていなかったからだ。それに最近は、朝になると食べ物を受けつけなかった。

今朝もそうだった。歯を磨いているとき、練り歯磨きの匂いに吐き気がして、喉をつまらせそうになった。朝の吐き気のほかに、夕方はわけのわからない胃痛に悩まされている。毎日午後になると、胃が大きくなって肺をぐっと押しているようで、ほんとうに空腹なのに、おなかがいっぱいのような感じがするのだ。

キャスリーンはこれらの徴候が続いても、無視できないほどの症状を示すまで、深く考えていなかった。一週間のうちに三度も、仕事中にほとんど意識を失いそうになって、はっきりと心配になった。それでもその日の夜は気楽に考えて、帰宅するとすぐに寝て、翌朝目が覚めるときまでにはきっとよくなると思っていた。けれども、朝目を覚ましたとき、少しもよくなっていなかった。

「どこが悪いのかわからないわ」体重計の目盛りを見下ろして、途方に暮れた。また一キロ減っていた。足元のマニキュアをした十本の足の爪を見ていると、目の前がぼんやりしてきた。足の指が二十本に見えた。目を上げて、バスルームの小さな洗面台の上の鏡に映っている自分の青白い顔を見つめた。「まさか」大声を出した。「そんなこと、あるはずがないわ」

彼女は本能的に、両手をおなかにあてた。いつものように平たくて堅い筋肉があるだけだ。けれど何かが大きく違う。もう柔軟ではなく、ふくらんだ感じがする。このところ乳房が腫《は》れて、触ると痛いのは、遅れていた生理の前兆だと思っていたのだ。

生理！　最後にあったのはいつ？　六月？　七月？　そうだ、七月一日。〈マウンテン・ヴュー〉で、七月四日の独立記念日に生理だったのを思いだした。

そしてエリクがその一週間後、到着した。七月の中旬。そしてそれ以来、生理はなかった。生理が遅れていても、あれほどのショックがあって、気持ちが動揺したせいだと思っていた。

彼女は鏡のなかの自分を見つめ、あわてて手を上げて、唇から出そうになった小さな叫び声をふさいだ。それから、自分の耳にさえうつろに響く笑い声を無理に上げた。「ばかばかしいわ、キャスリーン・ヘイリー。そんなに理性を失って、間違った結論にとびつくなんて。こんなことは、あなたのようないい大人には起こらないものよ。起きるわけがない。何かほかのことよ。それに、みんな知ってるわ、そういうときは肥るってこと――ほかのことよ」

けれど、そうではなかった。

彼女は職業別の電話帳を調べて、産婦人科医に電話した。同じ職場の女性に聞くのは、変な好奇心を起こされる恐れがある。幸運だった。翌日の正午に予約が入れられた。その時間でよかったと思った。ランチの時間に出かければ、その後は職場に戻れる。

それからの三十時間は、キャスリーンにとって、今まででいちばん長かった。アーカンソーの病院の緊急病棟で待っているときは例外だった。

キャスリーンはむかむかする胃に、ほとんど抵抗する気持ちで、グラント・アヴェニューでは最上と評判の中華料理店でその夜のディナーをとった。ばかなことをしたと思う。ものすごい量の料理が出てきた。中華料理店にはひとりで行くものではない。けれど、ワンタンのスープと前菜の二つの春巻きのあと、出てきたメインの料理を銀の皿にとりわけてもらってきれいに食べた。

最悪のことを想像していたけれど、これでなんでもないと証明されたと思って、彼女は家へ車を向けた。けれど、その確信は束の間だった。玄関のドアを開けるやいなやすぐバスルームに飛びこんで、激しい痙攣《けいれん》をしながら胃のなかのものをすべて吐き出した。消耗し心配になって、ベッドに直行した。もう医者がなんと言うかわかるような気がした。聞くのが恐ろしかった。

ランチの時間が来た。駐車場から車を出して、ほんの数ブロック先の診察室に行った。吐き気が続いて何も食べていなかったので、ハンドルを握る手がふるえた。

高層の医療ビルのなかにある、気持ちのよい診療所に入っていった。ガラス窓の向こうの看護師に名乗って腰を降ろすと、初診者用の書類に記入した。書き終わって、看護師に戻した。彼女がうなずきながら言った。「ありがとうございます、ミズ・ヘイリー。すぐアトランタからカルテを取り寄せます。お坐りになっててください、すぐドクターがまいります」

ドアを開けたのは、別の看護師だった。彼女の名前を呼んだ。キャスリーンは、膝に元気そうなよちよち歩きの幼い男の子を抱いた、若い女性を見ていたところだった。母親はいっときもじっとしていない子どもに、『ラガディアンディ（アメリカの有名な童話）』を読んでやっていたけれど、子どものほうは水槽の金魚を脅すのに夢中だった。

キャスリーンは看護師について、ドアに大きな赤い字で「2」とある部屋に入っていった。

「どうかなさいましたか、ミズ・ヘイリー？　それとも定期検診でしょうか？」

「あの……」彼女は唇を嚙んだ。「いいえ、定期検診です」

ばかげたことだけれど、妊娠のことを言わないほうがいいと思ったのだ。子どもっぽいことをすると思った――信じたくないことは認めたくないのだ。

看護師はフォルダーにあるカルテのメモを見る。「洋服をお脱ぎになってください。それからドクターの前に、わたしたちが予備検査をします。更衣室に掛け布があります」

キャスリーンは小さな囲いのなかに入って、服を脱ぎ、頭からプリントした四角いコットンの布をかぶった。ほとんど腰まで隠れる。「かわいいわ」彼女はカーテンの陰から出ながらつぶやいた。

「まず体重を測りましょう」看護師が指示する。体重をカルテに書きこむと、看護師はキャスリーンの血圧を測り、中指から血を採った。キャスリーンの両手が汗でつるつる滑る。看護師が彼女が神経質になっているのをやわらげるように、からかって、緊張しないように注意してくれた。キャスリーンは弱々しく微笑した。

「生理は順調ですか？」看護師がカルテのほうをのぞきこみながら聞いた。

「はい」

キャスリーンは青白くなった。「ああ……それが……正確には覚えてないんです。多分、

「最後の生理は？」

二週間くらい前」

彼女は次に尿を取るために、そばの小さなバスルームに行った。看護師にプラスティックのカップを渡した。なかのものが心配だった。妊娠を決定づけるものにならないように祈った。

数分間、そのまま待たされた。キャスリーンは乱れた呼吸を抑え、鼓動を鎮めようとしたけれどその甲斐はなかった。ドクターが足早に入ってくるまでに、神経過敏になってふるえ

ていた。

「ミズ・ヘイリーですね、ドクター・ピーターズです。わたしの名前について、どうぞ冗談はおっしゃらないでください。テレビで有名なあのドクターとは違いますからね。仕事仲間にはよく、わたしは泌尿器科専門になるべきだと言われてるんです」冗談を言って自分で笑ったので、キャスリーンも微笑み返した。白髪で、眼鏡を半分鼻に落としたまま、まるでサンタクロースそっくりのやさしい中年の男性を、誰が恐れたりするだろう? その上、彼女をくつろがせるために、あけっぴろげな態度で接してくれて、ありがたいと思った。

診察はおきまりの手順だった。聴診器で心音を聴き、首のリンパ腺を触り、耳と喉のなかをみる。それから診察台の上に仰向けに寝て、触診で乳癌の検査をした。

「痛いですか?」彼が聞く。

彼女は急に胸がいっぱいになった。エリクも同じことを聞いたのだった。あの翌朝。彼は触りながら心配して聞いた。かすれた声の抑揚をまだ覚えている。

「少しだけ」彼女は答えた。

ドクターが診察室のドアから首を出して、看護師に手伝うように声をかけた。看護師はキャスリーンが、脚をステンレスの足をかける金具に置くのを手伝ってくれた。足の裏があたるとひんやりした。

「すみませんね」彼女が冷たさにはっとして声をあげたので、ドクターが言った。「妻に、このためにいいものを何か編んでくれと頼んでるんですが、なにしろテニスに夢中で。それじゃ、ちょっと体の力を抜いて、脚を少し広げてください。もう少し動かして。そう、いいですよ。さあ、力を抜いて、楽にして」

　また同じだ。エリクもそう言った。彼女がヴァージンだとわかったまさにそのとき、彼女の耳にささやいたのだった。力を抜いて、楽にして。力を抜いて、楽にして。自分の妻を裏切り、人を騙しながら力を抜いて、楽にしてと言っていた。

　検鏡もまた冷たかった。押し開くように入ってきたとき、キャスリーンは体をすくめ、胸にかかった布を握りしめて顎に力を入れた。ドクターの手袋をした手が出ていくまで、こぶしを握りしめていた。

　やっと終わった。ドクターは「服を着たら、診察室で会いましょう」と言っただけで、診察着を翻して出ていった。

　彼女が洋服を着ているあいだ、看護師が次の患者のために、診察台をきれいにしながら話しかけてきた。キャスリーンがどこで働いているか、そこで何をしているか話すと、看護師は感動していた。「すてきですわ、すごいお仕事ですね！」

　ええ、そうね、キャスリーンは思った。そして、ほんとうは、妊娠している女性を雇うつもりはなかったのだと思った。けれど、妊娠してないのかもしれない、そうでなければドクターがすぐにそう言ったはずだ。彼女はティッシュを取って、手のひらににじんだ汗を叩いてふいた。

「どうぞ」彼女がそっと診察室のドアをノックすると、ドクターの声が聞こえた。入っていくと、ドクターは立ち上がって、上品な物腰でデスクの反対側の椅子を指し示した。彼女がくつろいだのを確かめて、デスクの上に両手を広げ、眼鏡をずらしたまま安心させるように見た。

「ミズ・ヘイリー、ぶしつけなことをお聞きするのを許していただきたいんですが、妊娠していると疑っておられましたか？」

その言葉は大砲を撃ちこまれたようだった。エネルギーが体からゆっくりとしみ出ていく。まるで最後の結び目がしっかりしていなくて、風船から空気が少しずつぬけていくようだ。張りつめていたものがしだいに抜けていき、とうとう何もなくなったように感じた。けれど、そこにはしっかりといた。エリクの子どもが、彼女のなかに。

首をたれたので、涙がはらはらと瞼から流れ出た。「ええ」小さな声で答えた。

「最後の生理はいつでしたか？」彼はやさしく聞いた。彼女が看護師に嘘を言っているのをもうわかっていた。

仮面をかぶるのはやめだ。キャスリーンは正直に答えた。「七月の第一週です」

彼は頭のなかでちょっと考えていて、それから言った。「それで計算が合います。あなたの子宮の大きさから、およそ妊娠十週だと見ました」彼の言ったことを理解させるために時間を置いて、そっと咳払いした。「すべて順調です。血糖値もいいですね、少し食べるようになって、もう少し体重を増やすほうがいいと思いますが。出産する――」

「子どもをもつことはできません」キャスリーンは気後れしてはいけない、と決心して思いきって言った。我慢して強く握りしめたこぶしで、せっかちに涙をふきとった。「堕胎をしたいのです」

ドクター・ピーターズは彼女の決意の固い声と、頑固そうにひきしめた頬にいささか驚いたようだった。このような重大なことを、早急に決めるようなタイプに見えなかった。「初めての妊娠ですか、ミズ・ヘイリー?」

彼女は苦笑した。初体験だったことをドクターは知らないのだ。今まで、彼女は病気や妊娠のことで、自分を守るようなことはなかった。ああ、十代になれば、ほとんどみんな、もっとセックスに責任をもっている! 彼女は何を考えていたのだろう? キャスリーンはまた笑った、そのはかない笑い声にドクターが額に皺をよせた。彼女は妊娠することを思ってもいなかったのだ。「ええ、これが初めての妊娠です」

「それで、その決定は確かなんですね?」

彼女は手のなかで湿ったティッシュを見下ろした。「確かですわ、大事なものを今にも殺そうとしているってわかってます」

「ミズ・ヘイリー、考えなおすのに、二、三週間くらいしかないのですが、それでも時間はあります。おそらく、相談なされば、父親になる人と——」

彼女の頭がすぐ上がった。「それはできないんです。それに、考えなおすことはありません。わたし、中絶をしなければならないんです。していただけますか? それとも、どこかほかのところに行かなくてはいけませんか?」

ドクターは長いあいだじっと彼女を見つめていた。こうした決心をするには、相当な訳があるのだろう。見たところ、頼りなげで、傷つきやすく、年齢のわりに無垢な感じがする。大きなため息をついた。「いや、わかりました」

彼はデスクの上の受話器を取り、受付に、ミズ・ヘイリーの予約を取るように頼んだ。「DアンドC（子宮頸管拡張と内膜掻爬）だ。妊娠中絶」受話器を戻すと彼女に言った。「お帰りになる前に、マクシーンに問い合わせてください。今度わたしがあなたにお会いするまで、あなたは決心を変えられるんですよ、おわかりですね」

彼女はドアのほうへ歩きだしたけれど、すぐに出ていかなかった。くるっと向きを変えて、またドクターと顔を合わせた。今度は、涙がとめどもなく流れた。「どうぞ、わたしが決めたことを、軽々しいことをしているとお思いにならないでください、ドクター・ピーターズ。選択の余地がないのですから。だって」彼女は大きな音を立てて、涙をすすりあげた。「子どもの父親はほかの人と結婚してるんです」

土曜日の朝。二日後だ。そんなに長く待てるだろうか？　マクシーンという名前の看護師が、彼女に手術の予定日を教えてくれた。金曜日の夕方からずっと何も食べず、土曜日の朝に手術が行われる。ドクター・ピーターズの説明では、手術のとき、患者に少しでも不安を抱かせないように、よく眠るようにさせているらしい。そのため、患者は金曜日に病院で、血液検査と胸部のエックス線検査を受けることになっていた。

セスは金曜日の午後、彼女に電話してきて、ディナーを一緒にとらないかと聞いた。彼女の神経はいらだっていた。その日、ヘイゼルが店に来て、キャスリーンが出した注文を取り消したのだ。キャスリーンに言われて、彼女のやり方で在庫品をチェックしていた店員は、ヘイゼルの意地悪な口調に責められ、思わず涙を流していた。

「セスはあなたがここで何をやってるか、知ってるの?」ヘイゼルはキャスリーンがその場に入っていったとき詰問した。「ここの商品については、今までわたしの方針どおりやっていたんですよ」

キャスリーンはヘイゼルの旧式なシステムについて、はっきり意見を言うのをためらい、静かに答えた。「はい、そして賛成なさっています」

ヘイゼルはあの恐ろしい目つきで、キャスリーンを値踏みするように見ると去っていった。まっすぐに伸ばした背と傲然とした足取りは、キャスリーンへのあてつけで、彼女への憎しみを恐ろしいほどはっきりと示していた。

そのあとで、このセスのやさしい誘いだった。受話器を通して聞く彼の声は大変親しげで、ふと自分のいまわしい話を、すっかり打ち明けてしまいたい誘惑にかられた。

けれども、だめ。この数週間のうちに、二人はずいぶんうち解けてきたけれど、彼女の問題を彼に背負わせることはできない。エドナとBJにだって電話できないのだ、それを今まで知らなかった人に話せるわけがなかった。

急に逃げるように去った自分は、やはり罪なことをしたのだ、ハリソン夫妻のことを考えると胸が痛かった。二人の友情や支えを見捨てただけではない、まだキャンプでは二期間が残っていたのに、その夏のまっただなかで二人を放り出したことになる。彼女と同じような経験のある代わりの人を見つけるのは、二人にとって容易ではなかっただろう。それをわかっているのに、愚かな行動をしてしまった。そのうえ、基金募集の活動は一時中止されている。もちろん、いずれ再開するつもりだけれど、それはずっと遅れるだろう。彼女の心がもっと癒されたときになる。今は、仕事をしているだけで精いっぱいだった。

ハリソン夫妻と話をしたくてたまらないけれど、エリクのことが話題に出るかもしれない。彼女はそれが怖かった。今のこんな状態では、二人から聞かされる話にどう向きあえばいいのかわからなかった。彼が健康を取り戻して、彼女を探そうとしているかもしれないと思っているほうが、彼女を探していなかったことが確かになるよりもいい。

「ディナーのあとは、ダンスができるよ」セスの楽しそうな声に現実に引き戻された。「もちろん、わたしにはディップはむずかしいが」

キャスリーンは受話器に向かって微笑した。体が不自由でも、セスはこんな冗談を言っている。それなのに自分を哀れんでばかりいてはいけないと思った。「それはかまいませんわ」彼女はできる限りうれしそうに答えた。「わたしもディップはできません」

「だが、チャチャチャはすごいんだよ。前へ二度押す。ブレイク。後ろへ半回転スピン。ブレイク」

とうとう彼女は笑いだした。「あなたってクレイジーだわ、セス・カーホフ」

「そうだよ。きみにね」声が少し低くなって、まじめになっている。「きみがオフィスに入ってきた日、運命の女神がこの体の不自由なオールドボーイに微笑んだんだよ、キャスリーン。きみはパーフェクトな仕事をしてる。鞭《むち》のように鋭い。まわりの人の目を喜ばせるほど美しいし、すばらしい。そして、わたしはなによりもきみが好きだ。さあ、ディナーに一緒に行かないか？」

「セス――」

「わたしは女性へ言い寄るようなことをしないよ、約束する。もしレディに失礼なことがあれば、ジョージがわたしのおしっこ袋をからにしてくれない」

「まあ、セス、なんてひどいことを！」彼女は大声をあげたけれど笑っていた。

「どうだね、キャスリーン」

「ほんとうに、今夜はだめなんです、セス。ほかに用があって」

「デイト？」

「いえ、いえ、そんなものではありません」あわてて、彼を安心させた。「わたし……わたし、個人的な用があるんです」今は本当のことは隠しておいたほうがいいと思う。「実を言うと、この週末はずっと拘束されてて」

長い沈黙のあとで、セスが聞いた。「すべて順調なのかね？　仕事は？　お金は？　全部うまくいってるの？」気づかった彼の声に、心がふるえた。彼は自分のことにはかまわず、ほかの人の苦しみを理解したいと思っている。

「はい、セス。月曜日にお会いしましょう」

「オーケイ」

「さようなら」

「さようなら」受話器を置きそうになったとき、再び彼の声が聞こえた。「キャスリーン?」

「はい?」

「わかっているよね、きみが何かを望んでいるのなら、きみがしなくちゃいけないのは、わたしに頼むことだけだよ。わたしはきみの友だちだ」

とても純粋だと思う。余計な質問はなかった。ひも付きではない申し出。制限もない。無条件の友情。愛情。キャスリーンは喉が強く締めつけられた。「ありがとうございます、セス。さようなら」彼女は涙が目にあふれて、わっと泣きだす前に受話器を置いた。

キャスリーンは採血され、レントゲンをとってもらった。申し込み用紙に記入すると、自宅に帰って寝て、翌朝の六時半に受付のデスクに来るように言われた。

指示されたとおりしてみたけれど、どんなに疲れきっていても寝つかれなかった。瞼の裏に、ドクター・ピーターズが彼女から「受胎の産物」を取り除くために使う器具が目に浮かぶ。それは決して「赤ちゃん」ではない。「胎児」でさえないのだ。受胎の産物。

手足は鉛のような感じだったけれど、頭は枕にじっとのせているには軽すぎる気がした。ひと晩じゅう寝返りをうっていた。頭が冴えて、感じることをやめさせてくれない。思いだせ、考えよ、恐れよと押しつけてくる。

妊娠するずっと前、彼女はなんの疑いもなく、伴侶というのは一生続くものだと誓いをたてていた。両親がいなくて育つつらさを知っているので、まだ妊娠もしていないのに、いつか生まれてくる子どもたちに約束していた。絶対に両親がそろった、ほんとうの家がある、完全な家族しか持たない、と。もし妊娠中絶を取り消して、ひとりで子どもを産もうとするなら、約束を破って、子どもから片方の親を奪うことになる。それはだめ、絶対にだめだ。

彼女が彼の子どもを妊娠していることを知ったら、エリクはどう思うだろう？　知りたいなんて思うだろうか？　もしかしたら、彼女が避妊をしなかったことで、分別がなかった、責任がなかったと言って、彼女を怒るだろうか？　それとも、彼女を哀れに思って、費用の半分を負担することで、彼女を助ける申し出をするかもしれない？　ああ！　そんなことをされたら、彼女は耐えられなかっただろう。

それとも、彼の反応はまったく違ったものになるだろうか？　彼の青い瞳は、崇めるように愛情をこめて彼女を見ながら、手で体をゆっくりとなで、つぶさにおなかのあたりを探ってくれる。彼女は彼の目のあたたかさで満たされるだろうか？

もしかしたら、彼女の前にひざまずいて腰を力強い手でかかえ、彼女を引き寄せ、おなかに顔をうずめて、彼の子どもと黙ってコミュニケーションをとろうとするだろうか？　彼女に鼻をこすりつけながら、感謝のキスをするだろうか？　妊婦になって大きくなった彼女の乳房を喜んでくれるだろうか？

いえ！　いえ！　どうしてこんなふうに自分を痛めつけるの？　赤ちゃんなんて、彼にとっては、なんでもないかもしれないのに。それにもう、彼にはすでにいるかもしれない。彼と妻には、リトル・グッドジョンセンのいる完全な家族があるかもしれないのだ、貞節と同じように、子どものことなどエリクにとってなんでもないのだ。

キャスリーンは幸せな夢をみるのを打ち切ろうとしたけれど、なかなか消えていかなかった。むしろ、どんどんふくらんでいく。病院の廊下を分娩室へ運ばれていく自分が見える。車輪つきの担架には心配げなエリクがついていて、彼女の手を握って、いつも愛していると励ましてくれている。

それから二人は、新生児室のガラス窓をのぞきこんで、自分たちの息子をいとしげに見下ろしている。息子？　そうだわ。エリクは息子をもつに違いない。

それから二人は木陰を歩いていく。元気なよちよち歩きの子の手を引いて。息子は金髪だろう、少しウエーブしていて、まとまったスタイルになかなかならない。目は突き刺すような青。父親とそっくりの……

キャスリーンはソファベッドのそばの、目覚まし時計が鳴りだしてもまだ起きていた。ようやく体を起こした。今朝のことで、ひとつだけ良いことを考えよう。そうだ、この地獄のような夜が終わって、今日の終わりには試練がなくなっている。エリクの最後の面影をとりのぞき、再び彼女の人生を歩み始められるのだ。

身支度をしながら、キャスリーンは少なくとも自分にそう言い聞かせていた。何も考えないで車を病院に向け、駐車場に入れて受付に記帳した。まっすぐ三階に行き、別のデスクでチェックインした。

「キャスリーン・ヘイリーです」自分にこんな声が出るとは思わなかったほど感情のない声だ。

「おはようございます、ミズ・ヘイリー。すぐこちらへ」

朝のこの時間のわりには、うんざりするほどはつらつとして、機敏な看護師についていった。廊下を進むと、ベッドが六つ並んでいる部屋があった。すでに患者が二人いた。

看護師がキャスリーンの腕を、透き通ったプラスティックのブレスレットに滑りこませた。

「そちらで洋服を脱いで、ロッカーに持ち物を置いてください。代わりに、病院のガウンがあります。宝石類は必ずはずしておいてください。間に合わなければ、その室内便器をお使いになってください。すぐIV（静脈注射）をしにもどってきます」

彼女が去って、ひんやりした部屋に、ほかの女性たち二人と残された。ひとりは彼女より若く、せいぜい十七歳くらいだろう。キャスリーンと同じ理由でここに来たのだろうか？　心を痛めながら少女を見たけれど、世なれた、傲慢そうな目で見返された。どう見ても、動揺しているようには見えない。もうひとりは彼女よりも年上で、ハンカチを顔にあててすすり泣いていた。搔爬《そうは》は彼女の体のためにやらないといけないのだろう。中絶はやむをえないのだ。なんてひどい。

キャスリーンはバスルームに行って、看護師の言ったとおりにした。わたしは考えたりしないわ、と彼女は自分に話しかけた。何をしているか考えてはいけない。ただやるだけ、そして面倒なことをかたづけてしまうの。

背の高い病室用のベッドに上がり、岩のように堅い枕に頭をのせて仰向けに寝た。少しして、看護師が瓶とトレイをもって入ってきた。

何も話しかけず、キャスリーンの肘の内側をアルコールでふきだした。よかった、昨夜、血をとられたところと反対の腕だ。

キャスリーンは注射針が大嫌いだった。子どものときから、注射を打たれるのが怖かった。大人になっても、恐怖心はあまり変わらなかった。看護師が血管を探している。見つけたのか、針を突き刺した。その針を腕にテープでくっつけているあいだ、彼女は顔を背けてずっとちぢみあがっていた。

「それはなんのためですか?」キャスリーンはおずおずと聞いた。

「手術前にするんです」看護師が簡単に説明する。「あなたの手術は七時四十五分からです、それで、しばらく楽になっていただくために」それからキャスリーンの手を上げて、せっかちにベッドに戻した。「あら、爪のマニキュアは落としていただかなくちゃ。爪を塗ったまま、あなたを眠らせるわけにはいかないんですよ」

「ごめんなさい」キャスリーンはおとなしくあやまった。「誰も教えて……」

彼女の声はしだいに小さくなった。看護師はすでにドアから出ていた。

患者がひとり、泣き続けていたほうの患者が運ばれていった。もうひとりの十代の女の子はガムを嚙みながら、『ローリング・ストーン』をめくっている。キャスリーンが沈黙を破って、その少女に時間を尋ねようとしたとき、ドアが開いて、ドクター・ピーターズが入ってきた。

緑色の手術着を着ていた。マスクをはずして、胸にぶらさげている。髪はこっけいなほどくちゃくちゃに乱れていたけれど、目はやさしくて晴れやかだった。

「ミズ・ヘイリー」彼は彼女の手を取ってやさしく言った。少なくとも「おはよう《グッド・モーニング》」とは言わなかった。そんな偽善者ではない。

「こんにちは、ドクター・ピーターズ」

「気分はいいですか?」

「はい。おなかがすいてますわ」

彼はくすくす笑った。「今夜はほしいだけ食べられますよ」

「彼女がわたしの爪のマニキュアをとってくれました」キャスリーンは下唇がふるえているのでがっくりした。感情を押し殺していたかった。

「あなたをここへお連れした看護師?」ドクター・ピーターズが聞いた。キャスリーンがうなずくと、かがみこんで小さな声で言った。「ほんとうにいやなやつだな」なんとか笑わせようとする。「だが、手術の前は、爪のマニキュアをとる必要はあります。そうしないと、酸素を充分吸っていないとき、爪が青くなるのがこちらはわからないんですよ」彼はわざわざ静脈注射をチェックした。「眠いですか?」

彼女は「はい」と答えたかった、けれど、ぼんやりしたいのに目が覚めている。

「気分が悪くならないように手術しますよ。約束します。簡単にご説明したいと思います、そうすれば、何をするのかわかりますからね」

彼はベッドの横に腰を上げ、体を少し曲げて腰かけた。「まず、子宮頸管のなかを拡張させます。それは子宮のいちばん開口部にあります」彼女はうなずいた。「それから、拡張したら、子宮頸管のなかに中空のチューブを挿入します。それについているのは真空の――」

「いや」彼女はあえぎながら言って、反射的に彼の手を握った。「いやです、お願い、説明しないで」呼吸が危険なほど速まり、気絶する瞬間のように目の前が暗くなった。

「ミズ・ヘイリー――」

「知りたくありません。手術だけをして。いつ終わるんですか?」

彼は自分の手を彼女の手にあてて、やさしく叩いた。「そんなにかかりません。おそらく二時間くらいで目が覚めるでしょう、それから車を運転しても大丈夫な様子でしたら、家に帰れます。子宮のなかのものを、できるだけ安全にとるつもりです、ですから残りが出血して、たくさん出てくることはないでしょう。でもナプキンは使ってください。次の生理までタンポンを使ってはいけません」後を言うのをためらっている。「避妊の方法をお話ししましょうか?」

避妊？　なんのために？　思わずヒステリカルな笑いがもれそうだった。多分、静脈注射が効いていたのだろう。突然、めまいがした。「いいえ。その必要はないと思います」

「コンドームをお使いになるのをお勧めします。避妊のためだけでなく」

「もちろんです」それは常識なのに、どうして常識的な予防措置をとらなかったのだろう。自分でもわからなかったので、ドクター・ピーターズにあえて説明しなかった。

「それではＯＲ（手術室）でお会いしましょう」彼は日本製のステンレス鋼の腕時計を見た。「だいたい二十分後に」

　三十五分たっていた。係の看護師が車輪付き担架を押して入ってきて、キャスリーンをその上にのせた。自分で起きて歩けると思ったけれど、とんでもないことだとわかった。人前を気にして、別のベッドの少女のほうを見た。

　初めて彼女が声を出したので、びっくりした。「たいしたことないわよ。ほんとうよ」前にもしたことがあるのだろうか？　びっくりして、キャスリーンはただつぶやくしかなかった。「ありがとう」看護師は担架を押して、ドアの外に出ていった。

　廊下の天井の明かりが彼女の上をどんどん過ぎ去っていく。角を曲がったので、キャスリーンは担架の端を握った。目がくらみ、床に振り落とされそうで怖かった。スイングドアを二か所通っていった。それから、手術準備室でいったん待たされる。

　看護師が腕のブレスレットを調べた。「ミズ・ヘイリー？」

「はい」

看護師が微笑みかけた。この人はそんなにいやな人じゃない。多分、彼女もわかったのだ。

「少しお薬をさしあげますね」と、静脈注射のチューブの締め金を調整しながら言った。瓶が一緒に動いていた。「すぐにとっても眠たくなりますよ」

ほんとうに眠くなってきた。見たところ、数秒ぐらいしかたっていないのに、部屋が傾きかけて、物の形がぼんやりと大きく近づいてきた。それから、誰かが、双眼鏡の反対側からのぞいたときのように小さくなっていった。

気持ちが悪いことはない。広げる。受胎の産物。真空。真空。キャスリーンはおなかのあたりを守るように手を動かそうとしたけれど、そうできたかどうか確かではなかった。

受胎の産物なんかじゃない。人間だ。赤ちゃんだ。彼女の。エリクの。

エリク。エリク。エリク。どこにいるの？　愛してる！　まだあなたを愛してるわ。それなのにあの人たちは、わたしたちの赤ちゃんを殺すつもりなのよ。なぜわたしを守りにここへ来てくれないの？

なぜ生まれるあなたの息子を見にきてくれないの？　あなたの赤ちゃんよ。でも赤ちゃんはもういない。吸引。

看護師がかがみこんでキャスリーンに何か言ったけれど、彼女の言うことが聞こえない。

また天井が動きはじめた、そしてそれから別の部屋に入った。明かりがとてもまぶしい。誰かが担架の端の高い足のせ台に、彼女の両膝をかけていた。脚がひどく重たい。誰かが性器に冷たい水をかけたので後込《しり》みした。

広げる。赤ちゃんがいなくなる。エリクの赤ちゃんだ。彼女は彼を愛している。その愛の結果を望むのは、そんなに悪いことなの？　二人がともに過ごしたときから、価値のあるものを授かれるなら、彼からだまされたことに耐えていけるだろう。それは失ってしまう痛みと比べれば我慢できる。彼の子どもを持つことよりほかに、彼に抱いていたすばらしい愛の証《あかし》はあるだろうか？　赤ちゃんは母親に愛を与えてくれるはずだ。

金髪の赤ちゃん。男の子。男の子だってわかっている。青い瞳。エリクと同じ瞳。エリクの赤ちゃん。

肉体から離れていた声は彼女にささやき、マスクとともに鼻と口をおおっていた。息ができない。もがく。誰かが叫びつづけているのが聞こえた。自分の声だ。「いや！」押さえられた両手をふりほどこうとした。「いや、触らないで」

「ドクター・ピーターズ」危険を感じた女性の声がすぐそばで聞こえる。

「わたしを離して。わたしは彼を愛してるの。赤ちゃんがほしい。眠ってなんかいないわ。これはうわごとなんかじゃないの。わたしは目が覚めている、そして赤ちゃんがほしいの」おびえた声で、騒々しいけれど必死に言っている。彼女の決意をはっきり伝えなければならないのだ。寄せ集めた力と思いをこめて、同じことをくり返した。

「ミズ・ヘイリー」

誰の声かわかった。のたうちまわっていた頭を、声のほうに向けた。「ドクター・ピーターズ」あえぎながら言う。どうしたらこの人たちにわかってもらえるのだろう？　彼らは赤ちゃんを取っていってはいけないのだ。彼女は両方の膝をくっつけようとしたけれど、大きく広がったままだった。「赤ちゃんを、赤ちゃんを傷つけてはだめ。エリクの赤ちゃんなんだから。彼を愛してるわ。男の子なのよ。わたしにはわかるの。赤ちゃんがほしい。エリク……エリク……」

彼女があれほど望んでいた暗い忘却を、今では呪った。それでも、それは彼女を暗く完璧におおっていった。

11

キャスリーンはセスの顔をじっと見つめた。度肝をぬかれたように、なんの表情もなく、彼女が言ったことを理解しようとしている。

「わたしは、きみの話を正確に受け取っているんだろうか」彼はやっと言った。

キャスリーンは無理に落ち着いた表情をつくっていた。緑の瞳がどんなに大きく見えているか、あまり気づいていなかった。髪の毛は乱れて青白い顔からはね上がり、こけた頬骨が強調されていることも。自分ではわからなかったけれど、体を堅くして、緊張していた。

「はい。正確に受け取っておられます。わたしは退職しないといけません。もちろん、代わりの人を見つけるあいだ、二週間はいるつもりですが」

「代わりの人などだめだ！」セスは磨かれたデスクの上を手のひらで叩いた。彼は今まで人に、こんな癇癪《かんしゃく》を見せたことはなかった。キャスリーンはこれほど大きな声を上げたセスも見たことがなかった。彼の突き刺すような目に見つめられて、もじもじした。「なぜだ、キャスリーン？　お願いだ、なぜなのか話してくれ？　きみはわたしたちを気に入ってくれて、ここで働くことを好きだと思っていたのに」

もう彼をこれ以上、正視できなかった。街の水平線が見える大きなピクチャー・ウィンドウのほうへ頭を向けた。「そうです。でもわたしの仕事の内容を考えてしまうのです。あなたの店のバイヤー兼ファッション・コーディネイターになり、すぐにいくつかのデパートも受け持つことになります。その仕事にふさわしく、わたしはハイファッションがわかって、後れをとらないようにするべきです」

セスの黒っぽい瞳が、戸惑ったように目のなかでくるっと弧を描いた。「だから?」

彼女はぼんやりした景色から目を離して、彼をじっと見つめた。「もし妊娠していたら、それはそれほど簡単なことではありません」

彼はまた茫然とした目で彼女をじっと見た。彼女の話がすぐには理解できないようだ。キャスリーンの平たいおなかに目を移した。それから彼女の顔を見る。「きみが妊娠してるという話なのか?」

彼女は肩をいからせた。「そうです」

今は十月の中旬だ。キャスリーンが病院の回復室で目を覚ましてから、二週間がたっていた。あのとき、エリクの子どもがまだおなかにいるかどうか、激しく詰め寄って聞いたのだった。ドクター・ピーターズが来てくれて、彼女を安心させた。

「この赤ちゃんを産みたいんです」

「片親でもいいんですね?」

彼女はうなずいた。

「あなたは立派にやりますよ」ドクターは彼女の手を励ますように叩いた。キャスリーンは勇気づけられてほんとうにありがたかった。

それから二週間、彼女には大変なことばかり起きた。朝起きたとき吐き気がするし、午後は消化不良になる。ドクター・ピーターズは彼女がひどく気分が悪くなったときのために、錠剤を処方してくれた。

いちばんつらかったのは、精神的なものだった。エドナに電話して、すべて打ち明けようかと思ったけれど、それはようやく我慢した。そうでなくても、ハリソン夫妻はきっと彼女のことを心配しているはずだ。電話をすると、そのうえ心配をかけることになる。だから自分ひとりで、この困難な状況を切り抜けなければいけない。彼女は生き抜きたかった。これまでも女たちは、結婚していない女でも、赤ちゃんを産んで育ててきたではないか。

セスにはすぐ知らせなければならない。彼が拡張計画に精力的に取り組み、毎日、ニューヨークの業者に電話をかけて、キャスリーンが月末に予定している買い付けのための面会の時間をとっていた。彼に話さなくてはいけないのに、彼女は何よりもそのことを恐れていた。プロとして、彼をがっかりさせたくなかった。彼は彼女の能力を信頼してくれている。それ以上に、彼が尊敬をしている一個人として、彼を失望させるのがつらかった。いちばんこたえるのは、彼の目に幻滅を見ることだ。

彼女は今やっと彼に打ち明けたけれど、セスの顔には予想したような嫌悪感が浮かんでいなかった。それどころか、驚嘆と幸福で輝いている。彼は車椅子を動かしてデスクの横をまわり、彼女の横で止めると彼女の手を安心させるように取った。

「お祝いは、この場合適切じゃないかね」質問でも、軽口でもなかったけれど、キャスリーンは控えめに笑った。

「そういうわけにはいかないでしょうね」彼のはかり知れないほど黒っぽい澄んだ瞳を見つめた。非難のまなざしはなかった。この人には正直でいよう、けっして嘲ったりしない人だ。

「このお仕事についたときは、わからなかったんです。そのことは信じてください。わかってから、わたし、中絶手術を受けようとしていたんです……でも……」無念だと思う。しだいに涙で目の前がぼんやりしてきた。涙が乾ききる前に、人はどのくらい泣けるのだろう？もう乾いてもいいくらいだ。先月からずっと、やむことなく泣き続けているのだから。

「やめてよかったよ、きみにとって、子どもを持つことは正しい決断だった。今までなぜ、わたしにそのことを打ち明けなかったんだね？」

「迷っていたんです。どうしていいかわからなくて」

「そして今はわかっている？」

彼女はみじめに首を振った。「いいえ。一日一日を精いっぱい生きて、持ちこたえようとしているだけです」

彼は両手を彼女の肩に置いて、首が彼の胸に触れるまで引き寄せた。彼女は静かに泣きだした。彼が背中をなだめるようになで、耳に慰めの言葉をつぶやいてくれるにつれて、声が高くなり体をふるわせた。やっと涙が止まって体を立てなおし、彼が胸のポケットから出したハンカチを受け取った。

「父親は？」彼はやさしく聞いた。

嘘をつくことも考えた。セスに父親は死んだと言おうかと迷ったけれど、できなかった。

「一夜だけの情事だったんです。彼は翌日去っていきました」彼は指で彼女の顎に触れ、彼のほうを注視するように顔を上げさせた。

「彼を愛していたんだね？」

彼女は彼から目をそらして、部屋のなかをさっと見まわした。最初にひとつのものに、それから別のものというように忙しく目をやって、彼の洞察力のあるまなざしから逃れようとした。

「キャスリーン？」

彼女は彼を見た。顔いっぱいにやさしさがあふれていたので、とうとう気持ちが挫《くじ》けた。

「はい」またすすり泣く。ハンカチのなかに顔をうずめた。「それにまだ愛してるんです。ああ、なんということでしょう、愛してるんです」

「彼はそのことを知ってるの――」

「いいえ！」彼女は声を高めた。「知ってなんかいません。再び会うことはないでしょう。彼は別の人生を歩んでいるのです、その……」エリクに妻がいることは言えそうになかった。彼の目のなかに、それだけの尊敬は失いたくなかった。「わたしにとって、彼は死んだも同じことです」

彼女は立ち上がって、窓のほうへ歩いていった。両腕を交差して、自分を守るようにウエストを抱く。車椅子のモーターの音が聞こえなかったので、すぐ後ろで彼の声がしたとき、跳び上がるほどびっくりした。

「なぜ〈カーホフ〉を去ろうとするんだね?」

なぜそんなことを聞かれるのだろう。キャスリーンはぐるりと後ろを向いた。「なぜ?」信じられなくて聞き返した。彼女が言ったことを聞いていなかったのだろうか?「なぜ?理由ははっきりしてると思います。わたしは妊娠しているんですよ、セス。二、三か月もたてば、気球のようにおなかが大きくなります。そしてその数か月後には、世話をしなければならない赤ちゃんが生まれるんです」

「そういう生命の変化のことは知ってるよ、キャスリーン」感情を交えない声だったけれど、顔は微笑していた。「しかし、妊娠をしたら、仕事をやめないといけないとは契約のどこにも書いてない。それは不法だ、それに何よりもわたしたちはそれほど頭が固くはないし、ものを知らないわけじゃないよ! 職業を持つ女性は、もう子どもを持つことを制限されていない。それとも、きみは荷が重すぎると恐れているのかね?」

荒涼とした地平線に、希望の光が輝きはじめた感じがした。彼女はゆっくりと答えた。

「いいえ、でも――」

「それで、どうするつもりなんだね?」

「それが」はぐらかしたかった。「もっと目立たないような仕事につこうと思ったんです。

それから赤ちゃんが生まれた後、仕事に復帰できるようになったら、赤ちゃんをデイ――」

「デイケア・センターか、きみなしでその子は育つわけだ、幼児に相応な注意が行き届かないところで」

「いいえ」彼女は怒った声で言った。「良いところを確かめて預けようと思っています」

「それでも賛成できないなあ、キャスリーン。こっちへ来なさい」彼は彼女の手をとって、彼の膝へ彼女を引き寄せた。

「セス」彼女は驚いて息が止まった。「何をなさるんです……痛いでしょう」彼女は彼の太腿の上にすとんと落ちながら言った。

　彼は笑った。「そうだったらいいのに！」それからまじめになって、彼女をもっと近くに引き寄せた。片方の手を背中に、もう一方の手をウエストにまわした。「キャスリーン、わたしはこの脚に何か感じたらいいのにと思ってる。痛くてもいい。だが、胴から下は何も感じないんだ。死んでいる」彼の目は彼女を射ぬくように強い光を放っていた。「わたしが何を言おうとしているかわかるかね？」

　彼女は一瞬戸惑って目をそらした。それから彼を見た。気取りがなく、すべてをあけっぴろげに話す人に、知らない振りなどできなかった。「はい、わかるつもりです」彼女はつぶやいた。

「では、わたしが絶対に子どもを、家族を持てないことがわかってるね。それがわたしのいちばんの望みだったんだが、心のなかでずっと思っていた」さっと指で彼女の頬をなでた。

「わたしは女性を肉体的に愛することができないんだよ」そして彼女の手を取り、指先にキスをした。「結婚してくれないだろうか、キャスリーン?」

今度は彼女のほうが彼をじっと見つめた。もちろん、思いがけないプロポーズに驚いた。けれどそれ以上にびっくりしたのは、彼女がほかの男性の子どもを宿していて、その男性を愛していると明かした後で、結婚の申し込みをされたことだった。セスは頭がおかしくなったのだろうか?

「セス、あなたは――」

「きみを妻にしたい」彼はきっぱりと言った。「愛してるんだ、キャスリーン。あの、初めてきみがオフィスに入ってきたときからずっと。きみがわたしではなく、子どもの父親を愛していることはわかっている。それに、もしきみがそうでなかったら、わたしはきみのことをこれほどには思わないだろう。だが、彼はここにはいない。わたしはいる。きみがほしい。きみの子どもがほしい。お願いだ、キャスリーン、わたしの人生に入ってきてくれ。こんなものだが」彼は悲しそうに微笑して、彫刻されたようにきりっとした口の端を上げた。

「わたしが多くを望んでいることはわかっている」彼は続けた。「きみのように健康な女性は、わたしができないことを、男性からしてもらいたいだろう」声にはいたましい絶望の響きがあった。「しかし、わたしはきみを守ってあげられるし、きみの子どもに名前をあげられる、豊かな生活を――」

「セス、お願いです」彼女は彼を黙らせるように、指を彼の唇に押しつけた。「あなたの富などわたしには重要ではないのです。この申し出はあまりにも寛大すぎて、考えることさえできません。こんなにいろいろおっしゃってくださって、わたしにはもったいないくらいです」

「そんなことは言わないでくれ」セスは彼女を胸に引き寄せ、頭を肩にあてさせた。「わたしの家で暮らしてほしい。毎日きみを見させてくれ。わたしと一緒に仕事をして、わたしの計画を実現するのを手伝ってくれ。きみの生き生きした精神をわたしに吹きこんでほしいんだ」

「セス」彼の温かいすてきな香りのする喉にささやいた。そんなことをしていいのだろうか？　これは窮地に立っている彼女への答えなのか？　彼のことを最高に尊敬している。多分、この尊敬は愛にとても近いものだ。彼は正直で、理想家で、信頼できる寛容な人だ。ひとりの男性にこれ以上、何を求めるのだろう？

彼の肉体的な制約のことなど、心を決めるのに関係なかった。彼女は一度、経験があった。エリクに、彼女の体を与えていた、与えなければならないすべてを。そしてもう二度と、ただ情熱だけで男性を愛したりしないと心に堅く決めた。もう二度とエリクに会わないだろう。もし会えたとしても、彼はほかの人のものだ。一緒に生活をすることはできない。

彼女はまだ彼を愛していた。もうその消すことのできない事実を否定しようとしなかった。彼女は彼を愛している。セスとの人生は、幸せに満ちたまぶしいものにはならないだろう。彼に会うと思うだけで胸がときめいたり、会えば、彼に目がくらみ、最高に期待をもつこともないはずだ。あのようなすばらしい体と魂と心をもう二度と味わうことはないのだ、あのとき、彼女はひたむきに愛して、彼と完全にひとつになっていた。

けれど、セスとともに人生を歩めば、良いものになると思う。彼は彼女と彼女の子どもを大事にしてくれる。静かで、おだやかな生活が待っているのだ。二人はそれぞれ好きなことをしながら、協力して仕事をする。彼女は知るだろう、親切と……それから正直さを。

「今日返事をしなくていい、しかし、今すぐしてくれたら、わたしは大得意になるよ」セスが言った。

彼女は背を伸ばして、彼の上着の襟の折り返しに両手をあてた。「わたしとどういう交渉をなさっているのか、よくおわかりになってるんですか？」

「ああ」

「それならあなたと結婚しますわ、セス。喜んで、もうためらいません」

彼は彼女の唇にやさしくキスをした。情熱的ではなかったけれど、やさしいキスだった。契約は成立したのだ。彼は体を離して言った。「わたしたちは違うところが……宗教とか。わたしがユダヤ教徒でもいいのかね？」

「わたしがキリスト教徒でかまわないなら？」

彼は笑った。「わたしが聞いたのは、生まれてくる子が男の子なら、ユダヤ教では生まれて八日目に割礼をするからなんだ」

「もちろん。彼が大きくなって自分で宗教を選ぶまで、クリスマスとイースターをお祝いするようになるってことでしょう？」

「そうだ」彼は彼女の顔をうっとり見た。そしてぶしつけに言った。「愛してるよ、キャスリーン」

彼女は水のようにきらめく青い瞳と、太陽の光で輝く金髪と、真っ白な歯を縁取る口ひげを心のなかから追い出して、すぐそばにある黒っぽい瞳のやさしい顔に注意を向けようとした。「わかってます、セス、わかってますわ」


「冗談を言ってるんでしょ」ヘイゼル・カーホフは彼女の美しく、趣味のよい、贅《ぜい》を尽くして飾り立てたリビングルームで、半円形のソファのピーチ色のシルクのクッションにもたれて坐っていた。膝の上で優美に両手を組み、足首を模範的な形に交差させ、姿勢を正している。若かりし日、プライベート・スクールで教えられたとおりだ。

「いや、そうじゃない。キャスリーンとぼくは、今週の日曜日の午後、ウォルターズ判事の部屋で結婚するつもりだ。彼はわたしたちに恩義がある。覚えてるだろ？　あのミンクのストールを、夫人の――」

「セス、あなたが判事にした親切のことはよくわかってますよ」話をさえぎった。「あの子……ミズ・ヘイリーと結婚するわけを、きちんとわたしがわかるように説明してくれるわね？」

セスはにこっと笑うと、骨董品のローズウッドのサイドボードに車椅子を動かして、もう一杯スコッチを注いだ。「驚いた？　ぼくもだよ」

「わたしは、理性的でインテリの弟が、愚かなことをぺらぺらしゃべってるからびっくりしてるんですよ。あなたはミズ・ヘイリーと結婚するってことの意味を、ほんとうにわかっていないんだわ。途方もないことよ！」

「そうなんだ！」彼は楽しそうに言った。「だが、おかしく思えるかもしれないが、ほんとうなんだ」

ヘイゼルの顔に浮かんだ動揺は、心の内に激しく燃えた怒りをみじんも表に出さなかった。彼女は前から、あの娘はトラブルのもとになるとわかっていた。美しさと頭の良さは両立しない。弟が知性と認めたものを、彼女は狡猾と解した。キャスリーンはヘイゼルが最も愛しく思っている会社のなかに、どんどん入りこんできていた。今度は彼女の家族と、家のなかにも侵入してくる。あの娘は巧妙にセスの目をくらませたのだ。弟は女性から注目されたら、すぐに喜んで応じるだろう。

姉弟の母親は、ヘイゼルが二十四歳のときに亡くなった。セスは遅く生まれた子どもで、そのときわずか十一歳だった。それ以来、彼女はセスをずっと世話をして守ってきた。彼女が頼まれたのでも、特にそれが楽しかったわけではないけれど、このときになって、みすみす不当に彼女の権力を奪われてたまるものか。

ヘイゼルは心の乱れを隠して微笑んだ。「話してみて、セス」

セスはキャスリーンがどんなにすばらしいか、熱心に話しだした。ヘイゼルは我慢してじっと聞いていた。しだいに、弟のばかさ加減にいらだってきた。今までもそう思ってきたのだ。どうして、彼はこれほど寛大なのか。弟の我慢強さ、不自由な下半身のことを受け入れたままでいることが、ほんとうに不快だった。なぜ怒りを感じないのか、どうして苦痛を訴えない？　彼は弱い男だ。まったくあの最も軽蔑していた父親にそっくりだと思った。

セスがやっと話をやめて、スコッチをひと口飲んだ。彼女もまたシェリーのグラスに口をつけたけれど、ほんとうは少しも飲んでいなかった。こんなものを軽蔑していた。彼女の楽しみは、ベッドルームの引き出しに、密かに隠しているウオッカだった。

かろうじてしかめっつらを隠して、やさしく微笑んで見せた。「ミズ・ヘイリーがどんなに有能で美しいか、わたしもわかってますよ、セス」その言葉はひどい味の薬のように、喉にいつまでも残った。「でも彼女のことをあなたはよく知ってるの？」

「ああ、彼女は両親が亡くなった後、孤児院で育った」姉のために、キャスリーンの生い立ちをかいつまんで話した。彼がプロポーズした午後、キャスリーン本人から聞いたことだった。

キャスリーンのことを話せば話すほど、セスの瞳はさらに輝き、ヘイゼルの胃はきりきりと痛み、がっくりしてきた。「セス、あなた」彼女はやさしく言った。「不作法なことを言うのを許してね、でもあなたはできないでしょ……その、わたしが言う意味は……その伝統的というか、そのありきたりの結婚は」わざと顔を赤らめ、ぎこちなさそうに両手を見下ろした。弟はあのあばずれを、何年経っても満足させることはできないのだ。彼女は見てきた、キャスリーンがあの日と、小柄でしなやかな体を効果的に使って、愚かな弟に、なんとかもう一度男だと思わせようとしていたのを。

「何を言いたいかわかってるよ、ヘイゼル」セスは悲しそうに言った。「しかし、神はそのことを償ってくれた。今、キャスリーンはカーホフ家の跡継ぎを身ごもっている。彼女は春には赤ん坊を産むんだ」

その言葉に、ヘイゼルのとりつくろっていた態度はすっかりくずれた。「何ですって！」彼女はあえいだ。顔はみるみるぞっとするほど変わり、魂のなかのすべての醜さがあらわになった。あのあばずれが妊娠してるですって！　そのことに驚いたのではない。カーホフ家に、婚外子を入れようとするあの女の大胆さにあきれたのだ。「ほかの男の子どもを身ごもってる女なんかと、結婚するつもりなの？　あなたの後継者として、そんなどこの馬の骨かわからない子に、名前をつけるつもり？」

セスは一瞬、ヘイゼルの汚い長広舌《ちょうこうぜつ》にショックを受けた。彼女のただ一度の恋愛がずいぶん前に不首尾に終わってしまって以来、姉が仕事以外では男性を避けてきたのを知っていた。

彼は寄せ木細工のコーヒーテーブルの上にハイボールのグラスを置いて、車椅子を動かすと彼女の近くに寄った。姉はひどく興奮している、それほど心が乱れているに違いない。自分の幸せばかりをあからさまに話したりせず、慎重にやんわりと切り出すべきだったと反省した。

「ヘイゼル」彼はやさしく言った。「この話を聞いてびっくりしたのはわかるよ、キャスリーンの気持ちを疑っているのは当然だ、だが、そのような言い方で、彼女のことを話さないようにしてほしいんだ」

　彼女は弟のことが信じられなくて、じっと見つめた。彼の言っていることがどんなに愚かなことか、少しでも気づいているのだろうか。

「その男は……子どもの父親は、彼女を深く傷つけた。彼女は彼を愛していた。そうでなかったら、キャスリーンは彼にすべてを与えたりしなかっただろう」

　それはあなたが思っていることでしょ、と彼女は内心で嘲笑った。あのあばずれ女は、どんな男にも、長いほっそりした脚を開いたわよ。そして、あなたは、ああばかな弟ね、かわいそうだけど、そういうことはできないのよ。

「どうか彼女にチャンスを与えてやってくれ、ヘイゼル。姉さんもぼくのように、彼女を愛するようになるよ。そして子どものことも。結局、姉さんの姪《めい》か甥《おい》になるんだから」彼は微笑んだ。

　ヘイゼルは無理に謎めいた表情をつくった。ほかにどうすればいいのか？　もしも胸のうちに渦巻いている、投げつけてやりたい残酷な言葉をわめきながら吐けば、セスは彼女に歯向かってくるだろう。彼はあの女にもうすっかり骨抜きにされている。

　それでも、まだ彼女は彼を管理する手綱を握っていた。それを続けるには、あのあばずれを彼女の屋敷に受け入れて、セスが見ているところでは、作り笑いをしたオールドミスの義理の姉を演じるのだ。それはむずかしいことではないだろう。何年も演じ続けてきた役割から、そうかけ離れてはいない――弟を溺愛する姉――そのあいだずっと、セスはそうされるのをいやがっていたが。彼女は最愛のもの、店を守らねばならない。ヘイゼルは自分を抑えて聞いた。「店での彼女の仕事はどうなるの?」

「そのまま続けるよ。そうするように勧めた。だが、アシスタントを雇ってほしいと思っている。子どもが生まれたとき、仕事を引き継げる訓練をしておけるように」

それはヘイゼルにとって、最良の選択ではなかった。だが、なんとか我慢した。自分でも嘘っぽいと思ったけれど、すまして言った。「許してほしいわ、セス、あんなひどいことを言って。あんまりびっくりして、わたし、理性的に考えられなかったんですよ」彼の黒い髪に手をやり、乱れた髪をなでつけてやった。「多分、典型的な嫉妬だったのかもしれないわね。あなたを弟というより息子のように思ってきたから。急にほかの女の人に取られるような感じがしたのね」

セスは彼女の手を取って、彼の頰に押しつけた。「取られたりしないよ。ぼくたちは家族になるんだ。みんな一緒だよ」

「そうね」彼女は彼が車椅子を動かして、ジョージに大瓶のシャンペンを持ってくるように頼みにいくのを見ながらつぶやいた。ヘイゼルはひとつだけ確信していた、彼女があの女と、その子どもと、セス自身を殺すことになっても、あのあばずれは、ヘイゼル・カーホフのものとはっきりしているお金の一セントだって、相続しないだろうということだ。

「まあ、信じられないわ、ＢＪ」エドナは言った。「彼女が結婚？」

「そう手紙に書いてあるだろう、わたしも信じられるものか」彼は白髪まじりの髪を手で梳いた。「相手は誰だって？」

「セス・カーホフという人らしいわ。彼女が働いているデパートのオーナーみたい。よりによってサンフランシスコとは。二人は先週の日曜日に結婚した。今週末に彼の家に引っ越しするそうよ」

「彼は金持ちなのか？」

エドナは手に持っている手紙を調べた。「彼女の新しいイニシャルが浮き出されてるわ、そうなんでしょうね」エドナは皮肉っぽく言った。もう一度手紙を読みながら聞いた。「ＢＪ、あなたは驚いていないの？」

「もうなんにも驚かないよ」彼はぼやいた。

エドナは体をまわして、彼をにらみつけた。「そんな新聞など置いて、ちゃんとこのことを話しましょうよ！　そんなものにいつまでも隠れつづけていられないのよ。彼女のことであなたも傷ついているのはわかってるわ。さあ、話し合いましょう」

「話すことはないよ。キャスリーンは新しい夫をみつけて、新しい生活を始めた。それがそこにあるすべてだ」彼はきっぱりと言った。

「いいえ、それがすべてじゃないですよ。わたしたち、言わないといけないでしょう、彼が――」

「だめだ！」ＢＪが断固として言った。エドナが誰のことを言っているのか、すぐにわかった。

「でも、彼女のことで何かわかったら、彼に知らせるって約束したでしょう」

「わたしはしなかったよ、エドナ。だからわたしをだまして、わたしたちがしたって思わせないでくれ」

彼女はなんとかしたいと思いながら、唇を噛んだ。「多分、彼女が生きているって、すぐ彼に知らせるべきだわ、そして――」

「そしてサンフランシスコで、金持ちの新しい夫と一緒にいると、か。それが親切なことだと思うか？」彼は詰問した。

「いいえ」彼女はため息をついて、キッチンテーブルの前の椅子にぱたんと坐りこんだ。手紙が着くまで、ここでゆったりとした朝食をとっていたのだった。

「よかった、じゃあ」ＢＪは困った問題がかたづいて、ほっとして言った。「もう一杯、コーヒーを注いでくれ」

エリクはグラスのなかの琥珀《こはく》色の液体を、じっと見下ろしていた。それが宇宙のすべての神秘を解き明かしてくれるかのようだ。もしかしたら、それを一生懸命、たっぷりと見つめていたら、彼自身のみじめさを解決する手だてがみつかるかもしれない。

バーのほかのところから、にぎやかな笑い声が聞こえてくる。ブースで三組のカップルがビールを飲みながら、気のあった仲間同士でおしゃべりしていた。エリクは孤独をひしひしと感じながら、彼らに背を向けていた。このところどこかで、みんなと一緒に仲良く過ごしたことがあっただろうか？　かつては、仕事仲間は仕事が終わった後、飲みにいくとき必ず彼を誘った。けれど、彼の飲み方があまりにも深刻になって、気むずかしいムードになり、すぐ癇癪を起こすようになったので、しだいに誘われなくなった。

飛行場での事故の後、やっと仕事に復帰できることになったとき、彼は頭がおかしくなったかと思われるほどいつも機嫌が悪かった。まかされていた新しいヴィジョンをもつ孤児院の番組をやっと制作したけれど、その仕事をしている日々は拷問を受けているようだった。〈マウンテン・ヴュー〉のビデオテープを映すたびに、はらわたを捻《ねじ》られるようで、モニターにキャスリーンの姿が映ると、まるで彼女を打ちつぶすように、自分の手のひらにこぶしを打ち下ろした。

「おい、うまいことやったじゃないか」オンエアのためにやっと編集したビデオを提出したとき、プロデューサーが言った。

「ばかいうな」エリクはドアのほうへ行きながら、不機嫌に言い返した。

「ちょっと待てよ、グッドジョンセン」呼び戻したけれど、エリクのにらみつけたものすごい形相にためらった。「聞けよ、おれがちょっかい出すことじゃないってわかってるが」彼は思いきって言った。「だが、おまえはあの飛行場の事故から戻ってきてから、おかしいぞ。おまえのそんな態度にかなりうんざりしてるやつが、ここには何人かいるんだ。おれはおまえが好きだ、エリク。おまえはすごい才能がある、だから怒りっぽいために、キャリアを無駄にして、どうしようもなくなるのを黙って見ていられないんだ。もしおれにできることがあれば――」

「おまえが言ったように、口を出すようなことじゃないよ」エリクは怒鳴って、ドアを乱暴に閉めて出ていった。

それは晩秋の頃だった。そして今は春。まわりの生き生きした自然の息吹とはほど遠く、日増しにエリクの生活は劣化の一途をたどっていた。

仕事にいつも要求していた完璧の基準が、厳しくなくなった。制作する仕事がずさんになった。酒浸りで、いつも人事不省になるまで飲んだ。ふさぎの虫は女では治らなかった。どの女も彼には興味がなかった。今までと同じように、言い寄ってくる女はたくさんいたが、みんなはねのけてしまう。女がどんなに誘惑しても、情熱を燃やせるような女はいなかった、キャスリーンほどの女は――

「もう一杯くれ」エリクはぶっきらぼうにバーテンダーに言った。スコッチがグラスに注がれるのを見つめた。数か月前から、水や氷やソーダで割るのをやめていた。苦しみを忘れさせてくれるアルコールだ。体を麻痺させてくれるものを薄めるようなことは断っていた。

今はその苦しみを歓迎していた。ゆっくりとくすぶるように胸が痛んでくる、ほとんど気持ちがいいくらいの仲間だ、そしてそれは彼の唯一の友になっていた。お互いをよくわかっていた。しばらくのあいだ、彼は彼女の面影がちらつくたびに、いやでたまらず、心のなかからぬぐい去っていた。今はそのままにしている。それが本物ではないとわかっていても、彼女の顔を味わい楽しんでいた。

　去年の夏、それはもうずっと前のことになってしまったのか？　彼の生涯のなかでも、あれほどの喜びと筆舌に尽くしがたいほどの悲しみをもたらした日々はなかった。それでも、ひとつだけ良いことがあった。ボブとサリーはかわいいジェイミーを養子にした。

　エリクはそのことを思いだして、ふっと微笑んだ。弟とサリーは何年間も、彼が想像もできない医療技術を使って、必死に妊娠しようと試みていた。一度、エリクが〈マウンテン・ヴュー〉の話をなんとか話す気になったとき、ジェイミーのことを二人に説明した。二人は興味をもって、ジェイミーが出てくるテープを見せてくれるように頼んだ。二人は興奮していたけれど、期待をもちすぎないようにして、ジェイミーが住んでいるミズーリ州ジョプリンの孤児院に連絡した。二か月もたたないうちに、彼は二人の子どもになった。それから、クリスマスの日、サリーは誇らしげに妊娠したことを発表した。ジェイミーは家族のほかの者と同じように、そのニュースに大喜びした。

　ひとつ良いことが去年の夏から生まれていたのだ。

　しかし、彼はこうした生活をどのくらい続けるつもりなのか？　彼は見捨てられた最初の男ではない。だが、これは彼には初めての、しかもたった一度のことだった。無益な死は、彼の勇気ある考え方に反している。友だちを疎遠にし、弟に心配させて気をまぎらわせている。仕事仲間は彼を軽蔑していたが、エリクだって同じだった。自分を軽蔑していた。エチオピアに行く前の、すねた自分に戻りたくなかった。エチオピアやいろいろな国をまわって、世界で苦痛にあえいでいる人に会って、目を開かされたのではなかったか。

今は四月。パリの四月はすばらしいだろう。ゆっくりと残念そうに、ウイスキーの入ったグラスを押して立ち上がった。振り返ったバーの上の鏡に、自分を見返す、血色の悪い、ぼさぼさ髪の、評判の悪い男を見た。

彼はドアのほうへ歩きながら、何をしなければならないかわかっていた。


「赤ちゃん！　赤ちゃんが生まれたって！」エドナは手のなかに、知らせの手紙を握りながら叫んだ。「クリスマスに長い手紙を送ってきたときは、妊娠してるって話してくれなかったのに」

「もう一度読んでくれ」ＢＪが言った。

「セロン・ディーン・カーホフ、三千百グラム、五十三センチ、四月十二日生まれ」

「四月十二日か」ＢＪが大声で言って、考えこんだ。

誕生の知らせの手紙をゆっくりと下げて、エドナは夫をじっと見つめた。

「ありえないわ」かすれた声でつぶやいた。

「三千グラム以上の未熟児なんて聞いたことがあるかね？　彼女はその男と、十月まで結婚していなかった。八月末、九月一日までは彼と会っていなかった」

「何をするつもり？」エドナはＢＪが電話機のあるリビングルームに入っていくのを、後ろから追いかけながら聞いた。

「エリク・グッドジョンセンに電話する。キャスリーンがどこにいるか知らせないのは、彼には良いことでも、息子がいるとなると話は別だよ」

ＢＪは十五分間、電話をかけつづけたけれど、長距離電話は満足のいく結果にならなかった。テレビ局の交換台の女性は、「はい、こちらではミスター・グッドジョンセンが働いていました」と言った。けれど、もう彼はそこにいなかった。ほんの数日前に、無断でやめていた。「いいえ、今どこで働いているか誰も知りませんが、外国に行ったのではないかと思われます」

12

「セロン、やめて！」キャスリーンはすきとおったプールのなかで、息子にやさしく声をかけた。セロンは脚をばたつかせて、母親に水をひっかけてはしゃいでいる。

「こらっ、いけない子ね、何をやってるかわかってるの？」彼女はからかって、丸々と太った息子の体を抱きかかえた。頭を下げて、愛情あふれる抱擁を逃れようとする首に鼻をこすりつける。十七か月になると、セロンはもう母親にかまわれるのをいやがり、芽生えだした独立心を主張しだした。何か困ったときだけ、キャスリーンに慰めを求めてくる。

セロンは活動的で好奇心が旺盛だった。それに頑固で、どんなときも困難に立ち向かっていこうとする。キャスリーンは家にいるとき、ほとんど彼と一緒に過ごした。息子が誇らしくて、愛しかった。

セロンが生まれたとき、セスは母親というものがどんなに時間とエネルギーを消耗するかわかっていたので、彼女に仕事をやめるように望んだ。けれど、キャスリーンは固く決意をしていた。

「わたしはあなたの妻になる前は、あなたに雇われていたんですよ。大変な仕事をさせるために、わたしをお雇いになった。わたしにやらせようとしていたことが、だいたいできたと思われるまで、少なくとも一週間に三日は働きます。ストーンタウンの新しいデパートと、ギラデリー・スクエアに新しくオープンしたブティックで、今までよりももっとわたしが必要でしょう」

彼は承諾したけれど、今までどおり彼女が給料を受け取ることを条件とした。毎週、彼女は給料を受け取りそのまま預金した。セスはその金を絶対に使わせないで、彼女に相当な金額の「家計費」を与えていた。

キャスリーンはアシスタントを雇ったけれど、デパートやオフィスに彼女がいないときでも、連絡が途絶えないようにした。

アシスタントはエリオット・ペイトという青年で、ファッション界の内も外もよく知っていた。どんな商品が早く売れるか、スタイルに対するセンスと恐ろしいほどの直感力があった。二人はお互いの才能を認め合い、たちまち友情が芽生えた。

彼女はエリオットのライフスタイルを受け入れた。彼は彼女のあふれるほどの女らしさを、彼女のほうも彼のゲイの一面をさらりと受け流していた。彼女は仕事がないときは、セロンと一緒に過ごした。そのあいだ、エリオットがすべてに目を配っているので安心だった。

今日はそんな日だった。彼女とセロンはカーホフ家のプールで、午後も遅い時間まで、気ままにのんびりと過ごしていた。キャスリーンはこのウッドローンの屋敷を、いまだに自分の家と思えなかった。大きすぎるし、仰々しすぎる。それにヘイゼルは事あるごとに、誰がこの家の女主人かあてつけていた。

セスに初めてこの家に花嫁として連れられてきたとき、キャスリーンはあまりの富裕さに身がすくんだけれど、しだいに慣れてきた。それは彼女が育った環境や状況を考えれば、おかしなことかもしれない。

因習的な家屋はイギリスの田舎にあるようなスタイルで、まわりにひろがった緑の芝生は完璧に短く刈り込まれ、よく手入れされていた。インテリアは細部にまで気を配った装飾がされている。けれど、キャスリーンには、それが人の住む家というよりも、雑誌に出てくる情景のように見えた。すべてにヘイゼルの個性が反映されていて、その理由だけで、キャスリーンは自分をこの家の一員だとは思えないでいた。

彼女はセロンと一緒に使っている部屋だけは気に入っていた。セスは寛大で、それらの部屋を彼女の趣味で飾り直していいと勧めてくれた。彼女はヘイゼルが置いた薄暗くて冷たい、格式張った家具を取り除き、もっと明るくて、あざやかな、毎日の生活に使いやすい家具を選んだ。

階下の、かつて読書室だったところは、セスの書斎に造り替えられていた。サンルームに続いて、そこはセスのために特別に造ったベッドルームがあった。セスの書斎は気持ちがいい楽しい場所で、二人は夕方、よくそこに坐って、デパートの様子やセロンの成長ぶりを話し合った。

今、水のなかで、キャスリーンはセロンとふざけながら、こんなふうに物事が順調に進んでいることに改めて驚いていた。もうあれからほとんど二年になる。セスと結婚したとき、このように……安心して、暮らすようになると思っていなかった。幸福ということを、心のなかでは想像していたけれど、現実にそれがどういうものかはわからなかった。それでも、彼女は失望のどん底にいたときに、自分で人生を切り開いたことに深い満足感をおぼえていた。

ハリソン夫妻との関係は復活していた。結婚を知らせた後すぐ、二人から電話をもらった。ただし、お祝いの言葉はなかった。

彼女がセロンの誕生を知らせたときには、プレゼントと子育てについてのあたたかい忠告がどっと届いた。そのとき以来、お互いの誕生日などに手紙のやりとりをしたり、定期的に電話をかけ合っていた。三人がかつて分かち合っていたあの親密さは、もう二度と戻ってこないかもしれない。けれど、少なくともコミュニケーションが取れていたので、キャスリーンは喜んでいた。

それに、ジェイミーが養子になったニュースを聞いて、心からほっとした。二人がそのことを話してくれたとき、彼女はジェイミーを養子にした人に、一瞬嫉妬を感じて苦しかった。あの夏、彼女の心をとらえていたジェイミーのことを、よく考えていたのだ。

また、セスが全面的に支持してくれたので、彼女は引き続き〈マウンテン・ヴュー〉の委員会の不在委員になり、匿名でかなりの額の寄付をしていた。小切手はセスがニューヨークの銀行に持っている口座から振り出されて、彼の弁護士がサインをした。ひとつだけ、キャスリーンが希望したことがある。それはテニスコートをいくつか造ることだった。ハリソン夫妻が、何年間も、夏のカリキュラムにテニスを加えたいと思っていたのを忘れていなかった。けれど、今回の寄付は、彼女をとても愛してくれた二人に、ひどいことをしてしまった償いとしてするのではなかった。そのことをはっきりわかってもらうようにした。

セスはハリソン夫妻のことを聞いていたけれど、彼女がどの程度親しかったかまでは知らなかった。彼女はサンフランシスコに来る前の数週間、〈マウンテン・ヴュー〉にいたことを彼には話していなかった。そのことは避けておいたほうがいいだろう。

午後のこのおだやかなやすらいだ気持ちは、もう少し続きそうだ。

「潜りたい?」彼女はセロンに聞いた。「どう? それなら、こうやって息を止めるのよ」彼女は大げさな身振りで息を吸いこみ、それから小さな元気な体を水中に引っ張りこんですぐにまた引き上げた。セロンは青い目をしばたたいて空気を吸って、それからわっと笑い声をあげた。もう一度やりたくて、自分で背を曲げてはね上がろうとする。

キャスリーンは笑いながら言った。「息を止めておくのよ。いいわね? さあやるわよ」彼をまた沈める。今度は引き上げなかった。彼は水面から顔を出して、両手を叩いた。うれしそうに笑って、自分でできたことではしゃいでいる。そのために、セスのヴァンがドライブウエイに入ってきたのに、彼女は気づかなかった。車から椅子が地面に降ろされた音も、敷石道をプールのほうへ来る男性の声も聞こえなかった。

「キャスリーン! どうした? きみたちの声が表通りまで聞こえていたよ」セスの声はい

つものように幸せそうだ。彼女は水中で身をくねらせて逃げようとする息子に注意しながら、セスに肩ごしに呼びかけた。「早く、セロンが何をしてるか見て。とっても自慢なのよ」

「注意してくださいよ、キャスリーン」ジョージが背後から声を出す。「ずいぶん大きくなられてるんですから。あなたでも扱いにくいでしょ」

「そうね」彼女はうなずいた。セロンは見物人が増えたのでうれしくて、二人にむっちりとした腕を振った。キャスリーンは彼にまた息を止めるように言って、沈めた。

セロンが水面に浮かんできて、真っ白な乳歯を見せて笑うと、みんなが拍手喝采をした。

「さあ、もういいでしょ」キャスリーンは笑顔で言った。「ママは疲れたわ！」セロンをプールから出して、レッドウッドのテラスに上げる。ジョージが腰をかがめてセロンを抱き上げ、いかにもかわいいというようにお尻をちょっと叩いて、おむつから滴が落ちるのもかまわず、セスの膝の上にのせた。

キャスリーンは向きを変えて、プールのモザイク・タイルの石段を上がってきた。その瞬間だった、セスの椅子の後ろにじっと立っているもうひとりの男性に気がついた。誰だろう、ぼんやりしていた姿が――

ああ、なんということ！

「キャスリーン、わたしはいつも思いやりのない夫だね、きみに知らせないで、ディナーにお客さまをお連れしたよ」

心臓が激しく動悸を打っている。キャスリーンはセスの声がほとんど聞こえなかった。エリクが椅子の背後から前に出てきた。「こちらはエリク・グッドジョンセン。エリク、妻の、キャスリーンだ」

心臓が腫れ上がり、それから爆発して、体が宇宙めがけてばらばらに飛び散ったような気がした。そのため、彼女の世界は消え、彼女と目の前の男性だけの、もっと小さなものに置き換えられた。二人はすぐ近くに立っている。ほんとうにすぐそばに、見ることができるほど、聞くことができるほど、匂いをかげるほど、それから……触れられるほど。

いえ、だめだわ、彼に触れてはいけないのだ。そんなことをしたら、喜びと痛みで死ぬ思いをするだろう。けれどエリクが手を差し出したとき、その決心は消えてしまった。彼女は二人の距離を縮めるその手をじっと見つめた。それから、この奇跡はほとんど脅威に近いと思った。彼女も手を差し出し、彼の手を取って、これは夢ではない、現実なのだと証明するように指で握った。

彼もやさしく握り返した。本物だった。それではっきりとわかった。キャスリーンの、相手をじっと調べていた視線が、握った二人の手から彼の胸のほうへと上がる。しっかりした強い意志を表す顎を過ぎ、官能的な口、それから、ああ、あのひげだ。今でも彼女は夢にみる。それからほっそりした誇り高い鼻筋、彼女を見つめる目。

そこには、彼女の喜びにふくらんだ胸を一気にしぼませるものがあった。彼の目は青い氷のようだった。ふさふさした毛が光線で白っぽく見える眉の下の瞳は、固く、頑固そうで、その奥深いところには、ぞっとするほどの敵意が潜んでいた。

「ミセス・カーホフ」やっとセスの紹介に気づいて、彼が言った。彼女は現実に戻った。立ち直って、慣習どおりに挨拶をしなければならない。

「ミスター・グッドジョンセン」その言葉は、彼女の耳には外国語のように聞こえた。どうかみんなに気づかれませんように。彼の声は胸がとどろくほどなつかしかった——太く、ハスキーで、あのときと同じだった。

セスが興奮した声で説明した。「キャスリーン、エリクとわたしはこの数か月、話し合ってきたんだ。我々は一緒にデパートのプロジェクトに取りかかる。きみを驚かそうと思って、今まで黙っていたんだ。エリクが来てくれたので、我々はディナーの後、細かいことを検討しよう」

彼女は微笑しようとしたけれど、頬が強ばってわざとらしかった。めまいがする。今にも吐いて恥をかくのではないかと恐ろしかった。自分の家の裏庭で、エリクと会った最初の驚きが過ぎると、女らしい虚栄心が起きていた。肩にまつわりついた濡れた髪がひどく気になった。顔はずっとメーキャップなしで、ふるえる体にぴったりしたワンピース型のアップル・グリーンの水着からは、滴がしたたっている。

「どんなプロジェクトなんでしょう、聞くのが待ちきれないわ、セス。でも少し失礼します。セロンをなかに入れてきれいにして、アリスに夕飯を食べさせてもらうので。一時間ほどして、カクテルのときにパティオで会いましょう」

「オーケイ、でもセロンを連れてきてくれ。エリクに彼を見せたい、もっときちんとした服装のときにね」

「ほんとうに元気そうなお子さんですね」エリクははじめてセロンを見下ろして言った。

「そうなんだ」セスは自慢そうに言った。「階段を上ったり下りたりするのを見せたいよ。怖いもの知らずだ」

キャスリーンはだんだん怖くなった。エリクがセロンの顔をじっとのぞきこんでいる。子どものほうも興味をもっているらしい。顔を見上げている。

「さあ、なかに入れなくちゃ」キャスリーンは言って、セロンの手を引くために、エリクとセスのあいだを押し分けた。「失礼します」セロンを抱いて、家のほうへ急いだ。

キッチンのドアを通るとき小走りになっていた。やっとなかに入ると、ほっとして壁にそっともたれかかった。

「どうしたんです、キャスリーン、ゴーストを見たみたいですよ。何かあったんですか?」アリスが心配して聞いた。

アリスはジョージの妻で、この家の家政婦兼料理人として、船長のようにこまごまと働いてくれている。ジョージが厳格でやせているのに対して、やさしくふっくらとして正反対のタイプだが、二人はお互いに完全に補い合っていた。セスから聞いた話では、二人はひとり息子を十代で、筋ジストロフィーのために亡くしていた。セスが事故に遭ってまだ入院しているとき、ジョージは対《つい》麻痺患者協会の代表として、彼に会いにきた。彼はセスにフルタイムの奉仕を申し出た。そのときから、二人は彼と一緒に住んでいる。

アリスは手をタオルでふきながら、キッチンのタイルの床を歩いてきた。

「ああ」キャスリーンは神経質に笑った。「太陽に当たりすぎたみたい。プールを出るとき少し目がくらんで」深呼吸をした。「今夜のメニューは何かしら？　セスがエリ——お客さまをディナーにお連れしてるの。急なことであなたが困らなければいいけど」言いながら、キャスリーンは息をきらしているのがわかって、自分でもいやだった。

「ちっとも。ローストビーフをつくろうと思って、もうオーブンに入れてあります」アリスはうわの空で答えた。ディナーに何人のお客さまがいらっしゃるのかよりも、キャスリーンの青い顔のほうが気になるらしい。「前菜に新鮮な果物のコンポートをつくってあります、それからメインにはサラダと野菜を添えられます。今夜のデザートはこってりしたものよりも、クレームドマーント（ミントの香味をもったリキュール）のパフェはいかがでしょう？」

「まあ、おいしそう」キャスリーンは嘘をついた。食事のことなどとても考えられる状態ではなかった。「さあ、セロンをお風呂に入れなくちゃ」

「ほんと、そうですね」セロンを見て笑った。プラスティックの計量カップが入った引き出しを空にしていたずらしている。

「さあ、いらっしゃい、セロン」キャスリーンは手を取って、部屋から出ていこうとした。

「手伝いが必要だったら、アリス、いつでも呼んでちょうだいね」彼女は言ったけれど、アリスは彼女の申し出に応じたことはなかった。

「ディナーのことはご心配なく。みなさまのためにきれいになさってください」

大きな玄関ホールから、堂々たる幅広の階段が上まで続いている。上りながら途中で足がよろめいた。アリスに気づかれなくてよかった。

セロンをお風呂に入れながら、エリクのことをずっと考えていた。以前にはそんな思いをすぐ断ち切っていたのに、現実に彼を見た今は、もう逃げられない。このサンフランシスコで、彼は何をしているのだろう？　どんな仕事でセスと協力していくのだろうか？　それにしてもこの二年間、どこにいたのか？　そして何をしていたの？　奥さんは彼と一緒？

彼は変わりがなかった。いいえ、変わっていた。何が？　年をとった。二年の歳月は目尻に小さな皺を刻んだ。唇の両端の皺は深くなり、もう楽しそうに端が上がることが少ない。目は――彼女はふるえた――彼の目はもうユーモアたっぷりに小躍りすることがなかった。ひえびえとして、皮肉っぽく、冷淡だ。

セロンをベビーサークルのなかに入れると、泡風呂に体をのばした。彼はここで何をしているのだろう？　こんなに物事が順調にいっているときに、なぜ彼女の人生のなかに戻ってきたのか？　なぜもっと早く来てくれなかったのだろう？

いちばん重要なことを考えていなかった。ほかのことよりもっと強く、自分を苦しめていることだ。彼はセロンを自分の息子とわかっただろうか？　もしそうなら、そのことをどう考えるだろう？

タオルで体をふき、バスタオルを体に巻いてベッドルームに入っていった。クロゼットで、アンサンブルを選んだけれど、やめてもっとほかのものを探していった。やっと白のシルクのイブニングパンツに決めた。上はストラップレスのブラウス。メタリックカラーにいろいろな色のストライプが入っている。ウエストにショッキング・ピンクのカマーバンド（夜会服などのウエストバンド）。白のハイヒールのサンダルをはいて、耳には金の丸いピアスをした。日焼けした首に、二本の細い金の鎖をかける。

化粧がこれほどむずかしかったことはない。やっとのことで手を動かして、マスカラを塗るけれどうまくいかなかった。何度もやりなおす。そそっかしくて、複雑なクリップや櫛をうまく扱えないので、髪はそのまま肩にたらすことにした。

カーホフ家では、ディナーのために着替えるのは習慣だと学んでいた。ここに住むようになってほとんど二年になり、キャスリーンは今ではその伝統をむしろ楽しむようになっている。それに、セスはおしゃれをした彼女を見るのが好きだった。

支度が終わると、セロンにネイビー色の遊び着を着せた。胸に白い文字で『Ahoy,《アホイ・》there!《ゼア》（おおい、みんな！）』とアップリケがしてある。金髪の巻き毛にブラシをあてながら、このセロンがよくぞ奇跡的に生まれてくれたと思い、感謝したかった。ドクター・ピーターズが誇らしげに男の子だと教えてくれる前に、彼女にはわかっていた。不思議なことだが、彼女は生まれる前から男の子だと確信していた。この子を中絶しようとしていたのだ、そのことを思いだすといつでもふるえてしまう。セロンを愛する喜びを知らなければ、取り返しのつかないことになっていただろう。

エリクはどうなのだろう、彼女がセロンを見るたびに感じる、あの血のつながりを感じるのだろうか？　父親というものは、母親のように子どもとの一体感をもつのだろうか？　彼女はセロンをクッションのきいたチェンジング・テーブル（乳幼児の着替え用の台）から降ろして、手をとった。

「大丈夫？」自分自身に問いかけた。まじりっけなしの答えは「いいえ」だ。もう一度、エリクをこの目でしっかり見つめたいという燃えるような欲望と、彼の息子の近くで彼を見る危険を心配していた。けれど急がないと、セスはどうしたのかといぶかるだろう。なんとしてもエリクのそばで、冷静に、落ち着いていなければならない。セスに以前の二人の関係を知らせてはいけない。どんなことがあっても彼を傷つけてはいけない。セロンと客の顔が似ていることに、どうか気づかないでほしかった。

二人は手をつないで、階段を降りていった。キャスリーンがパティオに出るガラス戸を開けると、セロンが握られていた手を離して、猛スピードで、丸い日傘の下で飲み物を手にしている客のほうへ走っていった。

エリクは驚いたけれど、すぐ笑って、膝に押しつけられた巻き毛をなでた。「おおい《アホイ》・船長《キャプテン》。どこから来たの――」

彼は目を上げて、すぐ気がついた。ドアのところに、キャスリーンが立っていた。一瞬、美しさに見とれた。我慢できずに、喉につかえたものをごくりと呑みこむ。もう苦しみは癒えたと思っていたのだ。どんな運命に陥っても耐えていけると思っていた。しかし、今日の午後、あのプールから出てくる彼女を見たとき、心臓は喜びで高鳴り、心では卑劣なトリックをした神を呪ったのだ。

　背中からだったが、若々しいミセス・カーホフのことを見間違うはずはなかった。前に一度だけ見たと同じように髪が輝いていた。彼女が振り返って、何年間も忘れることのなかった顔を見たとき、彼は途方もない熱のように血管を流れる欲望をもてあましていた。それは灰になるまで彼を燃え上がらせ、燃え尽くすのかと思われた。彼女の濡れて光る体は、二年前、川から出てきたときの姿を思いださせた。彼はまだ彼女のビデオテープを持っている。気持ちがふさいでどうしようもないときだけ、それを見て楽しみ——そして心を痛めていた。今日は、テープの彼女ではなかった。

　セス・カーホフを飛び越して、腕に彼女をかき抱き、むさぼるように唇を奪いたいのをなんとか押しとどめた。あの口を飢えたように味わいたい。だが、もうひとりの男が邪魔だ。その男は車椅子に乗っている。数か月前に知り合って以来、エリクがその勇気、正直さ、鋭いビジネス感覚を尊敬している男だ。

　セス・カーホフは自分の妻の才能と美しさについて、いつも誉め称えていたけれど、彼女の名前を言ったことがあっただろうか？　いや、絶対になかった。そうでなければ、エリクはその名前に反応しただろう。しかしもし聞いたとしても、誰があのキャスリーンと同一人物だと思っただろう？　エリクが愛したキャスリーンが、このサンフランシスコの実業家の妻になっているとは。

　彼女の姿を見た最初の喜びの炎が、苦い胆汁に変わったのはそのときだった。もちろんそうだろう。彼女は玉の輿《こし》にのる機会に出合って、しがないビデオカメラマンから逃げ出したのだ。彼に抱かれるような堕落した自分に、愛想がつきていたのだろう。きっと、もっと高い生活をめざしたのだ。最も価値のある、取り引きできるものを捨てさったとき、彼女はどのように感じていたのだろう？　それはカーホフには重要ではなかったのだ、とエリクは思う、なぜなら、彼女は彼に結婚を申し込ませたのだから。おめでとう、ミセス・カーホフ。きみはものすごい金持ちだ。

セスが妻を自慢するのは当然だった。彼女がパティオを歩きながら、彼のほうへ近づいてきたとき、エリクはそう思った。美しくて優美な母親らしさが漂っている。娘らしい肩の線を消し去って、女らしい曲線に変わっていた。

それでも彼女の体はほっそりとして、細すぎるほどだった。彼女を見て、子どもがいるとは誰も信じないだろう。引き締まったおなかは、毎日五十回、腹筋運動をまじめに精力的にやっている成果だった。乳房が豊かに盛り上がっていなければ、母親なのだと気がつく人はいないと思う。

彼女の靴音がパティオにこつこつと響く。エリクの膝のところにいた息子を抱き上げるためにひざまずいたとき、彼女の服の衣擦れが聞こえた。乳房をおおうシルクのブラウスが少し開いて、滑らかな素肌が見えた。立ち上がったとき、彼女の香りがふわっと漂った。熱い情熱がエリクの体をかけぬけ、セックスに集まって欲望で疼いた。「〈ミツコ〉ですね」思わず声に出していた。

キャスリーンは立ちつくして、彼を見つめた。「そうです」と答えた。それから彼から離れて、テーブルの向かい側の椅子に坐って膝に子どもをかかえた。「お飲みになっていらっしゃるようですね」息ができなかった。キャスリーンは彼を見なかった。

「ああ」

「セスはどこかしら?」ほとんど必死の思いで聞いた。

「着替えに、ジョージとなかに入りましたよ。すぐ戻ってくると言って」

「ヘイゼルは?」

「見あたらないな」彼はまた飲み物を口に入れた。「だから我々だけですよ、キャスリーン」

彼女は頭をさっと上げた。糊《のり》の利いた白いシャツと、ネイビー色のブレザーを着たエリクは粋な感じがした。シャツは胸の半分のところまでボタンをはずし、日焼けした喉と胸をおおう胸毛が見えた。あの胸毛を指先でからませたのだ、彼女はその感触をひりひりするほど覚えていた。ベージュのズボンはくっきりと堅い腿と、引き締まった腰を浮き上がらせ、そして……

彼女はあわてて目を上げた。彼女がどこを見つめていたのか気づかれたくなかった。けれど、彼にはわかっていた。彼女を侮辱するように、ふざけた様子でグラスをかかげてみせた。「お祝いを言わなくちゃいけないね、キャスリーン。オザーク山のキャンプのカウンセラーから、ずいぶん遠くへ来たもんだ。あれからどのくらいたつ? えーと」わざと集中するように、目を細めた。「二年かな? そうだ、二年だ。フォートスミスの飛行場で事故があったときだ。人の命も飛行機も手ひどくやられたが、ぼくは生き残った。あれは七月十六日の午後二時四十三分だった」手厳しく、わざと人を傷つけるような口調だ。キャスリーンの目に涙がにじんできた。

「うれしいわ……あなたが……生きててくれて」

「ああ。あのときのきみの気遣いには、どうしていいかわからなかったよ」彼は皮肉な調子で言った。

エリクに彼女を怒る権利があるのだろうか?「あなたのベッドのまわりの人たちと、わたし、一緒になってはいけなかったでしょう?」彼女はそっけなく言い返した。

ベッドのまわりの人たち? いったい何を言っているのだ? ボブとサリーのほかは誰もいなかったし、彼女は彼らに会ってもいないのだ。そのことを知ろうとして、彼は二人を問いつめていたくらいだ。

彼女が何を言っているのか、よくわからない。彼が聞き返す前に、ジョージに手伝われて、セスがパティオに姿を現した。気がつくと、階段も、傾斜路もすべてが、セスの車椅子に合わせてつくられていた。明かりのスイッチや壁のサーモスタットも、セスがすぐに手が届くように低く設置されている。

「ほう、二人とも親しくなったようだね、うれしいよ。ダーリン、とても魅力的だ」彼は車椅子を彼女のほうへ近づけた。彼女はセロンをパティオにおろして、立ち上がった。セスの肩に両手を置いてかがみこんで、彼のキスを受ける。彼女が背をまっすぐにすると、セスが彼女の手を握った。「ゴージャスだと思わないか、エリク？　わたしはおおげさじゃなかっただろう？　これほど美しい色つやの柔らかな肌を見たことがあるかね？」

キャスリーンはさっと青ざめた。エリクはセスよりももっと彼女の肌を見たことがある。セスは彼女をこの家に連れてきてから、毎晩、別のベッドルームを使ってきた。一度だけ彼女の部屋に入ったことがあったが、それはジョージが車椅子を押して、彼女が完璧にリフォームした部屋を見に上がってきたときだった。二人は毎晩おやすみの心をこめたキスをする。けれど、彼女は自分のベッドルームに上がり、セスはジョージと自分の部屋に行く。ジョージはセスが寝るためのベッドに連れていくのだ。

「実に美しいです、セス」エリクが言った。けれどキャスリーンには、その言葉の裏に、あざけりがあるのを聞き逃さなかった。

「ジョージ、バーへ行ってくれないか？　わたしにはスコッチのロック、キャスリーンにはいつものスプリッツァー」

キャスリーンは思わずエリクのほうを見た。彼もセスに気づかれないように、彼女のほうにグラスを上げた。二人ともあの日のことを思いだしていた。キャスリーンの思い出は熱かった。エリクのほうは、明らかに意気揚々とした誘惑者の思い出だった。

パティオでの会話は続いていた。ヘイゼルがディナーの前に一緒にドリンクを飲みだして、キャスリーンはさらに緊張していた。ヘイゼルはいつものように礼儀正しく、演劇に出てくるやさしい義姉と伯母のようにふるまっていたけれど、キャスリーンにはそれがお芝居だとわかっていた。

ヘイゼルはキャスリーンと二人きりになると、憎しみと恨みをぶっつけてきた。時々、ヘイゼルがセロンを見る目にも、どきっとするほど悪意がこもっている。そのために彼女はセロンを、ヘイゼルと二人っきりにしないように注意していた。セスに対するヘイゼルの所有欲はそれほど異常だった。

アリスがやっとディナーの用意ができたことを知らせてくれた。キャスリーンははしゃいで、みんなのあいだを動きまわるセロンから解放されてほっとした。もう神経がくたくただった。エリクが何度もセロンの顔をじっと見つめていたのだ。今夜だけは、セロンがキッチンで、アリスに助けられながらディナーをとることに感謝した。最初、キャスリーンはセロンと離れて食事をすることに納得しなかった、けれどセロンが誕生してすぐ、ヘイゼルが強く主張したのだった。そのとき、セスは言った。「きみはくつろいで、食事を楽しむことが必要だと思うよ、キャスリーン。ヘイゼルはきみのことを思って言ってるんだ」

みんなはダイニングルームに入った。キャスリーンは困ったことになったと思った。エリクと向かい合った席だ。セスがテーブルの端に、その反対側の端にヘイゼルが坐ったのだ。アリスがつくったおいしい料理は、喉につまりがちで、自分の皿にのった三分の一も食べられなかった。

それに、この部屋がいやだった。いつも窒息しそうになる。壁はダークブルーで、彼女のきらいなモアーレ（波紋をつけた織物）だ。家具も暗く重々しいし、磁器は模様が多すぎる。それにシャンデリアは華美すぎた。

「あなたとセスが一緒にやっているプロジェクトというのは、何なんですか、ミスター・グッドジョンセン？」ヘイゼルがいかにも関心があるように聞いた。

エリクはすぐ笑った。キャスリーンがよく知っている笑い方だ。ひげの端を上げて、その下に隠れているえくぼが現れるのをねだっているみたい。瞳は柔らかな明かりがついた部屋のなかで、青く輝いている。彼女は先ほどまで怒っていたのに、彼の男らしい美しさに心が晴れていった。

「そうでしょうね、ミズ・カーホフ、そして、あなたと……」言う前にためらった。「キャスリーンは、突然ぼくが現れたので、戸惑っておられるでしょう」

「今夜はきみのお披露目だよ、エリク。きみから二人に伝えてくれ、わたしたちが何をしたいと思っているか」セスが言った。

「それでは」エリクがゆっくり言った。「ぼくはカメラマンです。フィルムではなく、主にビデオテープを使っている。しばらく、テレビ局で働いていました」彼はキャスリーンに強い視線を当てた。「昨年、ヨーロッパに行って歩きまわりました。そのうちにアメリカが恋しくなって、自分のプロダクションをつくろうと思って帰国したんです。いろいろ考えた末、ベイエリアがプロダクションを置くのにいいと思った。幸運だったが、財政面の後援をしてくれる人たちも見つかって、その紹介でセスを知ったんです。彼はぼくの新しい会社に投資してくれるだけじゃない、最初の大切なお得意さんになってくれました。〈カーホフ〉のコマーシャルをつくるんです。ぼくたちは新しい独創的なストーリーを考えています。オンエアされだしたら、さらにうちの社に注文がくるようになるようなものをつくりたいと思っています。なんといっても、〈カーホフ〉の名がポートフォリオにあれば、信用されますからね。またいずれは、映画や、ドキュメンタリーなども手がけたいと思っています」

「すばらしいわ、エリク！」キャスリーンは彼の新しい仕事に興奮して、大きな声をあげた。気がついて自分をなんとか鎮めた。ほかの三人が驚いて彼女を見ていた。彼女は頰を赤らめてセスを見た。「これこそ、わたしたちに必要なことだったわ、セス。あなたが決心してくださって、こんなうれしいことはないわ」

彼はにこっと笑って彼女の手を握った。「きみがそう思ってくれるとわかってたよ。エリクを助けるために、きみに期待してるんだ」

彼女はエリクのほうを見て、セスに視線を戻した。「どういう……どういうことでしょう？」口ごもった。

「彼の相談相手になってやってほしい。彼はプロダクションのことはよくわかっているが、ファッションのことはあまり知らないと認めている。コマーシャルをつくる前に、いろいろと専門家の意見が必要だ」彼の黒っぽい瞳が興奮して輝いている。エリクが突然姿を現して、これから一緒に働くということは確かに不安だった。けれど、セスの喜びいっぱいの姿を見ると、うれしさのほうが勝った。

「ヘイゼル、どう思う?」セスが聞いた。彼女はさっきから不気味なほど黙っていた。

ヘイゼルはやさしくエリクに笑いかけた。「わたしはテレビ・コマーシャルのことには無知なんですよ。ミスター・グッドジョンセンのお仕事の結果を見るまで、力量を判断することは控えますわ」あいまいに言って、コーヒーを飲むために、リビングルームのほうへ移るようにほのめかした。

エリクはヘイゼルと一緒に歩きだした。キャスリーンは車椅子を操作するセスの、あいたほうの手を握って進んだ。みんなが落ち着くとすぐ、ジョージが大きな銀のトレイに、コーヒーセットと、磁器のカップと、ソーサーをのせてもってきた。コーヒーテーブルの上にそれを置く。アリスが大きな腰にセロンを抱えて入ってきた。「王子さまがおやすみになる時間ですが、みなさんにおやすみのキスをしたいそうです」

キャスリーンはヘイゼルの不機嫌な顔を見逃さなかったけれど、アリスは床にセロンを置いた。彼は最初に母親におやすみのキスをしてから、エリクのほうへ走った。エリクはキャスリーンが驚くほど自然に、パジャマ姿のセロンを抱え上げて膝にのせた。子どもらしくセロンは区別をしない。エリクの首にかわいらしい腕をまわして、口にちゅっとキスをした。

セロンは顔を離すと、こっけいなしぐさで顔をこすった。ひげがちくちくしたのだ。けれどすぐに、この新しいおもちゃに興味をそそられたようで、指を伸ばして引き抜いた。

「痛い! これはくっついてるんだよ、船長」エリクは言ったけれど、セロンの好奇心を止めようとしなかった。笑いながらセロンの背中をなでて目をのぞきこんだ。そこにはエリクそのものが映っている。

キャスリーンはエリクが何を思っているのか心配だった。彼の顔には最初は疑いがかすめていた、それから驚きと戸惑い、そして何かを理解したようだ。彼女の心臓は止まった。エリクは目を上げて、セロンの頭のずっと上を見た。キャスリーンは咎めるような彼の強いまなざしにあってふるえた。

セロンはエリクから滑り降りて、たくましい小さな足でヘイゼルのほうへ向かった。彼女は大げさに感激してキスを受けた。キャスリーンが気持ち悪くなるほどだった。それからセロンはセスのそばに行って、助けられないで彼の膝にのった。

「すばらしい子だろう、エリク？　これほどの息子を持てるラッキーな男はそれほどいないよ」セロンはセスの膝から下りて、もう一度キャスリーンのところへ来た。彼女はひざまずいて、強くセロンを抱きしめた。やさしいキスをされると、セロンは再びアリスの手に抱かれた。

「ありがとう、ジョージ。わたしがコーヒーをいれます」キャスリーンは静かに言った。二人はセロンをベッドに連れていって、その後、キッチンでディナーをとる。これも彼女にとってはうんざりする習慣だった。どうして大家族がしているように、みんなで食事ができないのだろう？

セスはまだ、セロンがどんなにいい子か、かわいいいたずらで驚かされるか、夢中でエリクに話している。そのあいだ、キャスリーンはコーヒーをいれて、最初にヘイゼルにブラックコーヒーを渡した。エリクとセスには、二人の注文どおりブランデーを注いであげる。エリクにカップを渡すとき、一瞬、指が彼の指と触れた。そのためにさっと腕に電流が流れ、直接心臓に達したような気がした。

ふるえながら、セスのコーヒーを注いで彼に渡そうとしたとき、エリクが言った。「本当にいい子ですね。何歳なんですか？　誕生日はいつでしたか？」

その途端、キャスリーンのふるえていた手の抑えがきかなくなった。ソーサーからカップが滑り落ち、セスの膝に熱々のコーヒーがかかった。

13

　愚かだった。キャスリーンはセスのズボンに、熱いコーヒーがしみこんでいくのをじっと見つめていた。やっと我に返って叫んだ。「まあ、セス、ごめんなさい」トレイに突進してリネンのナプキンを取り上げると、すぐ戻ってきて膝の熱いコーヒーをふき取ろうとした。

「キャスリーン」セスは笑いながら言った。「そんなに気にしないでいいのに」それでも、彼女の血の気のうせた唇からは、自分を激しく責める声がもれた。「麻痺でひとつだけいいことは、痛みを感じないことだよ。かなり痛いものでないと、わたしは困らない、思いだしたかい?」彼女の手からしみのついたナプキンを取りながら、やさしく聞いた。「さあ、コーヒーを飲みなさい」

　キャスリーンは自動人形のようにカウチに歩いていって、腰を降ろした。もうコーヒーを注ぐどころではなかった。手がふるえている。ポットやカップを扱えそうになかった。膝の上で両手をじっと握りしめていた。セスは車椅子を動かして、自分のものをもう一杯ついだ。

　彼はくすくす笑っていた。「ドライクリーニングでこのしみを落としてもらおう。もし取れなかったら、〈カーホフ〉で新しいスーツを買うんだ。あそこの秋物はすごいのがそろっている」

彼は大きな声で笑いながら客のほうを見たけれど、エリクは笑わなかった。じっとセスの膝の、熱いコーヒーがかかったところを見つめていた。無感覚だということなのか。無感覚ということは……

三十分後、エリクは立ち上がって、おやすみの挨拶をした。「今夜はとても楽しかったです。よく食べたなあ。ありがとう、ヘイゼル、キャスリーン」長い脚で部屋を大股に横切ると、セスの車椅子の前で立ち止まった。握手をしながら心をこめて言った。「あなたと仕事ができるのが楽しみです」

「こちらこそ、楽しみだ」セスは力強く言って、心を溶かすような微笑を浮かべた。「わたしは失礼して、キャスリーンに玄関まで送ってもらおう。ジョージにできるだけ早くこの服を脱がしてもらいたい」

「部屋までわたしが連れていくわ」ヘイゼルが弟を気づかって、独占するように車椅子の後ろに立った。

キャスリーンは立ち上がったけれど、膝ががくがくしてくずおれそうだった。エリクと一緒に、玄関ホールへ続く大きなアーチをくぐろうとしたとき、「ああ、キャスリーン」とセスが後ろから声をかけた。「エリクに、プールのライトアップを見せると約束したんだ。すまないが、彼を裏庭に案内して、見せてくれないか?」

彼女は耳のなかまで熱くなった。彼と二人っきりになる!「も――もちろん」

「それじゃあ、おやすみ」セスは彼女に投げキスをして、ヘイゼルに付き添われて車椅子で去っていった。

二人の後ろでエッチングのガラスがはまった両開き扉が閉まるとすぐ、キャスリーンはエリクにけんか腰で聞いた。「プールを見なくちゃいけません？」

「絶対に」エリクの先ほどの行儀良さは消えていた。彼女はハイヒールのサンダルでつまずきそうになり、手を握るとどんどん引っ張っていく。彼女はハイヒールのサンダルでつまずきそうになり、息を切らしながら彼を呼んだ。「エリク、手を離して」それは無駄だった。彼は歩く速さも腕を引っ張る力もゆるめなかった。

プールのそばの小屋《カバナ》を過ぎて、建物の陰に彼女を引っ張ると、そこに大きな体で押しつけた。

両手を彼女の顔の両側に置いた。やさしくするのではない、そこに彼女をとらえて、潰《つぶ》しかねないような力だ。形相はものすごかった。今までに一度だけ、こんな表情を見たことがある。あの〈クレッセント・ホテル〉のラウンジで、カウボーイ二人にからまれたときだ。

「どうしても知りたい。それも今すぐだ。あの子はぼくの息子なのか？」その声はエリクのものではなかった。二人の愛撫のとき、耳元で甘くささやいた同じ声ではなかった。怒りと憎しみでうち震えていた。

彼女はなんとかして彼から逃れようとしたけれど、彼の体はますます強く彼女を押しつけてくる。彼女の顔を両腕ではさみ、華奢な手首を砕きかねないほど、鉄のようなこぶしを壁に打ち付ける。「答えるんだ、ちくしょう！　あの子の誕生日はいつなんだ？　きみがあんなことをしたんで、わからなくなったじゃないか」

コーヒーをこぼしたことを、彼女がわざとやったと思っているのだ！「離して」彼女の言葉は、怒りで硬くなった唇を押すように出てきた。

「だめだ」彼は怒鳴った。「ほんとうのことを言うまでは。あの子はぼくの息子なのか？」

彼は強く彼女を押しつけていた。なんということだろう、怒っているのに、二年間も眠ったままだった欲望がゆっくりと解き放たれ、彼女の体にがっしりした筋肉と、男らしい香りと、おなかを突いてくるセックスの感覚がよみがえってからみつく。

そんなことはだめ。彼女は必死に気持ちを鎮めた。彼の怒った顔が間近に迫るのを避けたくて目を閉じる。「それほど重要なことかしら？」彼を非難しているのだ、それをわかってほしかった。

「きみのような嘘つきのふしだらな女には、そうじゃないだろう。だが、ぼくには重要だ」

彼女はむせびながらすすり泣いた。なんと残酷で、不公平な人なんだろう。そんな彼を愛していたのだ！　彼は不誠実で、妻をだました男ではないか。それなのに、このように彼女を侮辱している。

キャスリーンは自分と同じように、彼を傷つけたかった。「そうよ！」彼女はきめつけた。「あなたの息子だわ。でもそれを知ったところで、あなたにはどうってことないでしょ」頭を堅い壁にくっつけて、全身全霊で彼に反抗する姿勢をとった。

彼は最初、彼女の顔をじっと見つめて、だまされているのではないか、疑惑の影を探していた。それから、彼女が愛していた顔に、驚きと畏怖《いふ》の表情がよぎった。すぐにはてしないほど悲しげな顔になった。そして、怒りがこみあげてきたらしい、彼女を怒鳴りつけた。

「セスは自分のかわいい妻がどんなに好きものの女か、知ってるのか?」

キャスリーンはまた体を動かして、なんとしてもここから逃れようとしたけれど無駄だった。「前にも一度、あなたはわたしをそう言ったわ。そのときもそうじゃなかったし、今もそうじゃない。あなたはわたしのことをなにひとつわかっていないのよ、エリク」

彼は頭を少し下げて、ひげで彼女の額をなでた。「そうかな?」ささやくように言う。

「きみをどんなによくわかってるか、証明できるよ」

「いや」キャスリーンは小さな声で懇願した。彼の太腿が彼女の太腿のあいだに入りこんでくる。「いやよ」自分に言い聞かせるようにまた訴える。堅く引き締まった太腿が彼女を壁に押しつける。薄いシルクのパンツを通して、彼女の太腿のあいだをこすった。

彼の手が脈打つ手首のあたりを円を描いてなでていく。ゆっくりと彼女は握っていたこぶしを開いていた。彼は彼女の手のひらに自分のを重ねて、あの官能的なタッチで誘う。熱い息づかいが彼女の顔を刺激した。「ぼくの心からきみを追い出してやる、きみのこの熱いかわいい……熱い……熱い」舌で彼女の唇を開きながら、むさぼるように彼女の唇を奪った。

キャスリーンは喉の奥で怒りの声をあげたけれど、すぐにそれは陶酔の吐息に変わっていった。彼の両手は彼女の手のひらから肩におりて、それから背中にまわり、もっと下におりて、ブラウスの短いジッパーに触れた。彼の力強いキスで身動きできず、抵抗しなかった――いや、できなかった。彼女は抵抗したくなかった。

彼がストラップレスのブラウスを降ろすと、乳房が待ち受けている彼の両手にあふれ落ちた。彼は深い谷間に顔をうずめ、やさしくなでながら、甘い香りを吸い上げ、肌の感触を思いっきり味わう。奪ったままの口をなおも激しく吸うので、彼女は両脚のあいだに入ってくる長い強い脚にもたれて体が弓なりになる。

彼は乳房の浅黒くなった中心が張り切って、情熱でひりひりしているのを見て、舌でさらにそこを攻め続ける。それからやさしく吸い、なかのものを求めて甘く乳房を引っぱった。彼女は無意識に腕を彼の首にまわし、頭を自分のほうへ引き寄せて抱きついた。小さな背に彼の両手がまわって、彼女を彼の太腿のほうへかかえるのを感じた。

彼は両手で腰を自分のほうへ、熱い欲望のままにぴったり引き寄せる。もっと上へ。もっと近くへ。もっと広く。ズボンのなかの硬く盛り上がったものが、もう待ち望んでいた彼女の無防備なところにぴったりとあたった。二人の着ているものだけが、完璧に結びつくのを邪魔している。彼が動く。彼女はその動きに合わせて体で応える。彼の体がもっと深く彼女のなかに入ろうとする。

キャスリーンは忘れていなかった。あの初めての、激しく燃えて、高らかな喜びに引きこまれていく感覚を。体じゅうで喜びにひたり、歓喜にふるえ、しっかりと思いだした。

彼女は彼の背の筋肉に指を立てながら、太腿のあいだの愛しい侵入者に対して腰を動かして攻めたてた。彼は口を乳房から少し離し、舌だけでやさしく乳首を打ちつけていた。彼女を火のように焦がし、たっぷりと濡らして、エクスタシーが来た。「エリク、エリク」痙攣のたびに彼女は彼の名前を叫んだ。

終わったとき、彼女は息もたえだえに、ぐったりと彼にすがった。彼の息だけが、彼女のうなじにかかっている。彼女は指で彼の金髪を巻きつけた。ずっと前にそれに触れた記憶が甦った。「エリク」疲れきり、愛を堪能して、キャスリーンはため息をついた。

彼は急に彼女を体から引き離して、壁に押しつけた。少し前にあれほど彼女を喜ばせていた唇を、皮肉に嘲笑するように曲げている。「思ったとおりだ、キャスリーン」彼は言った。「きみはぼくの考えていることを、たった今、証明してくれた。きみはぼくの息子の母親にふさわしくない」

あれから数日たっても、キャスリーンはまだそのときのことを思いだして悩んでいた。エリオットが先ほどから鼻先で送り状を振っているのに、何のことなのか、聞きたい気持ちさえ起きなかった。

「キャスリーン、ほら、これのこと。この注文をキャンセルしたのかどうか、聞いてるの。セスが電話口に出ています。〈ヘイゼルが〉」彼は何よりも雄弁に顔をゆがめて見せる。「彼と一緒にいるんですよ、うちのお客が、秋色の新しい〈ポロ〉のシャツを楽しみにしているのに、何も来てないと文句を言ってるらしいですよ」

彼の言葉にやっと気がついて、現実に戻った。「まだ来てない？　わたしは三つのデパートのために、すべての色を各サイズそろえて、一ダースずつ注文したわ。どうして在庫にないの？」

「さあ、わかりませんね」エリオットが細い指を、凝りすぎたスタイルだけど美しい髪につっこんだ。「でもセスと話してもらえますか？　こんなに怒ってる彼と話したことがないんです」

彼女が代わって、受話器に落ち着いた声で出た。「もしもし、セス。何が問題になっているのかよくわかりませんが、わたしがご説明できると思います」

「キャスリーン、問題はだね、うちのいちばん重要な商品がないということと、その問題を起こしたのがきみだってことなんだ。わたしが知りたいのは、その理由だよ」

今までこれほど激昂《げっこう》したセスの声を聞いたことがない。しかもそれは彼女に向けられているのだ。「わたしがその問題を起こしたですって？」

「そうだ。わたしがじかに配送部に電話して問い合わせた。商品はうちに——きみが受けとっている。七月十三日に。きみはそれらをどう思ったのか、返却伝票にサインして、送り返した。どうしてそんなことをしたんだね？」また強く問い詰める。

「そんなこと、してません！」彼女が大声をあげたので、そばのエリオットの眉がつりあがった。今まで、キャスリーンと夫とのあいだに、このような激しいやりとりを聞いたことがなかった。彼女はいらいらしたように指で額をこすった。なぜ彼女がこんなに動揺しているときに、よりによってこのようなことが起きるのか？　落ち着いて考えようと思った。「セス、何か間違いがあるんだわ。わたしはその商品を見てもいないんです。サインなんかしていませんよ」

「では、今わたしが見ている、その指示ときみのイニシャルのある、非常にはっきりしたカーボンコピーは、どうしたんだろうね？　自分の妻のイニシャル・サインくらいわかってるよ！」彼女は彼に叫び返したいのを、必死に唇を噛んで抑えた。エリオットがじっと彼女を見つめている。それに電話の向こうでは、ヘイゼルがほくそ笑んでいるだろう。

ヘイゼル。

はっとした。もしかしたら、彼女がやったのでは？　キャスリーンとセスのあいだに軋轢《あつれき》を起こそうとして、店のビジネスまで犠牲にしたいのだろうか？　キャスリーンはヘイゼルを仕事のうえでは信頼していたけれど、おそらく寛大すぎたのだ。

「わたしは注文したものを送り返していませんわ、セス」冷静に答えた。

セスは深いため息をついた。「わたしは〈ラルフローレン〉に電話して頼みこんで、もう一度送ってもらうように手配をした。ここしばらくは、うちの客がほかの店に流れないように祈るほかないだろう」

「すぐにオフィスにうかがいます。そのときあなたにお会いしますわ」電話機からかちっという音がした。話はおしまいだ。

彼女はゆっくりと受話器を置きながら、それを少しのあいだじっと見つめていた。エリオットが彼女のほうへ歩いてくるのがわかった。彼女の肩に手を置き、彼のほうへ振り向かせた。

「腰をおろして。ちょっと話し合いましょうよ」

仕方なく、彼の言うとおりにした。反対するには心の動揺が大きすぎる。

「何があったんです、キャスリーン？　ここ三日間、あなたは変ですよ。いつもと違うわ」

「ありがとう」

「ぼくの言ってる意味がわかってる？　いつものあの生き生きと行動するキャスリーンはどこへ行ったの？　うちのかわいいメアリー・サンシャインはいったいどこなんだろうね？　うん？」

エリオットにはとても心をかき乱されたりはしない。あまりすてきなので、じっと見ていられないほどだ。洋服がぴったり合うように作られたすらりとした長身。彼はハイファッションを気合を入れて着ていた。よく手入れされ、ヘアダイした少年のような髪。日焼けした肌は完璧な黄褐色で、キャスリーンはいつもほんとうの色はどうなのか想像している。真っ白な歯並びと優美な口元。笑うと実に魅力的だった。濃い睫毛の下の灰色の瞳はじっと相手を正面から見つめ、時には尊大な感じを与えることがある。いつも軽蔑的な態度をとっていて、彼の世界からパーフェクトな美を邪魔するものを遠ざけていた。けれど、彼はキャスリーンの友人だった。

彼から目をそらして不機嫌に答えた。「この頃、よく眠れないの。それだけ」

「ほう、そうかしら。そうじゃないようだけど、ぼくに話す気にならないなら、いいですよ。でも、その注文のことはどうなんですか？」

「わからないわ」

「ぼくはシャムのキングなのに」エリオットは彼女のデスクの端に腰かけて、高価な靴をはいた脚を揺らした。

まあ、ほんとうにベイビーブルーのリネンの靴だわ！　彼女は微笑んだ。

「ミセス・ヴァンダースライスがお嬢さんのために、夜会服を注文したときのことを覚えてますか？　あなたはサイズ十を注文した、でもサイズ十二が送られてきたわ。あのいやな年寄りめ、娘のことを太っているとあなたが思っているから、こんなことをしたんだって、服を投げ出して責めたでしょ？　すべて覚えてますか？」

「よく覚えてるわ、でも」

「終わりまで聞いて」彼は続けた。「オペラのガラに行く年増の女二人に、そっくり同じドレスを売ったときのことは？　二人とも大騒ぎしたでしょ？」

「ええ」どうして忘れられるだろう？　彼女は戸惑って眉をひそめた。「エリオット、この長い入り組んだお話で、何を言いたいの？」

「誰かが、あなたの仕事をわざとだめにしようとしてるんです、かわいそうな人だ」

「誰のこと？」

「あなたはぼくと同じように知ってるはずよ」彼は前に体を曲げて、聞こえよがしに言った。

「ヘイゼル・ベイビー」

キャスリーンは立ち上がって、彼女の小さなオフィスにあるただひとつの窓のほうへ歩いていった。「わたしはあのヴァンダースライス家のお嬢さんに、十二サイズは注文しなかったわ。社交界の女性二人に、同じドレスをお売りしたこともない」

「そのとおり」

「でも、なぜヘイゼルはそんなことをしたいのかしら?」キャスリーンははからずも、彼の推測が正しいと認めていた。

「なぜなら彼女はあなたにひどく嫉妬しているから。あなたを見るたびに、毒矢が文字どおり空中を飛んで向かってるもの」彼がとてもわかりやすく、こっけいなしぐさで真似たので、こんな深刻な問題にもかかわらず彼女は笑った。「それに」エリオットは注意を引きつけて続ける。「言わせてもらえるなら、セスのことを、彼女はくそとも思ってないよ」

「エリオット、お願い」キャスリーンは言った。彼の露骨な言葉にだけは我慢ができなかった。

「かしこまりました」彼はわざと礼儀正しく言う。「ヘイゼルは彼のことをちっとも気にしてない。彼を支配して、言いなりにさせたいだけですよ。彼を操縦するあのやり方、見ていて吐き気がしそうだわ。でも彼にはそれほどこたえないのか、彼女のことがわかってないんだ。彼は自分がどうなっているかわかっていないのよ」

キャスリーンは認めたくなかったけれど、エリオットの言うことは正しかった。姉がいるところでは、彼の障害は麻痺ではなかった。目が見えないことだった。

「あのワルから目を離さないようにしたほうがいいよ、キャスリーン」エリオットは警告してくれた。「きっとあなたを痛めつけようとする」

エリオットの恐ろしい予言を笑い飛ばそうとしたけれど、もらした声は首を絞められたよりもひどかった。エリオットが彼女の後ろにまわって、うなじに軽くキスをした。彼女は彼の愛情表現に慣れていたので、そのことを気にしなかった。友情のしるし以外の何ものでもない。今日は、キャスリーンは彼から肩をすくめて逃げて、自分を守るように胸のところで腕を組んだ。秋も半ばの、季節にふさわしい涼しさだったけれど、寒くてふるえた。

「どうしたの、キャスリーン？　ヘイゼル・カーホフよりも、ほかに心配ごとがあるんじゃないの？」

「何を言ってるのかわからないわ」彼女ははぐらかそうとした。

「いや、わかってるはずよ。あなたはびくびくして、とてもおかしい。頭も心も仕事どころじゃない。何があったんです？」

前の恋人で、わたしの子どもの父親が帰ってきて、苦しめているの。それだ。彼女が言おうとしているのはそのことなのか？　エリオットに、みんなに言うべきなのだろうか、彼女がどうしたのかを？　彼らは彼女を信じるだろうか？　彼女は顔をゆがめて笑った。エリオットは信じるだろう。彼が彼女に話してくれた冒険物語のいくつかは、身の毛もよだつほどだった。彼女の話は彼には驚きでもショックでもないはずだ。

けれど、エリクが再び彼女の人生に現れたことは、彼女には体の芯まで揺り動かすようなショックだった。小屋で起きたことは恥ずべきことだ。彼が彼女を愛撫しようとしたときに驚かなかった。いや、あれは愛撫ではない。セックスだった。それに、それは罰のように、少しずつ分け与えられた。二年前、彼女は無知だった。その彼女を結婚している男性が誘惑したのだ。彼がそれほど下劣な男なら、たとえ今、彼女が結婚していても、それが禁じられた場所でも、彼なら卑しむべき情事をしたいと思いかねないし、やるだろう。

それよりも、キャスリーンが驚いているのは、自分の反応だった。なぜもっと激しく抵抗しなかったのだろう？　それどころか、彼の体の感触をしっかりと受け止めていた。口の味をむさぼり、つけているコロンと彼自身の体臭がまじりあった香りをじっくりと味わった。手慣れた彼の手が彼女の――

ああ！　思いだして、恥ずかしさで顔をおおった。

「キャスリーン？　大丈夫なの？」エリオットが心配そうに聞いた。

「ええ、ええ、大丈夫よ。疲れていただけ。あなたにここを代わってもらえたら、本社に行って、それから家に帰りたいわ。残りの時間をセロンと過ごしたいの」

彼女は自分のものを集めて、出ていった。けれど、車を数ブロック運転して、〈カーホフ〉の役員室へ向かいながら、エリクが別れ際に言った言葉を思いだして、また体をさっと流れるぞっとするような恐怖を感じた。

エリクは、彼女と子どもを別れさせるようなことをするはずがない、そうではないか？

彼はそれほど残酷ではない。それに、彼がそうしたくても、そんなことをさせはしない。セロンは彼女のものだ。妊娠したとき、エリクには別に妻がいた。そういう事態になれば、彼女は親権の放棄を大声で主張できる。けれど、現実には、エリクは彼女を捨てなかった。彼女が彼を捨てたのだ。

エリクがセスに二人のことを話せば、彼女の人生を破壊して、大騒動になる。親権争いの裁判の恐怖など、それに比べれば二次的なものだ。それを聞いたらセスは打ちのめされるだろう。彼はセロンを自分のものと考えている。彼女に結婚を申し込んでから、セロンの父親のことを尋ねたことがない。妊娠中に子どものことを話すときは、「きみの子ども」ではなく、「わたしたちの子ども」と言った。それにセロンの話をするときは、必ず「わたしの息子」と呼んでいる。セロンの親のことで疑問を抱いている人がいても、誰も礼儀正しくそのことに触れないようにしていた。現実にはセロンはセスのものであった。

キャスリーンは夫に対して献身的で、愛情のことでとやかく言われないくらい誠実だった。セスはもっと外出したらどうかとか、友だちをつくって外に対して興味を広げるように勧めてくれるけれど、彼女はそれを断り、喜んで彼と一緒に家にいた。彼はほんとうに驚くべき人だ。思わぬところへも平気で出かける。二人でセロンをゴールデンゲイト・パークに遠足に連れていったこともあった。ギラデリー・スクエアにアイスクリームソーダを買いにいったことも。映画や食事にも出かけた。もちろん、ジョージはいつも一緒で、難しい移動を助けてくれたけれど、彼女がセロンのためにしてやりたいとわかれば、自分が最大限に力を貸して、彼女があきらめないように配慮してくれた。

それでも最近、セスには疲れが見えるようになった。今までになかったことだ。出かけることを少し億劫《おっくう》がり、プールのそばに坐って、彼女が泳いだり、二人で飲み物をすすったり談笑するほうが楽そうだった。顔色もあまりよくなかった。彼女はジョージに聞いてみたが、何が原因かわかっているようなのに、話の内容はあいまいだった。思いきってセスの主治医に電話したけれど、長々と、医者らしい説明をしてくれたわりには、セスの健康状態については何も言ってくれなかった。

こうした気がかりな思いが、エリクがタイミング悪く家に来てからずっと、不気味なメリーゴーラウンドのように頭のなかでぐるぐるまわっていた。セスのオフィスに入っていって、誰もいなかったときもまだ同じ状態だった。

セスとヘイゼルがランチに出て、すぐに戻ってくるという彼女あての伝言がドアにあった。少し休もうと思った。クレアのコンピューターは閉じている。彼女もランチに出ているらしい。

キャスリーンは幅広のドアを開けて、セスのオフィスに入った。背後でドアが閉まった。この部屋に初めて来たときのことが強く思いだされた。今でもこの部屋が好きだ。本棚にはめこみになっているステレオに近づき、ラジオをつけてＦＭ局を聞く。窓辺に行ってブラインドを閉めた。薄暗くなった。待っているあいだ、少しは眠れるだろう。この数日、あまり眠れなかった。

靴をぬいで、居心地のいい革のソファに横になって目を閉じた。うすぼんやりとして、静かだった。数分もたたないうちに眠りにおちた。

夢は格別楽しかった。エリクがいる。彼女を小屋の壁に押しつけて、怒っていた厳しい男ではなかった。昔のエリクだった、目に笑いをにじませ、唇は今にも笑い声を上げそうだ。彼は彼女のほうへかがみこんで、小指で頬にかかったカールした彼女の後れ毛を上げた。頬に彼の温かい息を感じた。唇が彼女の唇に重なり、唇を押し開き、舌を入れて、官能的に彼女の舌とからませる。

手は彼女のウエストを強く抱いたけれど、すぐなではじめる。丁寧に一本ずつ数えるように肋骨をこする。手のひらで乳房を揺らされながら、体はしっかりと支えられている感じがした。

夢は変わり、彼の唇の動きが激しくなるにつれて、テンポが速くなった。彼が体を彼女の上に重ねたとき、その重みを感じた。着ていた〈ダイアン・フォン・ファーステンバーク〉の薄いニットのドレスを通して、彼の指が乳房の盛り上がった中心を見つけ、激しい欲望のままに愛撫するのを感じる。

とてもリアルだ。彼のキスはとても温かい。手の動きがさらに強くなり、彼女を熱い情熱のとりこにする。親指が体をなでまわす。彼の体がとても重い。とっても重い……

彼女は目を開いて、ぼんやりと恐れていたことを確かめた。夢ではなかった。エリクが狭いソファの彼女の横に寝ている！　彼女は彼に向かって、手足をばたつかせた。「やめて、エリク」怒って強く言った。「わたしから離れるのよ」

思ったよりもあっさりと、彼はそのとおりにした。ソファから離れると、サタンのような口をして笑った。「いつ目を覚ますんだろうと思ってたんだ。それとも、きみが出ているちょっとしたポルノの夢をみていたのかな？」彼はまだ触れた跡が残っている彼女の乳房を見下ろした。「いや、あれは演技じゃなかった」と言って冷笑した。

「やめて。あなたと一緒の部屋にいるのだっていやだわ」キャスリーンは靴のなかに足を入れ、髪をなでようとするがうまくいかなかった。

「なぜ？」彼は安楽椅子に大の字になって坐って、呑気に聞いた。「自分が抑えられなくなるのが怖いのか？　この前の夜を再現するのが？　言っておくが、きみは感じたはずだ、ぼくは取り残されて、乾いた《ハイ・アンド・ドライ》ままだったよ。しゃれじゃないぜ」

「あなたにはうんざりだわ」彼女は飛び起きながら言った。

彼はまた笑った。「この前の夜はうんざりしていなかったようだが。思いだしても——」

「その話をするのはやめて！」彼女は叫んで、両手で顔をおおった。息が苦しい。自分をとりもどすために息を吸った。「どうしてあなたに体を触れさせたのかしら、自分にうんざりしているわ。でも今のあなたにもっとうんざりしてるの。さあ、わたしが出ていく、それともあなた？」

彼の顎の筋肉が動いている。神経を逆なでしたのだ。けれど、彼女には悪かったと思う余裕はなかった。

「ご主人と約束がある」彼は頑に言った。

「わかったわ。ではわたしは家で彼と会います」

彼女はドアのほうへ行こうとした。開けるどころではなかった。手をかけることもできなかった。彼の大きな日焼けした手が先に出て、ドアを押さえてぴしゃりと閉めた。同時に、彼女を彼とオーク材のドアのあいだにはさみ、動けないようにした。

「そんなに早く行ってはいけないよ、ミセス・カーホフ。きみはぼくの大切なものを持っている」

血管を流れる血液が凍ったかもしれない。ふるえがきて、めまいがする。彼女は目を閉じた。彼とドアにはさまれて身動きできず、やっと顔を上げて懇願するように彼を見た。「な――なんのこと?」ふるえ声だった。

「ぼくの息子だ」

彼女は首を振り、口を開いて何か言ったけれど言葉にならなかった。やっとのことで、声を絞り出す。「いいえ。わたしの息子です」

「ぼくに知らせることもなく、子どもを産んだことで、ぼくはきみの首を絞めるべきだ。ぼくはそのためにきみを喜んで殺したい」

キャスリーンは一瞬、彼の言ったことを疑わなかった。「そうだとしても、セロンのことを、奥さまにどのように説明するかしら?」

エリクは彼女の顔を見つめたままだった。彼女が予想していた罪の意識も、良心の呵責《かしやく》も見えない。びっくりしてぼんやりとしているだけだ。ゆっくりと彼女から離れたけれど、まだぼうっとした表情で、腕をだらりと下げていた。

彼女は彼を押しのけて、窓に行き、ブラインドを開けた。部屋のなかにすべてをあらわにする強烈な光が流れこんだ。ラジオのスイッチを切る。彼女はすぐにそうしたことを後悔した。音楽が聞こえなくなって、さらに沈黙が身にしみた。

彼女は窓に戻って、外をのぞいた。はるか下では車の列が流れている。彼は絞り出すように言った。その声はかすれて、信じられない気持ちがあふれ、聞いているキャスリーンにも真実だということは疑いようがなかった。

「キャスリーン、ぼくには妻はいない。結婚をしたことはないよ」

彼女は振り返って、彼をあからさまに見つめた。どういうことだろう。二人のあいだに深い疑いが広がった。彼女は彼の顔を見て、ごまかしていないか探したけれど、何もなかった。打ちひしがれた彼の顔には、彼女と同じ絶望した表情が浮かんでいた。

二人のどちらかが動き、話す前に、ジョージがドアを開けて、セスの車椅子が入ってきた。彼の機嫌はなおっていた。二人を見ると楽しそうな声で言った。「なんとすばらしい歓迎だろう。きみたちが待っているとわかっていたら、ランチを早く切り上げたのだが。元気かい、エリク?」

エリクはまだショックを受けて、すぐ返事ができなかった。セスのほうへ向いて、差し出した彼の手を握った。「元気です」咳払いして、もう一度言った。「元気ですよ」

「よろしい。我々のプロジェクトを始める準備はできているかね？　住む場所は見つかった？」セスの顔はいつものように率直で、正直で、思いやりと理解力があり、そして……寛大だった。

「はい」エリクは答えた。「分譲のアパートを買いました。まだなかは空っぽです。家具を買わなくては」

セスは笑った。「きみは幸運だね。キャスリーンがそれには適任だよ。きっと喜んできみを助けてくれるだろう。やってくれるだろ、キャスリーン？」

14

キャスリーンはエリクを鋭く見つめた、それから夫のほうを見る。「わたし……もしエリクがインテリア・デザイナーを期待しているのなら、雇われたほうが」なんとか答えられた。さっきエリクは何と言ったのだったか？　何と言ったの？　妻はいないって？　妻はいないのだ！　そして、あのときもいなかった！

「ああ、だが、デザイナーは大変……専門的すぎる。そんな人を雇ったら、彼のところも、うちのリビングルームみたいになるよ——完璧すぎて、住みにくい」

セスが姉のことを悪く言ったのは初めてだった。今はそんなことは重要ではない。実を言うと、ほとんど心に残らなかった。今はまだエリクが言ったことが、心のなかでぐるぐるまわっていた。彼には妻がいない。「ぼくは結婚したことがない」その言葉は、シュプレヒコールのように耳にくり返し響いた。その言葉こそがいちばん重要だった。

「キャスリーンはお忙しいでしょう。独身者用のアパートのインテリアなど頼めませんよ」エリクが言った。

彼は独身者という言葉を強調した？

セスは車椅子を動かして彼のデスクに行き、礼儀正しく手をかざしてあくびをした。「失礼」彼はあやまった。「ランチを食べ過ぎてしまった」

彼は部屋のなかの緊張した雰囲気を、壁をふるわせるような余震を、ほんの少し前に語られた思いがけない真実の名残りを気づいていないようだ。

「明日は木曜日じゃないか? キャスリーン、きみの休みの日だね。何か特別、予定でも?」

「いいえ、別にわたしは――」

「エリク、きみは?」

「いいえ」

「それはよかった。明日、きみたち二人で一日じゅう買い物ができる。終わったら、家へ来なさい、パティオでわたしがステーキを焼くよ」

二人のどちらも反対を唱えなかったので、セスはその件はかたづいたと思ったらしい、今日の本題を話しだした。キャスリーンは失礼しますと言って、体をまげてセスにキスをすると、エリクにうなずいて部屋を出た。

その夜のディナーの席で、キャンセルされた注文のことがまた話題に上った。今度それを切りだしたのはヘイゼルだった。「考えたんですけど」彼女はリネンのナプキンで几帳面に口をふきながら言った。「キャスリーンはあまりにも責任が多すぎるんですよ。いったいどうして、あれほどコストのかかる間違いをしたのかしら?」セスは痛烈な意味がこめられていることに気がつかないで、ただ姉の心配事を聞いている。

「わたし、間違いをしてません」キャスリーンは冷静に答えた。

「ダーリン、そんなことかまわないよ」セスがなだめるように言った。「もうすべてうまくかたづいた。今週中には、商品を受け取れる」

「誰かが、わたしのことを無能呼ばわりして責めるのなら、かまわないことではありませんわ」彼女は激しく抗議した。

「ヘイゼルはそういう意味で言ったんじゃ――」

「わたしの責任や、自分で処理するものが多すぎるようでしたら、自分で考えてどうするか決めます。ほかの人にご忠告いただかなくてもけっこうです」出し抜けに立ち上がった。

「失礼させていただきますわ、二階に行って、セロンと遊んでやりたいので」

キャスリーンは二人をダイニングルームに残して、ヘイゼルが二階の自分の部屋に引き取ったのがわかるまで、降りていかなかった。

彼女が階段のいちばん下に降りたとき、セスがジョージにつきそわれて、彼の部屋に入るところだった。彼の目と口元ににじんだ疲労の跡を見て、胸がつかれた。日頃、温水プールで数時間受けているセラピーで、顔は健康的に日に焼けているのに、今は灰色に見えた。昼間はかすかにわかる程度だった目の下の紫色の隈《くま》は、夜になってはっきりと黒ずんでいる。

「セス」頭を彼の膝にのせられるようにかがみこんで言った。機転のきくジョージはその場をはずしていた。「ディナーのとき、あんなに機嫌を悪くしてしまってごめんなさい。何があったのか説明できないんですけど、わたしが〈ポロ〉の注文をキャンセルしたのではないってことは知っててほしいの。そのとき、ほかの重大な問題が気になっていたとしても」

彼女は彼が髪をなでながら、しっかりと頭に力を入れてくれているのを感じた。「愛しいキャスリーン。何があったのか知らないが、きみがすることはなんでも許したいよ。愛してるよ」彼の声はキャスリーンを癒してくれた。心で深く考えた言葉が彼女の心にしみ通ってくる。彼女はもっと彼のやさしさを感じたくて、膝に深く頭をもたせかけた。

「あなたのことが心配だわ、セス」やさしく聞いた。「このごろご気分は？」頭を上げて、彼の目の近くに顔を寄せた。彼女にはわからないけれど、目に力がなかった。なぜだろう、いつもはあんなに上機嫌で輝いているのに。

「元気だよ。どこかいつもと違うかね？」

「わからない」彼女はゆっくりと言った。「どこか悪かったら、すぐわたしに言ってくださるわね？」

「きみが愛してくれるって保証してくれるなら、最も深い秘密を打ちあけるよ」微笑したけれど、彼女は冗談として笑えなかった。

「あなたを愛してるわ、セス」彼女は本気だった。この人を愛さないことなどできるだろうか？　これほど善良で思いやりのある人はいないと思う。

彼の表情はまじめになったけれど、こまやかな愛情とあたたかさがにじみ出ていた。「わかってるよ」ささやいた。「きみとセロンがわたしにはとても大事だから、時々その愛情が苦しくなる。わたしの体でそれを抑えられないくらいだ、きみをしっかりと愛したくて張り裂けるんではないかと思うくらいだよ。わかるね？」

ええ、わかりますとも。彼女は彼が伝えようとしている感情の動きがわかった。この二年間ずっと感じていたし、セスと同じように、それが報いられないことに苦しみ、悩んできたのだ。

「きみは美しいよ、キャスリーン。ほんとうに美しい。永遠にきみの顔を記憶していたい」指で彼女の顔をなでながら、目で図を描くようにたどっていく。

その言葉の真剣さと意味に、彼女ははっとした。あわてて手を握った。「セス」

「さあ、もう行こう」彼は頰にキスできるように彼女を引っ張り上げて、元気よく言った。「ハードワーク・マンを寝させてくれ。それにきみは明日は忙しいんだろ。エリクは好きかね、キャスリーン？」

彼女の答えが、今の彼にはどんなに重要かわかっていた。「もちろんよ。それに彼が〈カーホフ〉のために何をしてくれるのか考えると、とってもわくわくするわ。あなた、賢明な選択をなさったわ」

セスの顔に安堵《あんど》の表情を見た。これを見たら、エリクとすぐ近くで一緒に働いてどんなに動揺しようとも、やる価値があると思わなくてはいけない。「きみが賛成してくれてうれしいよ。きみたち二人がうまくやっていってほしいんだ。インテリアのことを頼んだのを気にしてないだろう？　楽しんでやれるはずだ、きみはここでずっと、わたしや、ジョージとアリスや、ヘイゼルとばかり一緒にいる。セロンはもちろんだが」

「そんなこと、あまり気になさらないで。あなたはわたしの家族なんですよ。でもあなたがそうしてほしいなら、エリクをお手伝いするのはなんでもありませんわ」

「よかった」彼は満足したようだ。「おやすみ、スイートハート」彼女を引き寄せると、今度は唇に甘いキスをした。

彼のプライベートタイムが終わった雰囲気を察して、ジョージが隅のほうから出てきた。彼はおやすみなさいと言ってドアを開け、セスが車椅子を動かしてベッドルームに入ると静かにドアを閉めた。

キャスリーンはけっしてその部屋のなかに入れてもらえなかった。彼女のほうも、セスの究極のプライバシーについては質問しなかった。おそらくベッドでの支度を見られたくないのだろう。彼女は彼の決断を受け入れて、尊重していた。そうしないといけないのなら、彼女が何もなかったときに未来を与えてくれた男性を、自分から困らせたり、傷つけたりするようなことは絶対にしたくなかった。

何を着たらいいのだろう？　キャスリーンは三つあるクロゼットのなかを見て考えた。女性の典型的な悩みで、ふさわしいものが何もないと思った。

十代の娘みたいじゃない、おばかさんね、と自分を叱ってみる。特別のお相手とデイトをするのではなかった。エリクのショッピングにつきあうだけだ。それに彼は念入りにドレスアップした彼女も、〈マウンテン・ヴュー〉の制服であるネイビー色のショーツと白いTシャツ姿の彼女も見ている。そのうえ、何も着ていない彼女も見ているのだ。

そのことを思いだして顔が赤くなった。はれがましく裸になって彼のベッドに横たわったのだ。シャワーを浴びるとき、彼の手と口が彼女の体を愛撫しながら導く跡をたどって、石鹸とお湯がまじった泡が、体中に流れていくのを彼は見ていた。彼は覚えているだろうか？　彼女の頬が赤くなった。この数日、彼女に触れた彼の手つきと口で、彼女の体をよく覚えていることはわかる。

やっと茶色のレザー・ジーンズを選んだ。セスが買うように勧めたものだ。彼は彼女のスタイルが自慢で、彼女が〈カーホフ〉でやるように強く推《お》した豪華なファッション・ショーで、よくモデルをつとめるように無理強いする。ニューヨークに行ったときだって、彼は気前が良すぎるほど贈り物をしてくれ、入っていくブティックごとに、彼女のために少なくとも一着は購入するように言った。

二人は一緒にデパートを見まわることが多いのだが、そんなときでも、キャスリーンのサイズに合って、セスが好きなものを見ると、すぐハンガーからはずして、いわくありげな微笑を浮かべながら彼女に手渡すのだ。「ねえきみ、これを着るとすてきだぜ」ハンフリー・ボガートの言い方をそっくり真似る。彼女は決して彼に逆らわなかった。きれいな服を着て彼が喜んでくれるのなら、彼女にとってこれ以上の喜びはなかった。彼のために彼女ができることはそれほどなかったのだから。

ドレスを着ながら胸がどきどきしていた。罪の痛みを感じた。エリクと外出することをこんなに楽しみにするなんて、セスを裏切ることになるのではないか。そんなことはないわ、と彼女は自分自身に答える。このことを言いだしたのは、セスなのだから。彼女はほんとうにセスのために外出するのだ。けれど、鏡に映った自分の姿を調べながら、それは自分のためだとわかっていた。

パンツの上にシルクのシャツをはおる。エレクトリック・ブルーが、エメラルド・グリーンの瞳をいっそう深めている。イタリアから輸入したブーツのつま先は、ジーンズのサドル・ブラウンと同じ色だ。髪を赤っぽいスカーフのように、顔のまわりと肩にウエーブしてたらした。

軽い足取りで階段を降りかかったとき、ちょうど玄関のベルが鳴った。「わたしが出るわ、アリス」声は自然だったけれど、階段の上の脚がふるえているのがわかった。命綱を持つようにドアノブを握りしめ、怖じ気づいてしりごみする前に思いきって開けた。

エリクが彼女をじっと見下ろした。今にも飛びつきそうなまなざしをしている。でも何も言わなかった。喉の筋肉が痙攣したように動いた。やっと彼女の目と合った。「おはよう」「おはようございます」彼はすごくゴージャスに見える。キャスリーンはやっと力をふるい起こして挨拶した。以前と同じように、細い腰を強調するようにぴったりしたジーンズをはいている。黒っぽい格子縞のシャツが、広い胸と肩のためにぴんと張っていた。首にさりげなくキャメル・カラーのカーディガンをかけて、袖を結んでいる。「お入りになって」彼女は小さく言うと、彼をなかに入れるために脇に立った。通りすぎていくとき、彼のコロンがかすかに香った。「セスが挨拶をしたがってるわ。セロンと一緒に朝ご飯を食べてます」エリクは立ち止まって、くるっとまわると彼女を見た。それからうなずいた。「ぼくも彼に会いたいよ」

セスのこと？　いや、セロンのことだろうか。でも聞かないほうがいいと思った。彼女はエリクの前を歩きながら、迷路のような一階を案内して、キッチンの隣の明るい太陽の光が注ぎ込む朝食の部屋に入った。

キャスリーンがスイングドアを押し開けたとき、笑い声に迎えられた。「何をお話ししていたの？」明るく聞いた。明るすぎただろうか？

話の中心はセロンで、まだパジャマ姿のままハイチェアに坐っている。長いバナナを片方の手に握って、一生懸命に皮をむこうとしていた。

「やあ」セスが言った。「アリス、エリクにコーヒーを持ってきてくれないか。どうぞかけたまえ。ちょっと待ってやろうじゃないか。セロンはどうやったらあのバナナの中身にたどりつけるか、五分間考えてがんばってるんだ。だが、誰にも手伝わせようとしない。見てやろう」

セスはハイチェアのほうへ体を寄せて、言った。「セロン、わたしがむいてあげよう」彼はバナナのほうへ手を伸ばしたけれど、セロンがしっかりと自分のほうへ抱きしめたので手を引っこめた。セロンは自分でなんとかやろうと、バナナに挑戦している。

「すごくないかい?」セスが自慢そうにもってまわって聞いた。

「いや、すごいです」エリクはしわがれた声で答えた。キャスリーンは首をまわして彼を見た。不自然な声に、彼が目に涙を浮かべているのかと思ったけれど、それはなかった。ただ数分前に彼女を見たときと同じように、自分のものを見るような目だった。急に彼をかわいそうに思った。息子を見て、それを言えないのだ。ひどい、拷問と同じだと思った。

大得意になって上げた声に、彼女は息子を見た。ついにバナナの皮がむけたのだ。たちまちそのバナナを口のなかに押しこみ、すぐに見えなくなった。

「こんな負けん気の強いお子さんは見たことがないです」アリスはこの頑固さに、将来を予言するように首を振った。

「今朝はプールでトレーニングをなさるの?」キャスリーンはセスに聞いた。昨夜よりもくつろいで、ずっといつもの彼らしく見えるのでうれしかった。

「そうだよ。それからセロンを少し、プールで遊ばせてやるつもりだ」

「冷たすぎないかしら?」彼女は額に皺をよせて考えこんだ。

「一度濡れたらずっと水のなかに入れておくよ、わたしが終わったらすぐ家のなかに入れる」

水温はセスとジョージが一年じゅう快適にトレーニングできるように注意深く設定されているので、しぶしぶ納得した。「この子をよく見てやってね。ウナギみたいにつかみにくいし、まだ水を怖がっていないんですから」

セスのまなざしが柔和になった。「大丈夫だ、そうするよ。ジョージがずっとわたしたちのすぐそばにいる。絶対に自分の息子を危険な目に遭わせない」彼はテーブルの上に手をのばして彼女の手を握った。

彼女はあえてエリクを見ないようにしたけれど、セスの言葉で、エリクの体に自分と同じように、はっきりと緊張が走ったのがわかった。

「アリスに何か料理させようかね、エリク」

彼はセスの気遣いを断った。「いいえ、ありがとうございます。今日はもうすませてきました。途中でドーナツをつまんできたんです」彼の微笑は前と同じようにくもりなく、さっそうとしていて、心のなかの苦悩など少しも現れていなかった。「キャスリーンの用意ができているなら、ぼくはいいんですが」

「彼女は用意ができてるよ」セスは少し顔をしかめて言った。「彼女にきちんとした朝食を食べさせられないんだよ。スタイルを気にしすぎているから」

「それはよくわかります」エリクは彼女の全身をさっと見て言った。

「彼女が妊娠しているときを、見せたかったなあ」セスはさらに続けた。エリクは注意をそらさなかった。セスが話し続けているあいだも、彼女をじっと見つめていた。「赤ん坊がおなかにいて、あれほど優美な妊婦を見たことがないよ。後ろから見たら、誰も妊娠しているとわからなかっただろうな。出産する日まで、うっとりするほどきれいだった」

「そうだったでしょうね」エリクが言った。

彼のまなざしのあたたかさに落ち着かない。話題の中心になっていることも居心地が悪かった。キャスリーンがさっと立ち上がったので、セロンのオレンジジュースのカップをひっくり返してしまった。よかった、そのような場合に備えて、カップは飲み口を吸わないと中身は出ないようになっている。彼女は神経質にそれをまっすぐにして言った。「ディナーまでに戻ってきますわ。アリス、何か必要なものはないかしら?」

「いいえ。セスが今夜の夕食は、ほとんどしてくださるおつもりのようですから」彼女はにっこりした。

「そう、では」キャスリーンは気もそぞろに言った。もうエリクとの外出をしぶる言い訳がなくなってしまった。「行ってきますね、セロン」彼女はかがみこんで、バナナの香りがするキスを受ける。「マミーは今夜帰ってきますよ。たぶん、何かあなたを驚かせるものを持って帰るわ」

「バイバイ」彼はかわいい手を振りながら楽しそうに言った。

みんなが笑った。キャスリーンはどきっとした、エリクがテーブルをまわって、セロンの髪をくしゃくしゃにした。「グッバイ、船長」

キャスリーンは「行ってきます」と、おしまいのほうは口ごもりながら言って、セスにさっとキスをした。それからエリクと玄関から出ると、敷石を歩いていった。

彼女は驚いて振り返った。「コルヴェットなのね」彼はそっけなく言った。「昔知っていた女性が、ぼくにはこのタイプだと言ったから」彼の目にはかつてのジョークの面影だけがゆらめいていた。

なめらかな銀色の車体で、重厚な栗色の内装だった。彼女はなかに坐って聞いた。「ダッジのヴァンはどうしたの?」

「まだあるよ。でも仕事にはこの車のほうがイメージが合うから。キャブレターが音を立てるヴァンで会議に現れるビデオカメラマンなど、誰も信用してくれないだろう?」

彼は車を並木が連なるドライブウェイに向け、それから公道に出ていった。「ぼくのアパートに最初に寄ってもらうよ、何が必要か見てもらいたい」

「いいわ」

彼のアパートの敷地まで、二人がかわした会話はそれだけだった。そこは庭付きの家が集まったすばらしいコンプレックスだった。各家は違ったスタイルの建築様式で建てられているけれど、それぞれうまく融合していた。敷地もきれいに手入れが行き届いていて、中央には所有者専用のプールがあった。

「すごい、すてきじゃない」彼女は感嘆して言った。

「当然だよ」エリクが言った。「ボラれてるんだから」

彼はドアの鍵を開け、なかに入った。彼女も現代的な建物の玄関の広間に立った。エリクが各部屋の説明をしているあいだ、二人の足音が空っぽの部屋にこだました。エリクは空き家で人がよくするように、ささやくような声で話した。

このアパートはガラスと木材を使ったモデル建築だ。リビングルームの壁のひとつはレッドウッドで、もう一方は石の暖炉が、床から天井までの二つの窓のあいだにセットされている。キッチンは考えうるビルトインの機器がすべて備えられていたけれど、無機質な感じはなく居心地がよかった。

「二階にはベッドルームが二部屋、それにそれぞれバスルームがついている。まだそこには何もするつもりはない。それにそんなにたくさん金がないんだ、キャスリーン。ぼくはご主人のように金持ちじゃないから」彼の口調には悪意がのぞく。彼女はぷいと怒って彼から離れたけれど、次の場所に来てすぐに、何の部屋なのかもっと注意をしておけばよかったと思った。

そこは大きなマスター・ベッドルームで、キングサイズのベッドがあった。セスの家に来たのは、寝て起きたばかりだったのだろう、カバーがくちゃくちゃになったままだ。部屋のなかにはそれだけだった。

「ここは簡素にしてる」エリクがすぐ後ろで言った。彼女はまだカーテンのない大きな窓の外を見るふりをしたけれど、ほんとうは、彼の圧倒的な男の魅力から逃れるためだった。

天窓のついた高い天井、よろい戸の向こうは広いウォークイン・クロゼットで、引き出し付きのビルトインのチェストがある。彼女はそれらを注意深くチェックした。彼がまたすぐそばに来たので、彼女はもうひとつのよろい戸のほうへ避けた。

マスター・バスルームは豪華だった。透明のガラスのドアで仕切られたシャワー室、洗面台が二つ、それに便器と浴槽。シェービング・ローションの瓶と、森林の香りのする石鹸、旧式のひげ剃りのマグとブラシ、それにひげ用の櫛に好奇心をそそられた。青い歯ブラシが真鍮《しんちゅう》のラックにかかっている。彼の櫛は鼈甲《べっこう》だった。身だしなみの道具は特に彼の好みが入っているようだ。彼女はそれぞれ手にとってみたかったけれど、すぐに目をそらした。

レッドウッド製の浴槽は、プライベートの中庭が気ままに見渡せる場所に造られていて、一年じゅう緑の草木と四季折々の花々が楽しめるようになっている。

「すごい」

彼はくすくす笑った。「この部屋はほとんど家一軒分の値段を払ったようなものなんだ」

官能的でとても親密な感じの部屋に、彼が近づいてくる足取りがいっそう気になる。彼女はベッドルームに戻って、無意識にベッドを見た。エリクはひとりでここに寝ていたのだろうか？　そうだ。枕がひとつしかない。でも、同じ枕を使うということもあるのではないか？

「キャスリーン」彼が腕に手を置いて、彼女を振り向かせた。指で顎をあげさせ、目のなかをじっとのぞきこむ。「どうしてぼくが結婚していると思ったの？」やさしい声だった。こんなふうに聞いてくれるなら、びっくりしてまごついている子どもだって答えようと思うだろう。

涙が目からあふれてきた。彼女は何度も詰まりながら言った。「わたし……わたし、彼女を見たの。あの日ずっと待っていたとき、あなたが傷を負って苦しんでると知って。あの人たちは入らせ……わたしに言わなかった……わたしはとっても脅えていて。それから彼女が入ってきて、言ったわ、ミセス……ミセス・グッドジョンセンだって。病院の人は彼女をすぐなかに入れて……それでわたしは……彼女はほっそりとして、金髪で、とてもきれいで、彼女は……」

「サリーだ」

キャスリーンは涙にぬれた目をしばたたかせて、彼を見上げた。「サリー?」

「ぼくの義理の妹だよ。弟のボブの妻だ」

あまりに衝撃的な話だった。キャスリーンの膝はがっくりとくずれて、彼にもたれかかった。彼はしっかりと受けとめ、息が止まりそうなほど激しく強く抱きしめた。

「ああ、キャスリーン、こんなことって、いったいぼくたちはどうしたらいいんだ?」

二人の体は互いに慰めを与えるように揺れた。そのまま長いあいだ抱き合って思いを伝えながら、エリクは彼女の耳元で、つじつまの合わないことをささやいていた。

彼は彼女の口を求め、彼女の口をすっぽりと包んだ。両手で、彼女の背がヒーリング・ローションであるかのようにこすり、彼の肌に吸いこもうとする。

それから、強い意志の力で彼女の体を押して離した。ベッドの端に腰かけて膝を広げ、そのあいだに両手をおろし、握りしめて白くなった関節をじっと見つめた。

「どうしてぼくが結婚しているなんて思ったんだ、あんなことのあとで……」彼の声にはいらだちがまじっていた。「そんなふうにしかぼくのことを考えられなかったのか? くそっ、キャスリーン、どうしてだ?」

「わからないわ」彼女は泣き声になっていた。「あのとき神経が高ぶっていて、あなたのことが心配でどうかなりそうで、怖くて、とっても怖くて、あなたが……すべてが怖かった」説明にならなかった。どうしようもなかったのだ。

エリクもそのことをわかっていた。話しだした声にはもう怒りはなかった。「誰もきみのことを探し出してくれなかったので、ぼくはすさまじく荒れてしまった。きみに何か恐ろしいことが起きたんだと思っていた、誘拐とかそういったことが。それから、きみが故意に去っていって、念入りに自分の跡を隠しているということがはっきりわかったとき、あんなに怒ったことはないよ。なぜなんだ、ぼくは想像ができなかった、なぜ……」

固く握りしめたこぶしをたよりなく見つめながら、声はしだいに小さく消えていった。キャスリーンは窓台にもたれて、力なくぼんやりと外を見ていた。何も目に入らず、ただエリクのみじめな声だけが耳に入っていた。彼女もまた同じ気持ちだった。

「この前の夜、きみに会ったとき、殺してやりたかった」エリクは苦々しく笑った。「そうじゃない。きみをすぐ抱きたかった、前に愛し合ったときのようにね。それから殺したかった」

二人はしばらくそれぞれの思いに沈んで、黙っていた。エリクが沈黙を破った。「なぜきみは彼と結婚したんだ、キャスリーン？」

彼女は深い息を吸った。彼の目が背中に突き刺さるような感じがする。けれど、彼女は彼を見ようとしなかった。もしそうしたら……

「セロンを身ごもっているってわかったとき」喉につかえたものを呑みこんだ。つっかえは、ドクター・ピーターズのクリニックに行って、彼女が心を決めたときのことを思いだすたびに大きくなっていた。「最初、わたしは中絶しようと思った。病院に行って、手術室まで入ったのよ。麻酔をされる間際に、やめてもらった」

「ああ」彼は息をついだ。

「ほんとうよ。あの日、神がわたしのそばにいてくださったんだわ。もしかしたら、セロンを失っていたかもしれない――」体中がふるえて、彼女は言葉を止めた。平静になると、セスのプロポーズと結婚のことを説明した。「彼はとってもやさしくしてくれたわ、エリク――あなたのことで――父親のことでわたしを厳しく問い詰めたこともないの。咎めることなく、わたしとセロンを受け入れてくれた。セロンを自分の息子のように扱ってくれている」

「でも彼の子どもじゃない。ぼくのだ。ぼくのものだよ、キャスリーン」

彼女はくるっとまわって、彼の顔を見た。彼女の顔から血の気がゆっくりと引いていった。「エリク、そんなことをしてはいけないわ――できないわ――彼を傷つけるなんて。お願い、やめて」

「ちくしょう！」彼は立ち上がって、窓の彼女のそばに近づいた。彼女と同じようになんの関心もなく窓の外に目をやる。

突然、彼は振り向いて大きな声を上げた。「ぼくはそんな男とどうやって競える？　彼は下半身が不自由なんだよ。最悪のワルになって、セロンはぼくの息子だと要求するのか？あんな悲運な目に遭っている人から、自分の息子のように愛している子どもを取り上げていいのか？　どうしたらいいんだ、キャスリーン？　セロンはぼくの息子なんだよ、くそっ！」新居の壁をこぶしで叩いても、痛いとも感じなかっただろう。

「セスがほんとうにいやなやつだったら、楽なんだが。ついてない！　あの人は聖人だ」彼の苦渋に満ちた言葉の一言ひとことが、彼女の耳に突き刺さる。男が良心ともがきながら闘っていた。それを見るのは胸が引き裂かれそうな感じがした。

「新しい仕事を始めるために、ぼくは彼に融資をしてくれないか、と無謀きわまりない頼みごとをした。彼はぼくの願い以上に気前よく援助してくれている。彼の後援がなかったら必要な機材を買ったり、ビルを借りたりできなかっただろう。それだけじゃないんだ、サンフランシスコの、有力なクライアントになりそうな実業家にすべて接触できるようにしてくれた」エリクは壁に背をもたせかけて、目を閉じた。「それで、お返しにぼくは何をしたらいい？　自分の子どもと思っているのに、その子を連れて出ていきながら、あなたの奥さんと恐ろしく淫らなことをしましたって言うのか？」彼は過去を清算し、迷いを消し去り、あらゆる思いを拒もうとして手の甲で目をぐっと押しつけた。ゆっくりと息を吐いて手をさげると、彼女を見た。「どんな犠牲をぼくに求めているか、きみは想像できないと思うよ、キャスリーン」

彼女は彼の目のなかを見た。心が乱れて声がかすれていた。「わかるわ、エリク。わたしにはわかるわ」

その言葉を聞いて、エリクは彼女の涙がいっぱいの目のなかに、声にならない言葉を読みとった。両の手のひらで彼女の頬を包み、親指でなでながらふるえる唇を押さえた。

これは地獄だ、と彼は思った。二年以上も、彼女は彼の気持ちを左右してきた、意識しようと、しなくとも。彼は彼女の体を自分のものよりもずっと知っている、というのも、何度も瞑想《めいそう》し、消えることのないように心のページに刻みこんでいたからだ。時は彼女のなかの官能を薄めはしなかった。今までどんな女性も、これほど強く彼を抑え、これほど甘美に包みこみ、これほど完璧にとらえて離さない人はいなかった。

彼はそれゆえに彼女を愛しつづけてきた。そして彼女が小さい頃の逆境を乗り越えた精神力と勇敢さを愛した。皮肉なことに、今、彼女が夫に深く傾倒していることをも愛しているのだ。彼は今、彼女に愛を語れない。彼女を愛撫することもできない。彼は盗人ではないし、彼のものではない人を抱きたくはなかった。しかし、ああ！　彼女をあきらめるなんて、どうしたらできるというのだ？

「もう出かけよう」彼はようやく名残り惜しそうに彼女の体を離した。

キャスリーンはこの日をロマンティックに、心の奥底で「運命が微笑んだ《スター・キスト》」と考えていた。暗黙の了解で、二人は心の痛むことはひとまずおいて、二人っきりになれたことを楽しもうとしていた。

苦痛をともなう過去や希望のない未来のことより、彼女はエリクが興味を引かれる話を選んだ。

「知ってる? ジェイミーは養子に行ったのよ」きっと彼はびっくりするだろう。ちょうど彼女が車に乗るのを助けてくれていたときだった。

「知ってるよ」彼はドアを閉めながらあっさり言った。

「知ってたの!」

エリクは運転席に乗りこみながら、彼女の驚いた顔を見て笑った。「ああ。それにきっときみが知る前にね。誰から聞いた?」

「もちろん、BJとエドナからよ」意外な話の展開にまだがっかりしていた。

「だけど、誰が養子にもらったか言わなかったんだね」

「そう」

「ボブとサリーなんだ」彼女が顔を輝かせた。彼はその笑顔に見とれた。「だから、彼もグッドジョンセンだ。おじさんのエリクに似てやんちゃらしい。ジェニファーっていう妹がいる」

「まあ、エリク、なんてすてきなの。サリーとボブってほんとうに幸せだわ」

「うん。そうだね」その言葉には少し苦みがあった。

車が街を走っているあいだ、キャスリーンは彼のアパートに必要なものを細かく説明する。とうとう彼が笑って言った。「きみが何を選んでもかまわないよ、ピンクとパープルのサテンで飾り立てるのは問題外だが。きみの趣味はきっとぼくと合うと思うから」信号で止まったとき、ふざけて彼女の肋骨を肘で突いた。

「でも、好きなものはあるでしょ?」彼女は片方の眉を上げて聞いた。

彼は好きなものをほのめかすように彼女を見たけれど、心に浮かんだ淫らな言葉はやめた。「茶色が好きだ。いろいろな茶色。秋のカエデの葉のような錆色とか」

彼女は微笑んだ。「アースカラーね?」

「そうだ。そう言おうと思ってたんだ」彼女がにらんだので二人とも笑った。

ショッピング街に入るまでに、彼女は頭のなかであれこれ考えていた。彼にインテリアの特訓をするのだ。エリクは後ろについていき、彼女に主導権を握らせた。まずベッドルームとバスルームのリネンを選んだ。リビングルームにはおそろいのラブシート。それに合った椅子と、大きなコーヒーテーブル、エンドテーブルを二つ。ランプのことは彼に意見を聞いた。彼は堅く抱き合った十七世紀の羊飼いと羊飼いの女の陶磁器製の台が付いたランプを取り上げた。いやだわ、キャスリーンはどきっとして彼を見た。フリルのシェードごしに彼の目がきらきらしている。からかっているのだ。結局、粘土の壺状のものに、プリーツになったリネンのシェードが付いたものを二つ決めた。

昼食はフィッシャーマンズ・ワーフのレストランで、サンフランシスコ湾と遠くにゴールデンゲイト・ブリッジを見渡せるところでとった。キャスリーンの心は幸せでいっぱいだった。ほんの数日前まで、彼と二度と会えることはないと思っていたのだ。それなのに、彼は今ここに一緒にいる。小さなテーブルをはさんだ向こうに坐って、彼の膝がテーブルクロスのカーテンの下で、彼女の足に触れていた。二人は同じ空気を吸っている。好きなだけ彼を見ることができた、それにあけっぴろげに、愛をこめて彼を見ても、好奇の目で見られる心配もなかった。

さっき、家に電話して、アリスと話した。セスはもうオフィスに出かけていた。セロンは食事をして、お昼寝をしているらしい。「彼は大丈夫ですよ、あなたがいなくても少しも寂しがっていません」アリスは請け合ってくれた。

「よかった」キャスリーンはちょっとすねて言った。「でも、それもさみしいわね」

途中、エリクは〈カーホフ〉を避けて、ギラデリー・スクエアの店をまわりながら、気軽に彼女の手をとった。エリクはすでに手頃な家具を買っていたけれど、余裕がないのにもっと高価なものを熱心に見ていた。

二人は画廊に入った。彼は茶とベージュと赤茶色の織物でできた装飾用壁掛け布を見て、いかにもほしそうだった。キャスリーンは彼にほかの用をわざと作って、いない間に、彼女とセスから新築祝いの贈り物としてそれを買った。それは見本だと言われてがっかりしたけれど、別にアーティストに注文が出せるとのことだった。彼女はオーダーして、仕上がったときに、連絡する場所として電話番号を置いていった。彼のリビングルームのレッドウッドの壁にぴったりだろう、それに部屋にあたたかい雰囲気を与えてくれる。

窓のためにあれこれ選ぶのは単調で退屈だが、エリクはキャスリーンと店の室内装飾家《デコレーター》にまかせっぱなしにしてほっとしていた。デコレーターは正確な寸法を測るために、今週末、時間を決めて、彼のアパートまで来てくれることになった。

「後で、ヘッドボードがほしくなるかもしれないけど、今はベッドの背後の壁をすてきな色に塗ることを考えたほうがいいわ。それから壁に明るい色の枕を何百と並べておくの」

「何百も?」彼はチョコレート・ソーダを音をたてて吸いながらからかった。二人は〈ギラデリーズ・チョコレート・マニュファクトリー〉で休んでいた。

「うーん、それか何十くらいね」彼女はスプーンの先の甘い泡をなめながら微笑んだ。目を上げてびっくりした。エリクがじっと唇を見つめている。舌がそのなかに消える権利があるのを嫉妬している。青い瞳が彼女の瞳を探して少し上がった。二人のあいだをさっとお互いを求める気持ちが流れた。

「何の話だった?」彼がかすれた声で聞いた。今日がどんどん過ぎていくのを取り戻したい。けれど目は言うことをきかなかった。煽られ、視線を下げて彼女の乳房を見た。彼女は見られているのを感じて、乳首が自然に誘惑するようにぴくっと動いたと思った。

「ベッドルームのことを話していたんだわ」キャスリーンは息がつまった。このままでは危なすぎる。どんどん彼の興味が危険な方向にさまよい、彼女も魅惑的な深い淵の崖っぷちに引き入れられそうだった。てきぱきと事務的な話をしよう、そのほうが安全だ。「壁に塗る色を選んで、塗料を買いましょう、それから枕を探すの。運がよかったら、ぴったり合う、あまり高価じゃない椅子を見つけられるかもしれないわ。ベッドの足元に籐《とう》のトランクを置くというのはどうかしら、機能的だし、すてきな飾りになると思うけど」

彼は身をかがめて、唇を直接彼女の耳にあててささやいた。「ぼくのベッドのそばに置きたい、機能的で、すてきな飾りをひとつだけ思いつくよ。彼女は太陽の光で炎のように輝く赤褐色の髪をしている。目は緑色、きらきらしていて、うっとりするほどきれいな黒っぽい睫毛が囲んでいる。こんなことをぼくに話させたくないなら、なぜシルクのブラウスに、グローブのようなセクシーでかわいいお尻をくっきりと浮き上がらせるぴったりしたレザー・ジーンズをはいてきたんだ？」

彼は彼女から離れた。キャスリーンはやっと動揺する自分を抑えた。彼の言葉と声の調子に催眠術をかけられたみたいだった。彼の目にはありありと欲望が見える。口ひげが唇のまわりでいばったようにカールしている。彼にはわかっているのだ、彼女の分別を失わせたのが。彼に仕返しをしたかった。

「わたしのほうこそずっと聞きたかったわ。右側の口ひげの下にえくぼがある？」

「あるかもしれないし、ないかもしれない。自分でみつけてくれ」彼が挑戦するように言った。

突然、また形勢が逆転した。彼女は思いのままに彼をなじれなかった。彼はまだ一点勝っている。けれどそれがなんだっていうのだろう？　ゲームそのものが楽しい。「いつかね」彼女は互いの目が合ったとき、静かに言った。

「楽しみにしているよ」

二人はそれから二時間もしないうちにショッピングを終えて、彼の車に向かった。彼は配達員が来てくれる日時を覚えていられるかな、とぶつぶつ言っていた。

車がカーホフ家の屋敷の小道に入っていっても、二人はまだお互いの存在をあたたかく感じていた。彼は車の助手席にまわって、彼女のためにドアを開けた。玄関のほうへ歩きながら、彼女は彼の顔を見上げたけれど、本能的にすぐ庭のほうをちらっと見た。心臓が止まりそうだった。急にエリクから離れて、猛烈な勢いで走りだした。

「セロン！」彼女の叫び声が響きわたった。

15

よちよち歩きのセロンがプールの飛びこみ台を走っていた。先端でいったん止まって、待ち受けている大好きな水を見下ろすと、楽しそうに笑って、あっという間に飛びこんだ。

「セロン!」キャスリーンはもう一度叫んだけれど、今度は声にならなかった。恐怖に喉がこわばり、声が出なかった。深い水のなかに、小さな金髪の頭が呑みこまれるのを見ながら一生懸命走った。プールのレッドウッドの敷き板にようやく着いた。そのとき後ろから猛烈な足音がして、彼女を地面に押し倒さんばかりの勢いで、エリクが追い抜いていった。一瞬も躊躇することなく敷き板から飛び込み、プールのなかに頭から突っこんだ。キャスリーンは永久かと思えるほど、プールの縁に立っていた。エリクが水面に姿を現すまで、実際は二、三秒しかたっていなかっただろう。腕にセロンをしっかりと抱きかかえていた。

セロンは息を切らしていたけれど、エリクがプールの縁に跳び上がったとき、水を吐いた。エリクがセロンを抱え上げて、心配で待ち受けていたキャスリーンの腕にのせた。

キャスリーンは子どもの名前を呼ぶ哀れな声が、自分のものだとわからなかった。「セロン、セロン」小さな体を抱きしめながら、泣き声になっていた。

セロンはあやういところを助けられ、安心したところに母親の心配をじかに感じたせいだろう、また一緒に声を上げて泣きだした。

「ああ、かわいそうに、よかったわ」キャスリーンは愛しい子どものぐっしょり濡れた髪を後ろになでつけると、生きていることを確かめるように顔をなでた。

エリクはプールから出てきた。彼女とセロンのそばにひざまずいて、二人をなだめようとしたとき、服からざあっと水が流れ出た。

「エリク」キャスリーンはまだどきどきしながら彼を見た。「この子が水に飛び込んで。そのとき、わたし……わたし――」もう先を続けられなかった。小刻みにふるえているセロンを抱きしめたまま、エリクの肩に弱々しくもたれかかった。

「わかってるよ、キャスリーン、ぼくも生きた心地がしなかった」彼の声もふるえている。

三人はようやく少し落ち着いてきた。セロンがエリクのパンツから水がしみ出てくるのを見ながら、膝を叩いた。キャスリーンは目を上げて、パティオにちらっとヘイゼルの姿を見た。ほかの人たちはどこにいるのだろう？　最初のパニックがおさまると、ことの重大さがずっしりとのしかかってきた。

「セロンはこんなところでひとり、何をしていたの？」彼女が聞いた。

「ぼくも知りたかったよ」エリクは抱いていたセロンを守るように、強く自分のほうに引き寄せた。

ヘイゼルが芝生を横切ってプールに走ってきたのと、ジョージとアリスがセスを助けて車椅子を押して、パティオのドアを入ってきたのと同時だった。

「どうしたんだ?」セスは驚いた声で聞いた。

三人は口々にどうしたんだと言いながら、近づいてきた。

エリクは責任を引き受けるように、両手を上げた。キャスリーンはジェイミーが、川から姿が見えなくなった日のことを思いだした。その日も、彼はみんなを静かにさせたのだった。

「ぼくたちにもわからないんです。車でここまで帰ってきたとき、セロンが飛びこみ台から飛びこもうとしていた。声をかける間もなかった、あっという間に飛びこんで、でも幸運だった、すぐに彼をつかむことができた」

「わたし……どうしようもなかったの」ヘイゼルがおいおい泣きだした。みんなはいっせいに彼女を見た。キャスリーンは今まで彼女が泣いたのを見たことがなかったけれど、確かに目には涙があった。「わたしたち、パティオで彼の小さなトラックで遊んでいたのよ。彼は……わたしは……雑誌を見ていて。キャスリーンの悲鳴が聞こえて、目を上げたら……。彼がプールのそばに行ってたなんて知らなかった。いつの間にか行ってしまったんだわ。わたし……わたしは……ああ、セス」顔をくしゃくしゃにして、両手で顔をおおい、自分の不注意が信じられないというように首を振った。

「さあ、さあ、みんなもう大丈夫なんだから」セスはなだめた。「セロンは助かった。しかし、これからもっと注意して彼をみてやらないといけないよ、ヘイゼル。この子がどんなに好奇心いっぱいか、わかってるだろう」

ヘイゼルはみんながセロンのほうに注意を向けても、なおも両手で顔を隠したままうめくように泣いていた。セロンのほうはすっかり元どおり元気になっていた。

キャスリーンはヘイゼルから目を離さなかった。みんなはいたましい状況のあとで、ほっとして、エリクとセロンがパティオに作った水たまりを笑っていた。もうキッチンの隣の洗濯室に行ったほうがよさそうだ、アリスが着替えを持ってきてくれる。セスは手をのばして姉の手を強く握った。それからみんなの後に続いて、車椅子で家のなかに入った。セロンはまだエリクの腕のなかに、しっかりとかかえられていた。

キャスリーンはパティオを囲む低い木の陰に立って、引き上げていくみんなを見つめていた。

ヘイゼルはひとりと思ったのか、先ほどの後悔で打ちひしがれた態度から一変して、肩をいからせ、そっと悪態をついた。向きを変えて、急いでテーブルから自分のものを拾い上げた。家のほうへ行こうとしたとき、キャスリーンが少し離れたところで、自分を見ているのに気がついた。両手が宙でこわばり、息を大きく吸った。

「キャスリーン、驚いたわ。なかに入って、息子の世話をしたらどうなの?」

キャスリーンは二歩前に進み、義理の姉のすぐそばに来た。「わたしも驚いたわ、ヘイゼル。殺人をうまくやりおおせると思ったの?」

ヘイゼルはキャスリーンの目に危険なものを感じて、本能的に後ろにさがった。「何のことを言ってるのかわからないわ」声に無理に自信をにじませ、背をまっすぐにのばした。

「わかってるはずだわ。あの人たちをだました演技のことよ」もうみんなはキッチンにいるはずだ。「でもあなたの涙は計画を邪魔されたフラストレーションで、ご自分が不注意で悪かったという涙ではないわ。あなたはセロンがどこにいたのか、ちゃんと知っていた。あの子が溺れ死んだら、あなたには都合のいいことになったんじゃないかしら?」

キャスリーンは腕をのばして、びっくりするような力で、ヘイゼルの手首をぎゅっと握りしめた。「もしわたしの息子が事故に遭って、あなたが少しでも彼の近くにいるようだったら、セスとの仲を終わらせますよ。わかったわね、ヘイゼル? 彼にあなたの正体をわからせる。彼もわたしの言うことを信じるわ。彼はあなたを愛しているけれど、もっとわたしのことを愛してるんですもの。今度はセロンの命を危うくさせるようなことをする前に、もう一度ゆっくり考えるのね。あなたはすべてを失うことになるわ」

ヘイゼルは彼女の手を振りはらって自由にした。キャスリーンの目をしっかりと見据えて、力のないかすれた笑い声を出した。「わたしがあなたのことを怖がるとでも思ってるの?」

「ええ、思ってますよ」キャスリーンは互角に対した。「そうでなければ、小さな子を攻撃しようなんて思わないはず。あなたって、やさしさのひとかけらもない、わがままで、策略家で、臆病な人。喧嘩したかったら、直接わたしに向かってきて。けど、警告しておきます、それは意味のない闘いになるわ、だって、わたしはあなたのものは何もほしくないんですもの。わたしはセスとセロンとわたしとで、静かにやすらかな生活をしたいだけ。あなたの安全は、それによって脅かされることはないわ」

「わたしはあなたのような、だらしのないふしだら女を、わたしの家、わたしの生活に入れたくないのよ！」ヘイゼルの顔は怒りでまだらになり、赤くなっていた。「弟に、あなたがどういう人なのか、もしできるなら証明してみせるわ」こぶしを両脇で強く握りしめ、体はぴんと張った弓のようにはりつめていた。キャスリーンはヘイゼルが発作を起こしそうなのがわかった。

「わたしが言ったことをちゃんと覚えていてくださいね、それにどんな賭をしているのか、よく注意しておくほうがいいと思うわ」キャスリーンはヘイゼルの脇を通って、怒りで体をふるわせている彼女を残していった。

キャスリーンはまぶしい明かりのついたキッチンを通り抜け、静かなファサードに姿を現した。心の底でまだふるえていた。恐ろしい事故そのものはもちろん、明らかに頭がおかしいヘイゼルとの口論のことで興奮が冷めなかった。いたいけな子どもを、どうして個人的な争いごとに巻きこめるのだろう？　捨て鉢でサディスティックな女だと思う。でもなぜ？　ヘイゼル・カーホフは何がほしいのだろう、何を持っていないのだろう？

彼女は無理をしてセスの顔に微笑みかけた。「キャスリーン、どこにいたんだ？」答えを待たずに続けた。「エリクが言ってたが、今日、きみたち二人はあちこちまわって、すばらしいものを選んだらしいじゃないか。彼はとても喜んでるよ」

彼女はエリクを見上げた。じっと心配そうに見ている。「彼の好みと同じだったので、選ぶのは楽でした」

エリクはセスの普段着を着ていたが、少し小さいようだ。「セロンはどこ?」彼女はまだ心配だった。

「二階で、ディナーの前に少しやすんでおられます」アリスが答えた。「ぐったりしてましたので」

「きみも二階に行って、少しやすんだら?」セスがキャスリーンの手をとって、かわるがわる指にキスをしながら勧めた。「胸が張り裂けるような経験をしたんだから。風呂に入って、しばらくくつろいだらいい。ディナーの準備の前に少し時間があるだろう。普段着に着替えたらどうだね。今夜はステーキよりも、ロブスターをボイルすることにしたよ」

「まあ、楽しみだわ」キャスリーンはかがみこんで、彼の唇にやさしくキスをした。「では、あなたのお考えどおりにします。失礼させていただきますわね」それから笑った。「とにかく、ここにはたっぷりと料理人がいるみたいだから」

ジョージが天板の上にクッキーの生地を並べていた。エリクはサラダをまかされていた。セスはロブスターの係だ。アリスは三人に目を光らせている。

「どうだね?」セスがからかって言う。「きみは必要ないよ。二階に行って、休むんだ」

彼女は疲れていた。みんなが見えなくなると、やっと体から力を抜いてゆっくりと階段を上る。這うようにセロンの部屋に入っていった。ベビーベッドをのぞきこんだ。柔らかな頬を指でなでながら、顎についたよだれを見て微笑んだ。プールでのことを考えると、また喉が痛みでつまり、ふるえながら息を吸った。

お風呂はゆっくりと入った。セスが持っていくように勧めてくれたホワイトワインを飲む。湯気のたつお風呂を出る頃には、手足の疲れがとれ、のびやかになった。ベッドで寝るつもりはなかったけれど、見ると誘惑に勝てそうになかった。上掛けをはぎ、シーツの上に倒れこんだ。いつもの習慣で枕をしっかりと引き寄せて、すぐに眠りに落ちた。

かすかなばたんという音に目が覚めた。すぐに起きあがったけれど、疲れで頭がはっきりとしない。音はセロンの部屋のほうから聞こえた。母性本能で、すぐに心配になって部屋を出ながら、ひどい格好をしていると思った。白いアイレット（円い小穴のついた）の部屋着に、急いでウエストにサッシュを結んだだけだ。そのまま息子のベッドルームに通じるドアを開けた。

エリクがベビーベッドをのぞきこんでいた。彼女はほっとしてドアの枠にもたれた。「どうした？」目を上げて、彼女の平静を欠いた顔を見て、すぐに聞いた。

「何も、ただ、わたし……」

「きみを起こしてきてくれと言われたんだ。部屋のドアを開けたら、あんまりぐっすり眠っていたので、とてもそんな気になれなくて。まず船長《キャプテン》を起こそうと思って」彼がにっこり笑ったので、いっぺんに気持ちがほぐれていった。眠っている我が子の上に身をのり出すようにして見ている光景が、心をなごませてくれる。

厚いカーペットを裸足のまま、音がしないように歩いて彼のそばに近づいた。これまでの二年間、こうやっているのがあたりまえだったのだ。二人で、セロンの子どもらしさを楽しめたはずだったのだ。それを、彼女はどうして彼のせいにできたのか？　彼らの仲を裂いたのは、彼女自身の愚かさ、若さゆえの間違いのせいだった。

「あなたにあやまらないといけないわ、エリク」

「ぼくに？」眠っている子を起こさないようにそっと聞いた。

「わたしがあれほど幼稚でなかったら、あれほど自分に自信をなくしていなかったら、けっしてあなたが結婚しているなんて思わなかった。とっさにあんなふうに思いこむなんて。事実も確かめないで、逃げ出してしまったりして」首を振って彼の目を見上げた。いつもとは違うやさしさがはっきりとにじみ出ている。「どんなことがあっても……わたしたちのあいだに……子どもが……」彼女の声はかすれてきた。「あなたに息子のことを知らせるべきだったんだわ。ごめんなさい」

　彼がうなだれた彼女の顎を、上に向かせた。「今さら何を言っても遅すぎるよ、キャスリーン。この二年間、ぼくだってそれほど模範的な生活を送ってきたわけじゃない。誰にも知られたくないくらいだ。怒り、傷つき、幻滅していた。世界中のみんなに、ぼくと同じ憎しみを味わわせたかった。そんなことを後悔してるよ、きみのようにね、でももう起きてしまったんだ。だからもう忘れよう」

　彼はもう一度セロンを見下ろした。ふっくらした腕やこぶしをなでる彼の手は、セロンの白っぽい肌よりも浅黒かった。「きみはよくやったよ、キャスリーン。この子はすばらしい」

「ええ、ほんとうにすばらしいわ」見えない力で引き寄せられたように、彼女は彼のそばによりそって、自由なほうの手を握った。彼はしっかりと握りしめた。

「痛かった……その……なんというか……産むとき?」キャスリーンはやさしく微笑んだ。男は出産のことを話すとき、自分の子どものように幼くなるものだ。「それほどでもなかったわ。この子、おなかのなかでかなり大きくなったけど、産婦人科医がとても上手な人だったので。わたし……」ばかな話を始めたと思ってやめた。

「何?」彼は知りたくて、彼女を見ながらもっと引き寄せた。

「あなたが彼に——そのドクターに会えればいいなあって言うつもりだったの。とってもやさしくしてくださったから。彼が手術をするはずだったのよ、わたしがやめる決心をするまでは」

彼女の手を握っていた手の力が、鉄のベルトのように強くなった。「ああ! きみは地獄の苦しみを味わってたところだよ」

彼女は頭を彼の力強い腕にもたせかけた。「もう忘れたほうがいいわ」セロンが眠りながらおしゃぶりをする音がしたので、二人は低い声で笑った。「今日、この子の命を救ってくれて、まだあなたに感謝してないわね、エリク」

彼は彼女の顔をじっと見つめた。「ぼくが感謝してもらいたいなんて、ほんとうに思ってるの?」彼女は黙って首を振るのが精いっぱいだった。彼の熱を帯びた青い瞳がじっと彼女を見つめていた。「ぼくだって、彼に命を与えてくれたお礼を言ってないんだよ」彼はさらに近づいて、間近に彼女を見下ろした。「ぼくの息子をありがとう、キャスリーン」彼女の頬を唇でさっとなでた。「自分で彼に乳を?」

　彼女の乳房に目をやった。その上にはおったものは心臓が動悸を打つたびに揺れている。

「ええ」彼女の声はかすれていた。

　彼の指は喉元から、乳房がなめらかに隆起したところをたどっていく。指で焦がすような熱い思いがこもっていた。「こんなことってあるのかな」指の力が強くなる。「自分の息子に嫉妬してる。きみがどこにいるのかわからないときに、息子はきみのそばにいてかわいがってもらったんだって。それで、彼に嫉妬するなんておかしい?」

　キャスリーンは感動しながら、その言葉を発している唇に引き寄せられた。唇の動きから、シルクのような口ひげから、すぐ消えるえくぼから、そして唇からのぞく白い歯から目が離せない。「わたしはここにいるわ」彼女はささやいた。

　彼は懇願するように彼女の目を見て、大胆に誘っているのを感じ取った。少しためらったけれど、サッシュを引っ張ると部屋着の前が両側に開いた。両手をそのなかに滑りこませ、彼女の滑らかなサテンのような肌をなで、ウエストのほうへおろし、白いアイレットを脇に押しのけた。長い重々しい時間だった。そのまま彼女を見つめ、目で彼女の体をあからさまに、大胆にたどった。

　両手を上げて、ゆっくりとカップのように乳房をおおい、口のほうへ持ち上げる。自分の子どもに栄養を与えた乳房へ、ひとつずつ賞賛の気持ちを与えた。

　彼がほかのところを調べるように少し彼女から離れたので、彼女の体が平衡を失って揺れた。彼は両手で彼女のおなかをなでた。「妊娠線がないね」ごく小さな声でささやいた。「パーフェクトだ、傷がない。母親になって、ますますきみは美しくなった」指がしだいに下がり、赤褐色の三角形の形のヘアをとらえた。やさしくなでまわす。彼の巧みな手の動きに、キャスリーンは思わずため息をついた。

それから、両手を彼女の体にまわし、豊かなヒップを楽しみながら、すでにはりきっている自分の前に彼女の腰を持ち上げた。二人のおなかがぴったりと合い、彼女の乳房は彼の胸に押しつぶされそうだった。とうとう二人の口が重なり、体と同じように心も溶け合った。

キスは完璧で激しかった。彼の舌が少しずつ唇を突き、キャスリーンが与えられる贈り物を、体中で喜んで受け入れるまでじらす。なかに入れると、舌を淫らに動かして口のなかを探り、いちばん奥深い秘密のところを探しだして貪欲《どんよく》に味わう。

彼女はひげが生えた彼の頬に手を置いて、自分から引き離した。口を彼の口に寄せる。じらし、悩まし、味わい、ほのめかす。そして、与えた。

次は彼がキスをする。舌を何度も彼女の口に入れ、もっと深く体を合わせたいと誘った。二人は固く抱き合い、腰を強く押し付けて、もどかしそうにお互いの体をこすり合わせた。

「ママ」

甘えた声に、二人はさっと離れた。どうしていいかわからず、ベッドの上でぴょんぴょん跳んでいるセロンを、二人ともぼうっと見下ろした。キャスリーンはあわてて部屋着の前を合わせた。

「セロン、いつ目が覚めたの?」彼女はよろめきながら聞いた。

彼は笑い声をあげて、両腕を振っている。

「ふざけっこの仲間に入りたいんだよ」

「エリク」キャスリーンはびっくりして、急にひんやりした両手で顔を押さえた。「この子が起きてくれてよかった。みんながなんと思うか……こんなことを二度としちゃいけないわ」ほんとうにそうだ、夫の家で夫を裏切るようなことをしそうになっていた。罪の意識でエリクからさらに離れた。彼の目と合ったとき、恥ずかしさで胸が苦しかった。「わたしたちはセスの家にいるのよ。わたしは彼の妻なの」

エリクはまじめな顔で彼女を見た。「そのことをもっと早く、ぼくに思いださせてくれればよかった。ぼくだってセスを裏切りたくない、だがきみに会うと判断力がなくなるんだ、キャスリーン。そのことはいつもぼくの心から消えたことはないよ」

彼女はベッドルームに戻って手早く着替えた。指がもつれていらいらする、誰かがこんなに紅潮した頬や、濃厚なキスではれた唇に気づいたらどうしよう。

約束したように、セロンとエリクは階段のいちばん上で待っていた。「そんなに罪悪感をもたなくていいよ、キャスリーン」エリクは小声でしっかりと言った。「何も起きなかったんだ。ぼくを信じてくれ、誰よりもそのことで胸を痛くしている」

表情がいかにも苦悶しているように見えたので、思わずキャスリーンは笑ってしまった。「サディストだな」彼は不平そうに言った。セロンを抱き上げると肩にのせた。セロンは小さな指で彼の頭につかまろうとして、髪にからませた。痛くて、エリクが「うわっ」と声をあげると、セロンが喜んできゃっきゃっと笑った。

三人は笑いながら階段をおりていった。セスが車椅子で近づいてきた。「そこだったのか！」彼が大きな声で言った。「こっちは捜索隊を出すところだったよ、セロンがきみたち二人を、ベッドの柱に結わえたんじゃないかと思って」みんなどっと笑った。セスがキッチンのほうへ行くように言った。今夜はそこでディナーだ。ヘイゼルは頭痛がすると言って、部屋で食事をするために出てこない。

廊下で、セスはいったん車椅子を止めた。キッチンのほうへ行く三人を見守りながら、すぐに後に続いていかなかった。誰も気づかなかったけれど、彼の顔には憂《うれ》いがあった。

十月はデパートにとっていつも忙しく、今年も例外ではなかった。いつものようにビジネスだけでなく、エリクの担当するコマーシャルの打ち合わせがあった。まず何本か、クリスマス商戦に間に合うように作ることになった。エリクはすぐに制作にとりかかった。みんなはいい広告だとほめたが、エリクが将来やりたいと思っている創造的なものではなかった。けれども、最初のコマーシャルが地域限定で放映されると、エリクの新しい会社は言うまでもなく、〈カーホフ〉のセールスがさらに伸びていった。

キャスリーンはエリクをたびたび見かけたけれど、セロンのベッドルームで起きたようなことは二度となかった。どちらも二人っきりにならないようにしていた。ほかの人たちがいつもまわりにいたし、二人ともそのように気をつかっていた。ビジネス会議がないときは、二人ともカーホフ家でディナーをとった。エリクのような年齢の独身者が、セロンと一緒に長いときを過ごすのはめずらしいかもしれないが、誰かがそのことに気づいても、格別とやかく言う人はいなかった。

あれ以来、ヘイゼルはキャスリーンに対して、いやがらせを言うことは少なくなった。しかし、キャスリーンは義理の姉に強く警告したのが功を奏して、意地悪な心を変えたのだと思うほど単純ではなかった。むしろヘイゼルは静かにしていることで、警告を発しているのだ。そのために、心のなかでヘイゼルのことをもっと恐ろしく感じていたし、ずっと気にしていた。

そういうことが続いていたので、エリオットと一緒に二週間、春物の買い付けにニューヨークへ行くことになって、キャスリーンはセロンのことが心配だった。

「アリス」キャスリーンは彼女がキッチンにひとりでいるときに、そっと近づいた。「わたしがいないあいだ、セロンをあなたひとりで見られるかしら？　もしかしたら、専門の人に助けを借りたほうがいいかもしれないわね。あの子はとってもやんちゃになっているから」

「もうこれで十回目ですよ、そのことをお尋ねになるのは。そのたびに同じことをお答えしてるんですが。わたしひとりで、セロンを大丈夫、お世話できます。彼をわたしにお預けになれないんでしょうか？」

それから、アリスは彼女を鋭く見つめた。「おっしゃっている意味はわかります。あの日のことをお考えになっているなら……その……プールでの事故を、きちんと知っていていただきたいんです。わたしはセロンをヘイゼルに預けたりしたくなかった。ここでディナーの支度をしていましたら、彼女が入ってこられて、セロンをもう少しパティオで遊ばせておいてやりたいと言い張ったんです。わたしは彼女に逆らうことができないんですよ、キャスリーン。でも拒みたかった。このことをどのようにあなたにお伝えしたらいいのかわからないんです。わたしのことを迷信深い古くさい人間と思うでしょうが、セロンを彼女に預けると、何か悪いことが起こるような気がしたんです」

ロには出さないけれど、言いたいことはキャスリーンにもわかった。アリスはキャスリーンの手を握った。「どうぞお出かけになってください、そしてセスのために良いお仕事をなさってください。彼はあなたにそれを期待しておられます。セロンのことは心配なさらないで。セロンのそばには誰も近寄らせません。お出かけになっているあいだ、ジョージに、ベビーベッドをわたしたちの部屋に入れるように頼んだんですよ」

キャスリーンは彼女を抱きしめた。心配事をあれこれ言わなければよかった、彼女はすべてわかってくれている。

出発する日、セスは二人を見送りに飛行場まで行きたがった。「きみが気に入ったものはなんでも買いなさい」彼は言った。「春の企画は派手にするんだから。そのことを忘れないようにね。商品を数点、早くつくれるかどうか、必ず聞いてくれ。大事なんだ。エリクがコマーシャルを撮影するのに間に合わせたい」

「言いますわ、忘れませんから」キャスリーンは笑いながら約束したけれど、エリクの名前が出たとき、喉がつまりそうになった。彼にはもう一週間以上も会っていなかった。「そんなにお仕事の心配をなさらないで」彼女はほんとうに気にかかっていた。近頃の彼はまたさらに弱っているように見えた。日増しに頬がこけて肌が黄ばんできている。目と口のまわりの疲れたような皺が深くなっていた。

「わたしのことは心配しないでいいよ。それにセロンのことも。楽しんできなさい。きみはめったに家族から離れて――」

「セス」大きな声で叱った。「やめて！　わたしは家族から離れたりしたくないんです」待っている乗客の好奇心いっぱいの視線にはかまわず、彼の椅子の横にひざまずいて、さよならのキスをした。

「愛してるよ、キャスリーン」彼は飛行機に向かう彼女に声をかけた。微笑しながら言う彼の口は美しかった。寛大で、情愛のある心をもったセス・カーホフ。やつれて疲労のあとがあったけれど、深みのある黒っぽい瞳は今までどおりきらきらしていた。

「わたしも愛してるわ」彼女は心から言った。

　キャスリーンはニューヨークを崇めるように愛していた。この街を訪れるたびに、エネルギーとバイタリティを奮い起こされる。コンクリートの摩天楼に住みたいとは思わないけれど、毎年五回、〈カーホフ〉の商品の買い付けでここへ来るのを楽しみにしていた。

とりたてて人にやさしい街ではないのに、彼女は大歓迎された。取引をするファッション・ハウスは彼女の気まぐれによくつきあってくれる。〈カーホフ〉は上得意だ。どのショールームに行っても、最高のもてなしを受けた。

しかもキャスリーンの女性らしい外見の背後に何があるか、店側はちゃんとわかっていた。仮にも有利に運ぼうとしたら、すぐ見破られてしまう。彼女にはビジネス感覚があることをみんな知っていた。

「ミスター・ギルバート、またお会いできてうれしいですわ」彼女は取引先の社長に挨拶した。忙しいショールームに、社長みずから、彼女とエリオットを出迎えに出てきたのだ。友だちづきあいのような気さくな挨拶に、社長はすぐうきうきとだまされそうになったけれど、すぐに、彼女を調子よく扱ってはいけないとさとった。

「おたくは、〈アイ・マグニンズ〉よりも二週間も遅く、わたしの注文を配送させたらしいですね」彼女はまだ愛想の良い笑みを浮かべたまま言った。「そんなことがまたあったら、支払いをしないで送り返しますよ。よろしい?」

ミスター・ギルバートのどぎもを抜かれた顔の色は、彼女のきらきらした緑色の瞳とほぼ似ていた。両手をすりあわせんばかりの態度で言った。「そんなことおっしゃらないでくださいよ、ミセス・カーホフ、どうして――」

「おたくの作品を拝見できますかしら?」彼女は平静に聞いた。

「今ですか、もちろん。ただいますぐに。ちょっとお待ちを……」いちばん口のうまいセールスマンをあたふたと探しだした。

買い付けのとき、エリオットは彼女には貴重な存在だった。毎晩、二人はその日注文したものを、予算と店の在庫目録とをチェックして検討する。そのとき、彼の超人的な記憶力にいつも驚かされた。

「この〈ヴァレンティノ〉で買ったオーガンディのひだのあるトップスは、〈アン・クライン〉のパンツと合います。パンツのサイズはいくつでしたか？　六、八、十か。各店舗にそれぞれ三サイズですね」彼は注文票を見ながら考えこんだ。「サイズ四から十までそろえませんか？　十二サイズには黒だけを買いましょう、それからそれぞれの店のために、ほかの色で、三つ追加するのはどうです？　ブルーは省いて。ぞっとするから、あの色は。このパンツはほかのブラウスと合うから、客はおそらく二つは買っていくと思いますよ。どうです？」

毎晩、キャスリーンは、エリオットが彼女の知らない人と、知りたくもない場所を探して出かけていくと、自分の部屋へ引き上げた。朝は彼女の知りたくないことで、彼は二日酔いになっている。けれどブラックコーヒー三杯と煙草の一パックを半分も吸えば、また七番街に出かけて、同じようにシャープな感覚で取引ができる。

〈カーホフ〉がファッションに関心の深い街で、ファッションを扱う店として、洗練され、堅実な評判があるために、二人はどこでもすばらしく歓待された。

ブラウスの製造業者のところへ行ったときだった。二人の気のない表情を見てとった熱心な業者が、まさに取引が終わりそうだと思い、大げさに商品を口ごもりながら売りこみだした。エリオットの我慢が切れて、何も書いていない注文票が置いてあるテーブルから立ち上がると、業者の手からそのブラウスを取り上げた。

「このブラウスのどこがよくないかわかりますか?」エリオットがあわてふためいている業者を無視して、キャスリーンに聞いた。

「蝶形のリボンね」彼女は躊躇なく答えた。

「そうです! このひどいリボンよ。これがなかったらすばらしいブラウスなのに」彼は業者のほうを見た。「このリボンなしでつくるなら、うちは各色、各サイズで六ダース注文しますよ。そうでなければ、この話はおしまいね」

「わたしは……」業者は口ごもってはっきり言えない。

「そして袖を直しなさい」エリオットは傲然と付け加えた。「これはスーツ用のすばらしいブラウスですよ。だけど、客は上着におさまりきらないと、買いません。ぼくは優美なスタイルが好きだが、袖の生地を半分にして細身の袖にしなさい」

「いいですよ、ミスター・ペイト。もちろんです」

「ブラウスはぼくたちが希望したようにして送ってもらえますね?」エリオットが礼儀正しく念を押した。

「かしこまりました」業者が神経質に言った。「わたし個人としてはリボンは取ろうと思っていました」

二人はランチの約束の〈ロシアン・ティー・ルーム〉に行くため、エリオットがタクシーを止めたときもまだ笑っていた。二人は昼も夜も接待で、最良のレストランに連れていかれて、ワインを飲み、ディナーをとった。キャスリーンはそれ以上の大胆な接待にはついていかなかった。くやしいけれど、エリオットはきちんと応じていた。

十日が過ぎた。キャスリーンは帰宅する準備が整った。予定より一日早く、二人は飛行機の便を早めて、サンフランシスコに戻った。彼女とエリオットは飛行場で別れた。むずかしい仕事をやり終えて、互いに喜び合い、たくさんのことをやってのけて満足だった。

キャスリーンはディナーに間に合って帰宅して、みんなを驚かせた。彼女のほうも驚いた。エリクがいた。彼はゴージャスな目のさめるような金髪の女性と一緒だった。

彼女の名前はタマーラと言った。

16

「キャスリーン!」セスが叫んだ。車椅子を動かして、あふればかりの喜びを浮かべ、ダイニング・テーブルをまわって彼女のほうへ来た。

彼女は笑いながらかがみこんで、彼のあたたかいキスを受けた。体を引いたとき、彼がいかにも疲れて見えるので胸が痛んだ。それにまたやせた気がする。顔がひとまわり小さくなって、頬がそがれて見えた。けれど瞳は前と同じように輝いて、彼女が帰ってきたのをほんとうに喜んでくれている。

「旅行はどうだった?」椅子まで彼女につきそいながら聞いた。ジョージとアリスが彼女の声を聞いて飛びこんできた。セロンがアリスの腕に抱かれている。「春の作品はどうだった? アリス、彼女にお皿を持ってきてくれ。セロンは車とトラックを言えるようになったよ。ダーリン、旅はうまくいったのかね?」セスは彼女を見てひどく興奮している。答える前につぎつぎと質問が出る。彼女ははにかんでいるセロンを強く抱きしめてまた笑った。

「とてもうまくいったわ、早く終わったので、明日まで待てなかったんです。とてもすてきなものを買いましたよ」彼女はテーブルをさっと見て、エリクと、ヘイゼルと、それから金髪の女性に気がついた。「失礼しました」口ごもった。「でも、まだ紹介されていませんね」

「ああ、これは悪かった」セスが言った。「きみに会えて興奮しすぎたんだ、礼を失してしまった。キャスリーン、こちらはタマーラ。タマーラ、わたしの妻で、もっとも有能な右腕の、キャスリーンだ」

「はじめまして」キャスリーンが礼儀正しく言った。

「ハーイ」タマーラはそれだけだった。

エリクが初めて口を開いた。「元気だった、キャスリーン？」声にはほんとうに心がこもっていた。温かく包みこんでくれる。その音色だけで、彼女を感動させる豊かな、深い、男性的な声だ。

彼のそばに行って、力強さと温かさを感じたかった。でもそんなことはできない。大勢が見ているし、彼の隣には魅力的な女性がいる。彼があえて彼女の家へ連れてきたのだ。「元気ですよ」ちょっと彼を見て、そっけなく答えた。

「アリス、セロンをもうキッチンに連れていって」ヘイゼルが命令した。

「いいえ」キャスリーンが冷ややかに止めた。「想像した以上に、この子がいなくて寂しかったんです。今夜は彼も一緒にダイニングルームでいただきたいわ」キャスリーンの目は挑戦するようにヘイゼルを見た。

「もちろん、そうでしょうとも」ヘイゼルは愛想よく言ったけれど、キャスリーンに向けた目は冷酷そうだった。

キャスリーンはナプキンを膝にのせて、エリクの隣の魅力的な女性のほうを見た。背が高そうだ。タマーラの姓は？　必要じゃないってこと？　彼女に会えば、忘れられるはずがないから？　髪は月光のように、想像できないほど薄い色の金髪だ。念入りにわざとくずして、顔のまわりを取り囲み、背中のなかほどまでたらしている。自然で野性的だ。琥珀色の目にひそむ、猫のようなずるがしこい感じにマッチしている。冷静で計算高い感じがするけれど、エリクの目に合うと、うっとりとした温かいまなざしになる。テーブル越しでさえ、キャスリーンには、その視線に火花が散っているのを感じた。

エリクがタマーラの誘うようなまなざしに、ものうげににやっと笑うのを見て、キャスリーンは食べているものがごみのように思えてきた。なるべく二人を見ないようにして、セスがセロンと店のことを話すのに耳を傾けようとしたけれど、できるはずがなかった。

タマーラの体にぴったりしたドレスは白で、日に焼けた肌を引き立たせていた。キャスリーンのところからでも、ドレスの生地はパーフェクトな、均整のとれた体の輪郭をくっきり浮き上がらせていて、想像する余地などなかった。

「きみが終わったら、キャスリーン、リビングルームのほうに行こうと思うが」セスが言った。「でもちゃんと食べてないようだね」

キャスリーンは言われて自分のお皿を見た。ほんとうにほとんど食べ物が残っている。「飛行機でスナックをいただいたから」できるだけ明るい声で言って、セロンに手をのばした。

エリクはタマーラの肘に手をかけ、しっかりと自分のほうに引き寄せてリビングルームのほうへ案内した。ヘイゼルがセスに個人的な話をしていたので、キャスリーンをエスコートするのはセロンだけだった。

タマーラは当然のように長いソファに腰をおろして、エリクの腕と腋《わき》のあいだに彼女の細い腕を通した。彼の腕が並はずれて大きい彼女の乳房を押しつけている。

こんな二人を見せつけられて、自分は小さな珊瑚のビーズの糸を嚙んでいる息子と安楽椅子に坐っている。大声で叫ばないのが不思議なくらいだった。多分、彼女は疲れて、皺が目立ち、いかにも結婚している女という感じに見えるだろう。それに比べて、タマーラは若くて、みずみずしく、男を挑発しているようだ。

ジョージが儀式のように、重い銀のトレイの上にコーヒーのセットをのせてきた。キャスリーンには今夜はすべてがいらいらする。どうしてみんなキッチンに行って、スツールに腰かけ、パーコレイターから、厚く重いマグにコーヒーを入れないのだろう？　BJとエドナとかわしたおしゃべりがなつかしかった。冗談を言ったり、温かな会話が流れた格式張らない生活がないのが寂しい！

モアーレの壁や、ブロケード（繻子地に多彩なデザインを浮き織りにした紋織物）のソファや、造花にうんざりした。もっといやだったのは、背の高い、しゃなりしゃなりとした金髪の女性が、いっこうにエリクから手を離さないことだった。

「あなたはセロンと一緒に坐っていて、キャスリーン。今夜はわたしに注がせてね。旅行で疲れているでしょうから」あいかわらずヘイゼルは二枚舌だ。評判を落とすことなく、こんなことをやってのける。それがキャスリーンには脅威になっていた。ヘイゼルから目をそらしたとき、ちょうどタマーラがエリクにもっとすりよっているのが見えた。

そそるようなしぐさで、太腿を彼の太腿にこすりつけていた。彼は無意識に彼女の膝を叩いている。キャスリーンはできるなら、喜んでまずこの女を、それから彼を殺したかった。

でも、キャスリーンに嫉妬する権利があるだろうか？　エリクは男ざかりだ。彼女は結婚している。彼は彼女をこれからも愛するとは言ってはいない。彼が彼女の体にまだ欲望を抱いていること、そして彼の息子の母親として好きなことはわかっている。けれど、彼女を愛しているだろうか？　彼は決して言葉でそのことを伝えていなかった。

彼がもしそんなことをしたら、果たして二人にとって良い結果になるのか？　彼女はセスから別れられない、そしてそのことをエリクは知っている。彼にはあらゆる理由がそろっている、誰かに……誰かと会うことについて。けれど、どうしてその相手がこんなに若くて、美しくなければいけないのだろう？　こんなにセクシーで？　それになぜキャスリーンの家に連れてこないといけないのか？

その質問はすぐに答えられた。

「キャスリーン、エリクは春のコマーシャルのために、斬新《ざんしん》なアイディアを考えだしてくれた。彼は撮影で熱帯に行きたいらしい。どう思う？　すばらしいと思わないか？」セスの顔は期待で輝いている。

「そうですね」キャスリーンは微笑をつくって言った。

「すばらしいアイディアだと思うわ」ヘイゼルが陰険な微笑を浮かべて、キャスリーンを見た。

「彼はタマーラを、街のタレント・エージェンシーで見出した」セスが急いで続ける。「彼女はすべてのコマーシャルに出ることになる。もちろんほかのモデルも出るが、すべては彼女を中心に置く」セスがタマーラを見たので、彼女はさっとウインクした。「美しいだろう？　夏の薄いものを着て、海辺に立っている彼女がもう見えるようじゃないか？」彼は笑った。「さあ、エリクの考えを聞こう！」

エリクも笑って、タマーラを賞賛するように見た。「とてもすばらしいです」

キャスリーンが急に立ち上がったので、セロンが驚いて、彼女のブラウスに、濡れたおしゃぶりを落とした。「わたし……きっとそのコマーシャルはすてきになると思いますわ。お会いできてうれしかったです、ミス……ああ……タマーラ。失礼をお許しくださいね。わたし……」彼女は息ができなくてあえぎ、きりきりと刺すような頭痛がした。「とても疲れてしまって。おやすみなさい、ヘイゼル、エリク。おやすみなさい、セス」彼女は彼のそばに行って、急いで頬にキスをした。

「キャスリーン――」

「朝、お会いしますわ」彼の話をさえぎった。誰かが答える前に、セロンと一緒に二階へ引き上げた。そこは、ほかの人から侵されない、エリクと一緒に熱帯へ出発する女性のいない部屋だ。

帰ってきた翌日、キャスリーンは家にずっといた。旅行で彼女が考える以上に疲れていたことと、昨夜のことで何度も目覚めて、疲労がとれなかったのだ。その日はゆっくりと過ぎていった。時々、少しでも寝ようとしたけれど、すっと眠りに入ろうとするたびに、脚の長い金髪の女性に腕を組まれたエリクの夢をみて目が覚めた。そしてカーペットの上を歩きまわり、嘆いては、セスを裏切ることになると思って良心の呵責を感じた。実際に行動に移さなくても、心のなかは責められていい。

その次の日から仕事に戻った。エリオットは旅行中、少しも疲れを見せなかったが、帰ってきてからも同じだ。いっそう元気になったようで、来シーズンの計画を熱をこめて話すので、しだいにキャスリーンの神経にさわりだした——ほかのことと同じように。

十一月の初めからクリスマスまでは、この業界の人にとっていちばん忙しいときで、〈カーホフ〉も例外ではなかった。さらに、セスはコマーシャルの用意で、もっとみんなを忙しくさせていた。カリブ海のロケは十二月の初めに計画された。

キャスリーンはそのことに関わりたくなかったけれど、どっぷりとつかることがわかってきた。

「不可能ですよ、それをおわかりなんですか?」彼女は声を荒らげた。みんなはセスの部屋で、ロケの予定表を見ながら話し合っていた。彼女は椅子から跳び上がるように立った。本棚の前へ行って、腕で胸を抱くようにして背をもたれさせた。こんなことをどのくらいすればいいのだろう？　一週間にこれで三度目の会議だ。エリクに会わないようにしたいときに、皮肉にも彼と深く関わり合うようになった。

「キャスリーン」セスは気長に言った。「どんなにきみを困らせているか、わかってるつもりだ。だが、コマーシャルをオンエアするためには、エリクは年があけたらすぐに制作にとりかからなくてはいけない。だから品物が早急に必要なんだ」

彼女は向きを変えて二人を見た。エリクは無頓着に椅子に坐って、前に脚を伸ばしている。ひそめた眉の下からじっと彼女を見ていた。そんな態度はいやだ、いたたまれなくなってくる。

「わかってますよ、セス。わたしは愚かじゃないですから」彼女は表情を変えずに言い返した。「衣類を、たとえサンプルでも、そんなに早く送らせるのがどんなにむずかしいか、おわかりになってるんですか？　製造業者がなんと言うか、一社でも協力してくれるかどうかわからないんですよ。すぐに笑われるに決まってますよ」

「きみがどんなプレッシャーのもとで働いているか、それにできる限りの努力をしてくれているのもわかっている。だが、コマーシャルに、前のシーズンのファッションを使っても無駄だ。わたしは新しいものだけがほしい」

「わかってます、それはわかってるんです」セスはそのことをもう何度も言っている。彼女はそれを彼に思いださせるように、うんざりした声を出した。「あの人たちは、まだ次のシーズンの製品を裁断もさせてないんですよ」不平そうに言った。「わたしに早く知らせてくだされぱいいのに。わたし、ニューヨークから戻ったばかりなんですよ、おわかりですか?」

「ああ」セスは彼女の皮肉な口調にも動じずに言った。「そして、エリオットがわたしに言っていることが正しければ、七番街の業者たちを魅了したそうじゃないか。きっときみだったら、彼らに少しは——いや、訂正しよう——大きな好意を期待できるんじゃないかね」

彼女はため息をついた。両方の肩をぐっともち上げると、大げさにがくっと下げた。「その子のサイズは?」

「タマーラだ」エリクが言った。「彼女の名前はタマーラ」

「失礼しました」キャスリーンは気取ってあやまった。「タマーラのサイズはいくつかしら?」

「八だ。きみが楽になるように、ぼくたちはすべて八サイズのモデルをつかっている」

「それはとってもありがとう」彼女はわざとやさしく言うと、睫毛をしばたたいた。「あなたにはわからないでしょうね、あなたのお気遣いのおかげで、どんなにわたしが不可能なことをやらされているかが」

部屋中に深い沈黙がおおった。三人は互いに目をそらしたままだった。キャスリーンはすぐに自分の子どもっぽい皮肉を恥じた。自分はどうかしたのだろうか?

「エリク、ちょっと席をはずしてくれないか」セスは長い緊張した時間のあとで、静かに言った。

「わかりました」彼は椅子から長身の体を折り曲げるように立つと、ゆっくりと部屋から出ていった。

キャスリーンが袖のゆるんだ糸を引っ張っているあいだ、さらに沈黙が続いた。セスが先ほどの慎みのない態度を怒鳴らなければ、彼女のほうが爆発しそうだと思った。先に彼女が口を開いた。「ごめんなさい。あなたの仕事のお仲間の前で、困らせることを言ってしまって。すみませんでした」

彼が何も言わないので、彼女は彼をじっと見つめた。彼の目には非難も怒りもなかった、ただ心配そうだった。「キャスリーン、どうしたんだね?」声はベルベットのように柔らかく、静かで、やさしかった。もし非難されたら、向かっていっただろう。けれど、説得力のある声は、傲慢な彼女の心をこじあけた。キャスリーンは負けたと思った。

「わからないわ」

「こっちに来なさい」彼は言った。彼女は逆らわなかった。車椅子のそばに行くと、セスは彼女を膝の上にのせた。彼女が妊娠していることを、彼に打ち明けた日のようだった。「ほんとうにどうしたのかわからないのかね? このところきみらしくないんだよ。どこか悪いところがあるなら、知りたいんだ。きみを助けてやれないだろうか?」

「まあ、セス」彼女は彼の首に向かってうめいた。彼のやさしい腕が彼女を抱いた。なんてやさしい人だろう。もし彼女が彼の友人を愛していて、そのエリクはセロンの父親だと言っても彼女を許してくれるだろう。彼の愛は無条件だ。けれど、そんなことをして彼を傷つけたくなかった。彼女は彼を心から崇拝していた。

「何で悩んでいるんだね? エリクのことなのか?」

彼女の心臓は止まった。セスはもう知っていたのだろうか? エリクと一緒にいるとき、エリクを見るまなざしが不注意すぎたのだろうか? エリクとセロンが似ているのを見抜いたのだろうか? それは日増しにはっきりしてきている。

何か言わないといけない。「なぜエリクのことで悩まないといけないの?」彼女は軽く笑ったけれど、その声ははかなかった。

「わからない。ときどき、きみたち二人は、ほんとうに気が合うように見える。ところが打って変わって、互いに怒って身構えているようなところもあるからね」

ほっとしたことを見せないように、彼女はセスの肩に腕を置いて頰にキスをした。「今わたしが悩んでいるのは、洋服がロケに間に合うかどうかってことだけだわ」

彼は頭がきれるので、そんなことではだまされなかった。「キャスリーン」彼は両方の手を彼女の顔にあてて、彼の目を見るまで待った。「きみに一度言っただろう、もしきみが何かほしかったら——何でもだよ——きみがする必要があるものはすべて、わたしに頼んでいいんだ。それがわたしの力の範囲だったら、わたしはやるよ。きみを愛している。どのくらい愛しているかわかってるかね?」

涙がとめどもなく出てきた。彼女は彼の輝く黒っぽい瞳に、いつものあふれんばかりの愛情を読みとった。ゆっくりとうなずいた。彼がどのくらい彼女を愛しているか、ひしひしと感じる。彼は満たされない、絶えず苦しめる愛に悩んでいた。だからと言って、それは育てることも、無視することもできないのだ。彼女はまたわかっていた。この場合は、それは受けてはいけない愛だ、だからそれだけ貴重なのだ。

彼女は彼にもたれかかり、すすりあげた。少しして、やっと姿勢をなおして、彼のハンカチを受け取った。「多分、きみは仕事が多すぎるんだよ」セスが言った。「そのような涙は疲れすぎたときに出る」

「いいえ、もうすっかり元気だわ。多分わたしに必要なのは、泣くことだったの」彼女は微笑した。「さあ、忙しくしなくちゃ。知ってるでしょ、ニューヨークにたくさん電話して、裁断師やお針子をオーバーワークにして、寿命を縮めさせなくちゃいけないわ」

彼は笑ったけれど、すぐ真面目な顔になった。「誰かが奇跡を起こすなら、それはきみだ。自分を疲れさせちゃだめだよ。わたしにはきみほど大切なものはないんだから」

「わかってます」彼女は彼の口にやさしくキスをしながらささやいた。

キャスリーンは膝からおりて楽にさせた。それでもパンツを通して、彼の膝が骨張っているのが気になった。

「セス」彼がそのことに神経過敏なので、用心して持ち出した。「体の調子はどう？　最近とても疲れているように見えるわ。この前はいつドクターに診てもらった？」

彼はわざと苛立ったように、頭を後ろに上げた。「なにを言いだすんだね？　今度はこっちのことか、それはフェアプレイかね？　もちろん、元気だよ。ジョージはわたしのことをきちんと看《み》てくれている。彼は年寄りの母鶏のようにやってくれてるよ」彼は彼女の手を取って、両手で押しつけた。「約束してくれ、キャスリーン、わたしのことを心配しすぎないでほしいんだ。わたしは元気になる。きみに約束するよ」

彼女は納得しなかったけれど、心配だからといって、彼に注意したくなかった。「それじゃあ、仕事に戻るわ！」彼女はわざと楽しそうなふりをして言うと、ドアのほうへすべるように歩いていった。「クレアにコーヒーをもってきてくれるように頼むわね」彼にさようならと手を振ると、秘書のオフィスのほうへ向かった。

ほっとした、エリクはいなかった。

感謝祭の朝遅く、キャスリーンは階段を降りて、ドライブウエイにいるセスのところへ行った。彼はエリクを待っていた。バスケットボールのシュートの競争をするのだ。エリクがフープ（ボールを入れるリング）を取り付けていったので、一週間のうち数時間、そこで練習している。

キャスリーンは心配してジョージに、セスには激しすぎないかと聞いていた。

「いいえ」彼は首を振った。「お止めになっちゃいけませんよ、キャスリーン。彼は楽しんでいるんです、運動をするというより、闘うことを。彼を自由にさせてやってください。彼と同じ年代の男たちと、このように何かを分かち合うことが必要なんです」

だから彼女は何も言わなかったけれど、エリクとゲームを終えたとき、セスはくたくたになっていることが多かった。今、彼女はパティオのドアから、セスが車椅子の横のボールをドリブルしているのを見ていた。ボールがはねて彼の手が届かないところに飛び、バウンドして、低木のなかにもぐりこんでしまった。セスはまわりを見て、ジョージを探したけれどどこにもいなかった。

彼は低木のほうへ車椅子を動かして、かがみこんでボールを取ろうとした。額からは汗が噴き出し、ボールに手を伸ばそうとして、首と腕の筋肉がぴんと張っている。車椅子から今にも落ちそうだ。キャスリーンは心配で、彼を助けようとしてドアを通っていこうとしたとき、彼がこぶしを車椅子のアームに叩きつけるのが見えた。

「ちくしょう！　こんな体になって！」苛立ちの涙と汗がまじって、やせた頬を流れ落ちた。かすれた小さな声だったけれど、彼女のいるところでもはっきりと聞き取れた。顔は怒りでゆがみ、椅子のアームを叩き続けながら、椅子と彼自身を罵っていた。「くそっ、なんてことなんだ。なぜだ？　なぜわたしが？」

キャスリーンはびっくりしていた。今まで、こんなに荒れたセスを見たことがなかった。彼が自分の体のことを呪ったのを聞いたことがない。麻痺のことでよく冗談を言っていたが、このように苦悶を目の前にして、ずっと見ているのは耐え難かった。どうすればいいのだろう、彼女は一瞬目を閉じて力を抜き、保護者ぶったようにならない言い方を考えた。

目を開けると、光景は変わっていた。エリクが心配そうな顔をして、駆け足でセスのほうへ近づいていた。

「セス?」彼はやさしく声をかけた。セスは彼の声を聞いて、すぐにひどい言葉を吐くのをやめた。ばつが悪そうに黒い目を閉じ、首をまるで蝶番《ちょうつがい》をつけられたように前に傾けたので、顎が胸にくっつきそうになった。こぶしは車椅子のアームをにぎりしめたままだ。エリクはそのまま黙っていた。片方の膝をついて地面をじっと見つめ、セスが先に何か話しだすまで静かに待っていた。

キャスリーンは息をきらしたまま、パティオのカーテンの後ろにいた。

「すまない、きみに癇癪を起こしたところを見せたりして。あまりこんなことはないんだが、でもぶざまな光景だと自分でもわかってるよ」セスは自分を卑下するように苦笑した。

エリクは笑わなかった。相手の顔を見上げた。「ぼくがどんなにあなたのことを崇拝しているか、まだ言ってなかったでしょう。もしぼくがあなたのような状態で、立場が逆だったら、そんなに慈悲深い態度でいられないですよ」

「ああ、エリク、そんなにほめあげないでくれ。わたしは勇敢であろうと思ってるだけだ」

「いいえ、そうじゃない。そうじゃないです。自暴自棄になっても仕方がなかったかもしれない」

セスはため息をついた。「時にはそうなりたいと思うことがある。例えば今のようにね。きみをひどく憎みたい。きみのような体だったら、力があればなあと思うよ、そう思わないはずがないだろう? わたしはセロンよりも人の世話になっている。お手上げだよ。どうしようもない自分を軽蔑してるんだ、エリク。わたしはただ我慢してきただけだ。正直に言うと、きみを見るたびに、うらやましくてたまらない」

　エリクは低木からボールを取り出して、指でボールのマーキングを丁寧になぞった。それからセスに真剣な顔で話しだしたけれど、声があまりにも低かったので、彼女のところからは聞き取りにくかった。「ぼくも正直に言うと、あなたをうらやましく思っているんです。あなたのように、ものごとを受け入れる心の大きさをもてたらなあ、と。この数年、とうていできそうにないことや、望む権利がないものをほしがってきた。流れに逆らって、もがいてきました。ノーという答えが受け入れられないんです。そんなことできないんです。一方では、あなたが自分を捨てて言われることや行動することすべてを、尊敬しています。なぜなら、ぼくには理解することさえとてもむずかしいからです。あまりにもぼくの性格と違いすぎています」

「ありがとう、エリク。だが、きみは自分に厳しすぎる」

「いいえ、ぼくは自分のことを知りすぎていて、怖いくらいです」彼は嘲った。この深刻なムードを振り払おうとして言った。「もう少しバスケットをやれますか？」

「ほんとうを言うと」セスは弁解するように言った。「今日はあまりそういう気持ちになっていないんだ」

「いいですよ。かまいません。代わりにビールでもどうですか？」

「そりゃあいい。こんなにいい天気なんだ、外でどうだね？」

「オーケイ、ビールを取ってきます」エリクはバスケットボールを下に置いて、キッチンのドアのほうへ歩いていった。キャスリーンは男性二人が最も無防備なところを見られたと気づかないように、首をすくめて隠れた。

感謝祭の後の日曜日、キャスリーンはダウンタウンのデパートの貨物運送室で働いていた。デパートは感謝祭には閉店する。翌日の金曜日と土曜日の両日は今年いちばんのショッピングデーなので、店員たちが彼女の助けを必要とするとき、そばにいられるように自分の仕事はしないでいた。

彼女はセスと、従業員の駐車場でばったり会った。二人は相手の仕事がいつ終わるか知らないで、別々にダウンタウンに車を運転してきていた。セスはクリスマスのデコレーションをチェックしようと思っていたようだ。「わたしはただみんなの働きを見ているんじゃないよ」アスファルトの上を車椅子で移動しながら冗談を言った。「先頭に立って働く酋長だ」

キャスリーンは激しい、汚れる仕事をするので、古い色あせたジーンズ姿で、シャンブレーのシャツの袖をまくっていた。髪もポニーテイルにしている。「これがサンフランシスコのトップ・ファッションかね?」セスがからかった。

「これがいつものわたしよ」言い返す。「今、箱を開けて、洋服のアイロンがけにかかりっきりなの。動きやすいものを着てるんです」

「今日、それをやってくれているとはうれしいね。明日、店が開いたら、棚には新しいものが並ぶだろう。今からクリスマスまで、猛烈に売りまくろう」目を貪欲に輝かせた。

「セス・カーホフ！　あなたってなんて欲張りなの。それにあなたの休日でもないのよ」

「ハヌカー祭（ユダヤ教の宮清めの祭）のプレゼントをしようか？」

　二人が冗談を言い合っているうちに、ジョージがセスの乗った「チャリオット」を業務用出入り口に押していった。そこでは、従業員たちがクリスマスの飾り付けでにぎやかに働いていた。セスとウィンドウ・ドレッサー（ショーウィンドウの飾り付けをする装飾家）のカーホフ夫人からの指図を待っている。みんな忙しくなった。

「それ、きみにとても似合う」数時間後、キャスリーンが落ち着いた黄色のスーツを吊るしているのに、セスが背後から声をかけた。「絶対に、それをきみのために取っておくんだよ」

「もうしましたわ」彼女は茶目っ気たっぷりに答えた。「わたしも好きなの」

「そうだろ、二人の大きな心はいつもぴったり同じなんだよ」

　彼女のデスクの上の電話が鳴った。彼女は受話器を取った。「もしもし」

「キャスリーン？」

　心臓が跳び上がるかと思った。エリクの低く響く声を聞くといつもそうなる。彼とセスがバスケットボールのネットの下で話していたのを、そっと聞いて以来、彼とはほとんど会っていなかった。製造業者が〈カーホフ〉に気に入られたいと思ったのか、奇跡的に、急《せ》かせた商品は送られてきていた。エリクは来週の出発日を前にして、旅の支度をするため、あわただしく動きまわっていた。

「もしもし、エリク」彼女はつとめてさりげなく応じた。「わたしたちがここにいるってどうしてわかったの？」

「家に電話したら、アリスが今日は仕事だと教えてくれた。きみのオフィスの番号を知ってたから」

どうして知っていたのだろう？　不思議だった。

すぐに彼の言葉でまた注意が戻った。「今、家に帰ったばかりなんだ。昨夜は家に帰らなかった。きみとセスからのプレゼントが玄関に届いていたよ。よかった、誰にも持って行かれなくて。きみに電話して、ありがとうと言いたかったんだ」

「彼が新居祝いの贈り物を受け取って、『ありがとう』ですって」キャスリーンはセスに説明した。エリクに言う。「わたしたちが買い物に行った日に、それを注文しておいたのよ。気に入ってたでしょう？　わたし……わたしたち」言いなおした。「あなたの新しい家のために、何かさしあげたかったの」

「すごいよ、これはどう吊るすんだったかな。どっちが上？」

「彼は何と言ってるんだ？」セスがさえぎって聞いた。

「どのように吊るすのかわからないって」それから受話器に向かって言った。「覚えていないの？　ページュの部分を上にして――」

「あっちへ行って、教えてあげたら？」セスが口をはさんだ。

「何ですって？」キャスリーンが大声で言った。

「何も言ってないよ」エリクが言った。

「あなたじゃないの、エリク」うろたえて言う。「できないわ」セスに向かって言った。

「何ができないって」エリクが聞き返した。

「ああ、お願いよ!」彼女は大声を出した。「二人とも一緒に言うと、こんがらがっちゃう」

「受話器を渡してくれ」セスが彼女の手から受話器を受け取った。「エリク、どうだね?　壁掛けを気に入ってくれた?」キャスリーンが説明してくれた。彼女が気に入っているので、わたしは彼女の判断を信じてるよ」キャスリーンはセスがエリクの返事を待っているあいだ、唇を噛んでいた。話のなりゆきがいやだったのだ。

「それなら、彼女がそっちへ行って、吊るのを手伝ったほうがいいね」セスがエリクの返事を待って、キャスリーンが息をつめているあいだ、少し間があった。エリクはおそらく予定があるだろう。

「いや、彼女はかまわないと思うよ。ここの仕事は終わっている。わたしは店の飾り付けがすべて終わるまで、あちこちまわってみたい。彼女を行かせるよ」彼は笑った。「ああ、ところで、彼女のことを見間違うかもしれないよ。女学生みたいだから」

彼は受話器を置くと、次の言葉を待っているキャスリーンを見た。彼女の気持ちは陪審の決定を聞く被告のおののきに似ていた。「手伝ってほしいそうだ。行ってあげなさい、後で、家で会おう」

「セス、あなたをここに置いていきたくないわ――」

「なぜ?　わたしがどでかいトナカイに襲われるかもしれないと思ってるのか?」

「働きすぎるのを心配しているの。あなたは——」

「大丈夫だ、キャスリーン。さあ、行ってやったら？　エリクが待っている。また家で」

してエリクの家にひとりで行くのを渋るのか、不思議に思うかもしれない。

どちらを選べばいいのだろう？　このことをこれ以上問題にすると、セスは彼女がどうしてエリクの家にひとりで行くのを渋るのか、不思議に思うかもしれない。

数分後、凍えそうに寒い十一月の夕闇、彼女はコーデュロイのジャケットを着て出かけた。サンフランシスコ湾からの不気味な霧が、街をおおっていた。ヘッドライトをつけて、湿って滑る道を運転していった。日没前で注意しなくてはいけない時間だった。

ハンドルを握る手は、どうしたわけかじっとりとしている。なんてばかなんだろう！　エリクは壁掛けをどう吊るすのか聞くだけだ、そして、彼女をそのまま帰らせるだろう。

それとも誰かと一緒かもしれない。タマーラと？　昨夜は家に帰ってなかったのだ。彼はそう言っていた、何をしていたか、いやもっとはっきり言えば、家にいないで誰と一緒だったのか説明をしなかった。タマーラと一緒だったのだろうか？　カリブ海での強い日差しを浴びるために、もうお互いに温め合っていたのだろうか？

キャスリーンはベンツを——セスが結婚後すぐにプレゼントしてくれたものだ——エリクのアパートの前に止めた。想像して気分がいらいらしていた。玄関の呼び鈴を鳴らしたとき、もう喧嘩腰になっていた。

エリクがドアを開けて、出し抜けに噴き出しても、ひどい気分はなおらなかった。

「何がそんなにおかしいの？」とげとげしく聞く。鼻にインクかもっと変なものでもついているのだろうか。

「悪かったね、かわいいお嬢ちゃん、でももうガールスカウトのクッキーは買ってあるんだ。来年また来てくれ……大きくなってからね」

「おかしな人」そっけなく言った。

「ぼくもそう思ったよ」すまして言う。「今日のきみは女学生みたいだ、さっきセスが教えてくれた。でも、ぼくは前に、こんなきみを見たことがある。彼は〈マウンテン・ヴュー〉のきみを見たことがないんだね」彼の目はじっと彼女を見つめて動かなかった。しばらく、二人はお互いを見つめ合ったまま、二人の別れていた時間を超えて、もっと幸せだった日々のこと、月光の一夜、急流のそばで過ごしたことを思いだしていた。

どのくらい思い出にひたっていたのだろう。キャスリーンは目をそらした。「ええ、彼は見たことがないわ」

エリクも現実に戻った。「どうぞ入ってくれ」

彼女はリビングルームに入った。彼が買った家具はすべて届いている。ただ窓だけがまだそのままだ。部屋はまぎれもなく、独身男性が住んでいるのがわかるくらい殺風景だが、彼女が前に見たときよりはましになっていた。暖炉には気持ちよく薪が燃えて、明かりがひとつだけついていた。

「すてきだわ」キャスリーンは何か言わないといけないと思った。「わたしのスケッチどおりに家具を置いてある」

「そうだが」エリクは残念そうに言った。ぴっちりしたジーンズの後ろポケットに両手を突っこんで、まだ満足がいかないような目で部屋を見渡している。「まだ何かいる」

「女性の感覚《タッチ》ね」キャスリーンは言ってしまってから、その言葉の重みを考えるべきだったと思った。

エリクが紳士なら、その言葉を無視するだろう。けれども、彼は以前、彼女に言っていた、志は正しいが愚かではないと。そして、それは当然まだ彼の信条だった。彼は貪欲そうににやっと笑って、ゆっくりと言った。「そして、きみは女性だ。だから触れて《タッチ》くれ」

彼女はとりあわずに向きを変え、コートを脱いだ。急に部屋が暖かすぎるように思った。

「壁掛けはどこ?」

「あそこだよ。床に広げたままだ」彼が指さしたソファの向こう側を見た。「ほんとうにきれいだよ、キャスリーン。最初見たときよりももっと気に入っている。もう一度きみにありがとうと言いたい」

「それとセスにね」彼女はすぐ付け加えた。早すぎる。彼女は暖炉の明かりで影になっていたけれど、彼の顔を横切った傷ついた表情を見逃さなかった。

「ああ、もちろん、彼のことも言ったつもりだよ」

沈黙が気詰まりだった。二人は足元の壁掛けを、生命のないものに命をしみこませようと、不思議な集中力で見つめていた。キャスリーンがやっと口を開いた。「上はこっちだわ」ひざまずいて、紡ぎ糸がくっついている棒にそっと触った。「そうよ、棒の後ろ側に四個の留め金があるでしょ。壁に釘を金槌で打ち付ければいいだけ」立ち上がって、両手をはたいた。

「釘がある？　それに金槌もいるわ」

「外のヴァンのなかだ」彼は外に行くとすぐ戻ってきた。「これもいると思って」彼は彼女に定規を渡した。

「どうして急にわたしがやることになったの？」

「どうやればいいか、わかっているみたいだから」彼は微笑んだ。「ぼくは何をすればいい？」

「はしごを持ってきて」

「はしご！　そんなものまで？」

彼女は両手を腰に置くと挑むように胸を張った。乳房の上の布がひっぱられて、強調された。「持ってないなんて言わないで。どうしたら、わたしたち届くと思う？」カセドラルのような丸天井の上部の先端まで続いたレッドウッドの壁を指さした。

「『わたしたち』と来るか」エリクは壁を見渡した。「椅子はどう？　それに乗れば、きみがいいと思うところまで届くんじゃないか？」

彼女はため息をついた。「そうかもね」彼はキッチンに行って、堅材の椅子を持ってきた。

「すてきじゃない。どこで見つけたの？」彼女は聞いた。

「塗料で仕上げをしていない家具を売っているところだよ。ぼくがやったのは、椅子とテーブルに下塗りをするだけ。それでこんなにきれいになる」彼は壁にくっつけて置いた椅子に坐って、彼女を見た。「それでどうする?」

彼女は彼を非難するような目で見た。それからひざまずいて、留め金のあいだの寸法を定規で測った。「うーん、十七センチね」つぶやいた。それから靴を脱いだ。椅子の背に片手を置いて、その上に用心深く乗った。「木材のこの継ぎ目が壁のセンターだと思う?」

「ああ、思うね」

「オーケーイ」頭のなかで想像しながら、言葉をのばして言った。定規を頭の上にかざして天井まで上げる。それからその横にそって、爪で壁に印をした。「これでうまくいくはず」彼女は言った。「釘と金槌をちょうだい」

彼が言われたとおりにすると、彼女は口に釘をくわえて、最初の一本を打ちこむ。すべて打ちおわると聞いた。「それをどうやって持ち上げるつもり?」

「別のを持ってくる」エリクは椅子をかかえて戻ってきた。履き古したテニス・シューズから素足を出すと、椅子の上に乗って壁掛けを持ち上げた。

留め金が釘の上にしっかりと掛かった。キャスリーンが言う。「では降りて、まっすぐかどうか見てちょうだい」エリクは言われたとおりに降りて、彼女から離れた。「どう?」壁掛けの具合を調べながら聞いた。

「完璧だ」

「気に入った?」

「大いに」

彼の声の調子が気になって、キャスリーンは振り向いた。彼は壁掛けを見ているのではなかった。彼女のヒップを見つめている。「エリク」

「うーん?」そのまま彼女のほうへ近寄ってくる。彼女が反応する前に、両腕で彼女の太腿を抱きしめ、その前を手で上下になでた。「きみはぼくが出会ったなかで最高にかっこいいヒップをしてるよ、キャスリーン。どうして子どもを産んでも、たるまないでいられるんだ?」

両手を大胆に動かしながら、後ろから鼻でこする。手のひらでヒップをなでる。ジーンズを通して、太腿の後ろを歯で強く嚙まれて、彼女は思わずあえいでいた。

「エリク」動揺した声になっていた。シャツの下に彼の両手が入ってくる。しだいに上に動き、もう肋骨までとどきそうだ。「エリク」彼女はたしなめるように言った。「このまま椅子に乗っていられないわ」ほんとうだ。ソフト・デニムの生地なので、彼が嚙むとじかに伝わる感じがする。執拗になでる手と大胆に体をなぞっていく口に攻められて、彼女の筋肉はなんの役にも立ちそうになかった。

「それなら降りるんだ」言葉は簡単だったけれど、伝える内容は間違えようがない。彼は両手を彼女のウエストからヒップにおろし、自分のほうへ向かせた。

エメラルド・グリーンの瞳が青い瞳と合った。言葉には出さないけれど、激しい思いを伝えている。腰の骨に片手ずつしっかりと置くと、強く彼の胸のほうへ引き寄せた。彼女の目を見つめたまま、シャツのボタンを下からはずしだした。とうとう全部はずれた。

「キャスリーン」哀願する声だった。彼女は両手を上げて、彼の髪に差しこみ、柔らかなほうへ彼の顔を引っ張った。

彼は彼女の腰のくびれを抱きしめて、彼女を椅子から抱え上げた。そのまま暖炉の前まで運ぶ。それから、絨毯の上にそっと降ろした。

彼に抱きしめられたい。せつないほどの気持ちが声になり、叫び声に近かった。その声に煽られるように、彼はしっかりと彼女を抱きしめた。彼女の口は彼を待って開いていた、喜びとともに痛みも味わうつもりだった。二人は互いに求め合い、絨毯の上をころがり、上下になりながら、手足をもつれさせた。

キャスリーンは彼のセーターの裾に手をやり、胸まで引っ張り上げた。胸毛のはえたたくましい胸がおなかを押しつける。彼女は手をそえて、彼の頭の上のセーターを脱がしてやる。彼女のブラウスとブラジャーがとれる。どこかに投げられた。

「きみみたいな人はいないよ」かすれた声で彼が訴える。「きみのこの感じ、この香り、この味。ああ、きみがほしい」

「触って、エリク。あなたの手で体中を触って。口で触れて、ああ、すごいわ」彼女は大声で言った。

彼の口は熱く、激しい。うなじに口づけし、それから耳へ上がり、耳たぶを歯で嚙み、舌でじらすようになめる。そのあいだも、体のあちこちを愛撫していく、どこも忘れることなくしっかりと覚えていたところだ。

燃えるような口が乳房を吸った。舌は乳首を口のなかの湿りで洗う。それらが濡れて輝いてくると、ひげでこすって乾かす。

もうたまらなかった。キャスリーンは彼の愛撫のたびに声を上げ、彼の名前を呼んだ。彼は上手に彼女のジーンズのボタンをはずし、ファスナーを降ろした。彼女も体を動かし、彼がジーンズを脱がしやすくする。

「とてもきれいだ」彼がかすれた声で言った。薄いパンティから透ける、三角形の茂みを指でなぞった。その手の動きにうっとりして、彼女は目を閉じた。パンティはジーンズと同じように脱がされた。これで二人のあいだには邪魔なものはない。彼は彼女に触れ、キスをした。その親しみ慣れた感覚は、二人がこれほど離れていてもそこなわれていなかった。

「エリク」彼女はうめいた。「忘れていなかったわ」

「ぼくもだ、でもきみは前よりももっと甘いよ」

彼女は彼のジーンズのウエストを両手で手探りした。ファスナーを降ろす。彼女は彼の名前を呼んだ……

そのとき電話が鳴った。

17

二人は体を硬くした。電話がまた鳴った。三度目。エリクは怒って大声をあげて、彼女を抱く手をゆるめた。

「取って……取ったほうがいいわ」彼女は体を起こして坐った。「もしかしたら——」

「きみの夫か?」受話器を持ち上げながら苦々しく言った。

「もしもし」受話器に向かって怒鳴った。「いや、何でもないですよ、セス」彼は顔をおっているキャスリーンを見た。「椅子の上にあがっていたんで、すぐ電話を取れなかっただけで……そうです、とても気に入っています。ほんとうにありがとうございます……ええ、彼女はまれにみる才能の持ち主です」

エリクは我慢の限界を超えた獣のようだった。邪魔をされて、生け贄《にえ》のキャスリーンに向かって嚙みつきそうだ。この怒りは筋が通らないし、公平ではない。だが、今このとき、彼のスカンジナビアの血は道理など超えていた。 キャスリーンを見ながら、彼女を軽蔑し、嘲笑っているのが表情を見ればわかる。「彼女と話されますか? ええ、役に立ってます」彼が言っていることはすべて、二重の意味がこめられている。「今?……どうして?……ああ、ぼくは……」深いため息。「わかりました、すぐそっちにうかがいます」受話器を置いて、わざと自虐的に言った。「服を着たほうがいい。きみのご主人がぼくたちに会いたいそうだ」

　彼女は自分を守るように、胸の前で両手を組んだ。この苦しみが彼ひとりのものだと思うなんてフェアじゃないと思う。彼が彼女の上から立ち上がったとき、思わず手をのばして彼の太腿を触った。

　その手の感触に、彼がたじろいだのがわかった。叱るように強く言った。「服を着るんだ」

「エリク、ごめんなさい。こんなこと、いけなかったのよ……これでよかったの。そうでないと、生きていけなかったわ……」

「ぼくが抱いたら、きみは汚されるからか?」彼女が口ごもった後の言葉を、甘い口調で言った。また大きな声で悪態をつき、檻のなかの猛獣のように行ったり来たりしだした。「お願いだ、ぼくに罪悪感をもたせないでくれ。今はとても寛大な気持ちになれないよ」彼女を見下ろすと、怒鳴った。「早く、服を着ろ!　それともレイプされたいのか?　ぼくがどのくらい耐えられると思う?」

　キャスリーンは下着をかきあつめ、乱雑に着た。ジーンズのなかに脚を突っこみながら、彼女もまたかっかとしていた。エリクはまだじっと彼女を見つめている。興奮を途中で冷まされた責めは彼女にあると思っているのだ。キャスリーンはもう気持ちを抑えられなかった。彼に喧嘩をふっかけるように言った。「あなたみたいに利己的な人に会ったことがない。自分以外の人のことは考えようとしないのね、エリク!」

「なぜそうしないといけない?」彼は問い詰める。「きみはぼくの息子を取り上げてしまった。ぼくは彼を持てない。いったい誰のことを考えろと言うんだ?」

「あなたが……わたしのことを少しは思いやってくれたら」彼女はひるまずに言った。

彼は頭を後ろにのけぞらして笑ったけれど、ユーモアのかけらもなかった。「そんなことを言わないでくれ。そして、ぼくは聞かれるんだ、『わたしのことをまだ尊敬してる?』そうだろ?」

「まあ」彼女は歯ぎしりした。「見下げ果てた人ね」

「そしてきみはどうなんだ、ミス・独善? ぼくはそこに、力ずくで押しつけたわけじゃない」彼は足元の絨毯を示した。「これからは餌《えさ》に飛びついたりしない。ぼくはきみがどういう人かわかったよ、キャスリーン。男をぎりぎりまで興奮させて、望むものを与えないで邪悪な喜びを得るんだ。きっと誰も、どんなにきみがかわいそうなセスを苦しめているか知らない」

彼女はくやしくて息ができなくなった。生意気な顔に平手打ちをしようとして、彼の前に一歩出たけれど、突きだした腕をすぐつかまれた。

「ぼくの息子を孤児にしたらいけないから、きみの首を絞めたりしないよ。だがこれからは、きみのそのかわいい尻を、ぼくの顔に向けて振るようなことをやめるんだな、ぼくには興味がないんだから」

「地獄に堕ちればいい!」彼女は腕を振りほどきながら叫んだ。

彼は笑った。「もう堕ちてるよ」

すぐに言い返せなくて、鬱積した怒りのために体がふるえた。顎をひきしめ、歯をきしらせながらゆっくりと言った。「どうしてあなたに体を触れさせたのかわからないわ。あなたって、わたしが知っているなかでいちばん自己中心的な男よ。自分のことを、女性への神の偉大な贈り物と思っている。待って、もっと肝心なことを言わせて」彼女はエリクの鼻先で指を振った。「男であるためには、生殖能力より大事なものがあるのよ。セスはあなたより五倍も男だわ。彼は優しさと思いやりと、寛大な心がどんなものかを知っている。それに、わたしは彼が友だちの妻を汚すようなことをするとは思わない」

その言葉は、部屋のなかに弔《とむら》いの鐘のように反響した。重々しい沈黙が続いた。エリクの頭は、人形遣いから強く糸を引っ張られた人形のように強く後ろにそった。長いあいだ、二人は何も言わず、ただじっとお互いに見つめ合っていた。

エリクが先に体を動かした。両手で顔をおおった。胸が上下している。息ができなくて苦しいのだ。両手を下げるとぼそっと言った。「きみはほんとうに正しいよ、キャスリーン。ぼくの行為は許しがたい。あやまっても聞いてもらえないかもしれないが、どうかその思いは受け取ってほしい」

それは彼だけのせいじゃない。キャスリーンはすぐに言いたかった。けれど、彼は向きを変えると、玄関のほうへ歩いてドアを開けた。再び彼女に顔を向けたとき、肩は下がって、がっくりと気落ちしていた。

「きみのご主人とどんなレベルでも競争する資格はないよ」彼女が近づいていく暇も与えず、夕闇のなかに出ていった。冷たさなど感じていなかった。キャスリーンは彼の後をついていくしかなかった。

二人はそれぞれ別の車で、カーホフの屋敷まで行った。玄関で一緒になったけれど、二人は見知らぬ客同士よりもよそよそしく、ひりひりするほどの緊張感がみなぎっていた。ジョージが玄関ホールに出てきて、セスが書斎にいると言った。

「やあ！」二人が部屋に入ると、セスが声をかけた。「ちょうどいいときに着いたね。ジョージがチェスでもう一度わたしを負かすところだった。どうもごまかしてるんじゃないかと思うんだが、その場を押さえられないんだ」

ジョージはただ笑って、みんなに飲み物の注文を聞いた。セスは愛想よく断り、エリクとキャスリーンは礼儀正しく遠慮した。

ジョージが下がっていった。セスは二人の寡黙《かもく》な態度をおかしいと思ったかもしれないが、顔には出さなかった。すぐ、ここで二人に会いたがったわけを説明した。話がおわったとき、キャスリーンは自分の耳が変になったのではないか、必死にそう思おうとした。

「わたし……あなた……セス、頭がおかしいんじゃない？　カリブには行けないわ」

「どうしてだね？」

「だって……行けないからよ、それが理由。あっちで、わたしは何をしたらいいんです？」

彼女はあえてエリクの反応を見なかった。セスはロケに行くプロダクションのクルーに、彼女を加えようと言うのだ。とても考えられない提案だった。

「モデル・エージェンシーが今しがた電話してきたんだ。モデルと一緒に行くスタイリストが、とても神経質になっているらしい。持っていく服に損害を与えたらどうしようかと心配しているんだ。そのうえ、どの服がどのコマーシャルに使われるか、どういうふうに組み合わせをしたらいいか、思いだせないにきまってる、と。くどくど説明するので、わたしは疲れきってしまった。エリクは、あちらでカメラや照明、天候の心配をしたり、二十人からの移動などで頭をつかわなくちゃいけない、そんなことまで考える時間などないだろう」

　セスはいったん黙って、深いため息をついた。「キャスリーン、きみはいちばん信頼できる。エリクも同じ意見だと思う。レンズをのぞいてフォーカスを決めるとき、モデルがきちんと予定されたものを着ていればね」

　キャスリーンはあわてて両手を大きく振った。できない、とても行けないと思った。彼のアパートで感情的にあれほどこじれたばかりなのに、一緒にロケに行って、常に彼と接しているなんてできそうになかった。いくら打たれても向かっていくボクサーか、マゾヒストならともかく、そんな状況に身を置く人がいるだろうか。

「セス」彼女は明るく笑ってみせた。ほんとうはもうヒステリーになりそうだった。なんとか抑えて言う。「こんなときに、そんなロケには行けないわ。あなたはわたしが必要でしょう、お店のことをいろいろやらないといけないわ。それに、誰がセロンを見てくれるんですか？　あの子をそんなに長いあいだ、残して行きたくありません。ニューヨークでも、あの子がいなくてとても寂しかったの。あの子だって、置いていかれたって思うわ」子どもを武器として使いたくなかったけれど、これは闘いだと思った。心の平安と、命のために。「わたしはきみが言った話をひとつひとつ割り引いて考える」セスは即座に言った。「まず、うちの店は何十年もホリデー・シーズンを生き抜いてきた。そして、きみは大切だが、わたしたちはきみがいなくても、この時期をやり抜いていくつもりだ。きみが戻ってくるときは、それでもクリスマスまでほとんど二週間ある。きみだってわたしと同じようにわかってるだろ、セロンはアリスに面倒をみてもらえば満足しているって。いや、きみがいなくて寂しがるだろうが、きみが戻ってくればすぐにそれも感じなくなるし、きみが出かけていたなんて思いだしもしないよ」

「でも、セス、わたしは……」彼女はなんとかしたかった。考えるんだ！　自分に言い聞かせる。「準備ができていないわ。パスポートとか……支度も……とてもだめ……」

「きみのパスポートは申し分ないよ。去年、エリオットと一緒にイギリスに毛織物の衣類を買い付けに行ったとき、更新したじゃないか。アリスはすぐにきみの支度を手伝ってくれる。いつ出発するんだ、エリク？　木曜日か？」エリクがうなずいたのを見て、セスが言った。「では、わかったね、三日間のうちに準備をすればいい。エリオットにコマーシャルに使う服と、アクセサリーを荷造りさせるよ」

キャスリーンは心の片隅で、もし自分が平静を失って叫び声を上げたら、目の前の男性二人はどうするだろうと思った。本当に今にもそうなりそうだった。

「エリク、どう思うかね？　これは結局はきみのプロジェクトなんだ」セスが聞いた。

エリクは自分を押し殺していた。セスとキャスリーンは彼の答えをじっと待っている。

「そりゃあ、彼女が行ってくれれば大変助かります。しかし、ぼくは口をはさんで邪魔をしたくないです。これはお二人が決めることだ。彼女が必要なのはやまやまですが、キャスリーンが決定しなければならない」

「キャスリーン」セスはやさしく詰め寄った。「わたしのために、やってほしいんだ。わたしにできるなら、わたしが行きたいくらいなんだよ」彼は車椅子を動かして彼女の椅子に近づき、両手を握った。「わたしたちはあちらで〈カーホフ〉の代表者が必要だと思う。きみは誰よりも商品をよく知っている。ハードワークになるだろうが、十二月に熱帯の気候で休暇を過ごすと思えばいいよ」彼は微笑んで彼女の手を握った。「わたしのためにやってくれ」

そうまで言われて、どうして断れるだろうか？

それからの三日間は、記憶がぼんやりとして、キャスリーンは何をしたかよく覚えていなかった。エリオットの助けがなければ、コマーシャル用のワードローブをそろえて、荷造りし、チャーター便に乗せられなかっただろう。

エリオットがいないと、とてもやれそうにないと泣き言を言ったら、彼はすねていた。なぜ、彼が一緒に行くように言わなかったのか、と。

「だって、ここにはあなたが必要だわ、エリオット」彼女は何度も言った。「後の面倒をみるためにね」

「フェアじゃないですよ」彼はそれでもぶつぶつ文句を言う。「グッドジョンセンをまるまる一週間見られるチャンスですよ、サラリーなしでも行きたかった」

「タマーラが彼の面倒をみるに決まってるわ」

「あのいやな女」エリオットは口をとがらした。「彼にはもっと目を高くしてほしい。彼女は歩いているものだったら誰とでもやるんだ。動物でも、人間でも」

「まあ、エリオット」キャスリーンはため息をついて、うんざりしたように額をこすった。この数日、彼女はこれがくせになっていた。

ヘイゼルのことが気にかかっていたのだ。ある日、みんながランチで外に出ていたとき、キャスリーンのオフィスに入ってきた。キャスリーンは彼女がドアのところに立っているのを、話しかけられるまで気づかなかった。「まあまあ、ハンサムなカメラマンと、太陽がいっぱいの熱帯に羽をのばしに出かけるんですって」

心臓が急に激しく動悸を打った。やっとの思いで気持ちを抑え、表情もおだやかに答えた。

「コマーシャルの撮影のことでしょうか、それでしたら行きます――夫の頼みで」

「セスはなんてばかなの！　自分がどんなに甘く、抜けているかわかってないのね？　あなたとあの大きいだけが取り柄のグッドジョンセンのために、そんなことをしてやったりして。いつあの愚かな弟から別の男にのりかえるつもり？　えっ？」

キャスリーンは怒りで髪が逆立った。それに怖い人だ、体がふるえそうだった。ヘイゼルが知っていることがありうるだろうか？　いいえ。彼女はただ嘲っているだけだ。キャスリーンは静かに答えた。「わざわざあなたに、自分のことをお話しする必要はないけれど、わたしはセスに対して不誠実だったことは一度もありませんわ。これからもね」

「ふん！　機会さえあればしますよ。だって、弟は完璧なチャンスを与えてるわ。彼はあなたに好きなようにさせることで、あなたをつなぎとめようと思っているの。弱い人だもの」

「弱い？　そうでしょうか、わたしは寛大な人だと思うわ。あなたには想像もできないでしょうが。ほんとうにどうして、こんなに人につらく当たるのかしら。でも、その原因はわかってますわ。セスが教えてくれましたもの、あなたを祭壇の前に立たせたまま去っていた男性のことを。あなたはわたしが会ったなかで、最もいやな人だわ、そうでなければ、あなたに同情したかもしれません。でも残念ながら、あなたが自分から招いている孤独を哀れむだけだわ」

「お黙りなさい。よくもまあわたしを哀れむなんて！　このわたしをですよ！」彼女の顔は憎しみでゆがんだ。体は抑えた怒りでふるえている。

キャスリーンはもう警戒心を捨てていた。興奮しすぎて、感情がもろに出てしまい、ヘイゼルに投げかける言葉を選ぶ余裕がなかった。「それに、ほんとうにセスのことを心配してるのかしら、わたしはちゃんと見抜いてますよ。それは愛とか温かな思いやりからきているんじゃないわ。

あなたは自分が〈カーホフ〉を支配したいから、彼のことを怒っているの。最初に生まれたので、お父上が亡くなられたとき、社長の職は自分に来るものだと思った。父上はセスを体のことで、またあなたを女性ということではずされていた。あなたがたの伯父さまが亡くなられて、その地位をもう一度つかもうとすればつかめるチャンスがあったとき、あなたはあえてセスとそのことで争わなかった。麻痺した弟と、自分が力ずくで争うなんて考えられなかったんでしょう。

でも、あなたはそうすべきだったのよ、ヘイゼル。彼とそのとき闘うか、あなたの決定にしではなくてね。あなたはご自分の最悪の敵はご自分なんですよ、わた我慢して生きることを学ぶべきだったんです。あなたの最悪の敵はご自分なんですよ、わたしでは……

ても、わたしには関係ない。男の人から捨てられたり、お父上に後継者として見なされなかったといっても、わたしには関係ない。セスはあなたを愛しています。なぜかは、わたしには想像できないけど、でもあなたがたの関係を邪魔したり、変えようとするつもりはないわ」

ヘイゼルは憎しみのあまり目を細め、鼻孔を開きながら脅した。「今にあなたをつまずかせてやる。その日はもうすぐよ。そのとき、弟はあなたの正体を見なければならない。きっとそれは彼を破滅させるにきまっている、そして、もう二度と起きあがれなくなる。そのとき、わたしは自分の権利を手にするのよ。〈カーホフ〉の実権を握ってやるから」彼女は身を翻すとオフィスから荒々しく去っていった。前よりもずっと精神のバランスが壊れている。

キャスリーンはぞっとした。ヘイゼルは遺言争いに勝つために必死だった、そして勝利のためにはどんな危険をも冒すだろう。

ロケ隊が出発する予定の前の晩、キャスリーンはセロンと一瞬を惜しんで一緒にいた。エリクはその前から来て、リビングルームの床で一緒にセロンと遊んでいた。ヘイゼルはずうっと眉をひそめ、みんなは楽しく過ごしていた。

キャスリーンは息子を誇らしく思いながらも、二人がじゃれあっているのを見てふと不安になった。エリクはセロンを彼女から奪おうとしているのではないか。彼がセロンを愛しているのは、彼のやっていることを見ればはっきりしている。二人ともコピーのようによく似ていた。キャスリーンは他の人には、こんなに似ていることがわからないようにと祈るしかなかった。

エリクは明日の朝、空港で会おうと言って帰っていった。キャスリーンはアリスと一緒に二階へ上がり、セロンをベッドに寝かせた。発つ前に、もう一度見にくるつもりだったけれど、彼におやすみのキスをしたとき、子ども心にも特別な感じがしたらしい。

「ママ」彼女が明かりを消したとき、セロンが甘えた。

「おやすみなさい、いい子ね」もう一度彼のほうへかがみこんでささやいて、頬にキスをした。エリクのコロンの香りがまだパジャマに残っていて、急にエリクへの思いがつのった。

あれほど非難の言葉を浴びたのに、まだエリクへの欲望があるなんてどうかしてる。彼女は自分を抑え、力なく部屋にもどって寝る支度を始めた。

どうして彼はこれほどまでに心をかき乱すのだろう、なぜあんなに美しいのか？　どうして彼はすべて、やすやすとやっているように見えるのだろう？　彼の仕事ぶりはすばらしい。〈カーホフ〉のために作ったコマーシャルは大変よくできていて、彼女は見るたびに誇らしくて、心臓が破裂しそうだった。

けれど、彼は輝く甲冑《かっちゅう》を着た騎士ではない。彼には大きな欠点があった。彼はそれをセスに認めていた。彼はひどくわがままだ。

それがそれほど驚くことだろうか？

彼は目をかけられ、人気者だ。いつも物事を多かれ少なかれ、彼のやり方で進める。彼は自分が望むものをすべて持っている。彼女をほしがったけれど、拒絶されると、彼女を軽蔑することに助けを求めている。そして、今度はセロンに何をしようとしているのか？　彼女は何にも増して、そのことで彼を恐れていた。彼は自分の息子を愛している。どのくらい息子をほしがっているのだろう？

バスルームの洗面台の鏡に映った自分を見た。声に出して聞いてみる。「あなたは彼よりもずっと正しいの？」エリクが彼女を欲しているのは確かだ。それとまったく同じように、彼女もまた彼がほしい。あれほど固く心に誓い、こだわってきたのに、夫を裏切ろうとしている。夫に対して誠実であること、それは彼女にとって基本的な信条だった。その気持ちがあるからこそ、エリクを許せなかったのではなかったか？　彼が結婚していると思ったとき、だから、彼女は姿を消したのだ。

けれども、彼女の場合は違うのだ。彼女がほしいのは、ありふれた性的な戯れではない。彼女はエリクを愛している。そうではないのか？　それともエリクが責めたように、ひどく独善的なのだろうか？　ほんとうは、エリクを見て彼が触れるのを感じるたびに、欲望のはけ口を探して血管を流れる熱い血のために、信心ぶった言い訳をしたにすぎないのだろうか？

彼女はほんとうにエリクを愛しているのだろうか？　それともエリクのような魅力的な男性がまわりにいると、いつでも自然に健康的なセックスへの欲望が頭をもたげるだけなのだろうか？

彼女はぼんやりとした明かりの書斎のなかに立ち、そっとドアを叩いた。決してこれ以上なかに入れてもらえなかったので、心臓がひどく高鳴り、セスが「ジョージか？」と言った声がほとんど聞き取れなかった。

どぎまぎしたけれど、思いきって静かに答えた。「いえ、キャスリーンです」

長い、びっくりしたような沈黙の後、上掛けの音が聞こえた。「どうぞ」彼が言った。

やっとの思いでためらいを捨て、思いきってドアを開けた。初めてセスの私室に入る。彼女は自分が魅惑的に見えることを知っていた。髪はブラシをあててシルクのように輝き、裸の肩に誘惑するようにたらしている。海の泡のような透けたナイトガウンは、素足で幅広のベッドに近づくにつれて、体のまわりにふわりと漂った。

ベッドの横の明かりを除いてすべての明かりは、ジョージが部屋を出るときに消していた。セスの姿はほのかな明かりのなかでぼんやりとして見えた。いやキャスリーンの目に涙がにじんでいて、彼がはっきりと見えなかったためかもしれない。

「キャスリーン」彼がささやいた。「とても美しいよ」

「ご迷惑じゃなかったかしら、セス」もちろん、彼は戸惑っている。急に思慮のないことをしたと思ったけれど、これを限りに、エリク・グッドジョンセンのことを、心から消してしまう決心をしていた。

「どうかしたのかね?」

動揺しているように見えたのだろうか?「いいえ」彼女は静かに答えた。もう彼のベッドのそばで、彼を見下ろしていた。セスは坐って、膝の上に本を置いていた。胸をはだけている。今までにもジョージがプールでセラピーをしているとき、セスのスイミング・トランクス姿を見たことがあって、そのたびに、腕と胸の筋肉が実に鍛えられているのに驚いていた。ふんわりと柔らかそうな黒っぽい胸毛が見える。でも同じではなかった、その――

「セス」彼女はためらいながら、彼のウエストの細くなったところにヒップを居心地よくくっつけてベッドの端に坐った。「セス」名前しか出ない。どこから話せばいいのかわからなかった。今まで誰かを誘惑したことはなかった。エリクは数に入らない。彼が誘惑者だった。

「出かけているあいだ、あなたがいなくて寂しいわ」

「わたしも寂しいよ」彼は微笑んだ。薄暗く影になった顔に、いちだんとやさしそうに口を開き、美しい歯を見せた。体が不自由でも、いつもと変わらず満ち足りたおだやかな目だ。

「ほんとう?」キャスリーンは手を彼の胸に置いた。やさしくまばらな毛のなかに指を突っこみ、彫刻のような筋肉の上を強く神経質に動かした。

「そうだよ」彼は答えた。

それから彼女は彼にもたれて、唇にキスをした。彼女の胸は薄く透けたナイトガウンだけだったので、黒っぽい乳首を隠しきれず、彼の胸をこする。彼女にはこうする理由があった。プライドを捨てて彼に唇を押しつけ、唇を開かせるようにしたい。今までしたことがないようなキスをしたかった。彼は躊躇しながら従っていたけれど、彼女はさらに舌を歯のあいだに差しこんだ。

彼の両手は彼女の肩にあった、その手で彼女を押した。「キャスリーン、キャスリーン、なぜこんなことをする?」彼は感情を害して聞いた。

「あなたはわたしを愛してるわ、セス」彼女は必死に言った。

「そうだよ。わたしの命以上に。愛してるって、きみはわかっているはずだ」

「わたしもあなたを愛している。わたし……ほしい……あなたに抱かれたい」

はっきりわかるほど沈黙が続いた。二人はベッドの上で、彫刻のように動かなかった。やっとセスがささやくほどの声で言った。「不可能なことを望んでいるよ、キャスリーン。そのことはわかってるはずだ。なぜわたしを苦しめる?」

「あなたを苦しめるつもりはないわ。あなたを抱きしめて、あなたに抱かれたいの」

「ここでは」彼はこめかみを指した。「明日生きることより、今きみを抱きたいと思っているよ。だが、わかってるだろ、わたしはできないんだ。もしできるなら、二年間、こんなに控えていると思うかい?」彼は信じられないというふうに聞いた。

「セス」気後れする前に急いで言いたかった。「わたしたちが、ありきたりな恋人同士みたいにできないのはわかってるわ。できなくても……わかってるでしょ…あなたを喜ばせて、あなたがわたしを喜ばせる方法があるわ」

「キャスリーン――」

彼女は出し抜けに立ち上がり、頭からナイトガウンをはらいのけて彼の前に裸で立った。彼はぎくっとして息を呑み、こぶしを脇で強く握りしめた。「キャスリーン」彼は大きく息を吸った。

彼女はまた彼のかたわらに坐って、彼の片方の手を上げて彼女の胸に押しつけた。長いあいだ、彼は彼女の目をじっとのぞきこんでいた。これはいつも心に浮かぶ夢なのだろうか。目を覚ましたら、いつものように夢で、現実の人生では絶対に起きたりしないのだとわかるのだろうか。

それから、彼は自分の手と、触れている柔らかな彼女の乳房を見下ろした。彼は恐れていた。キャスリーンの生身の体を、実際に触れているのが信じられなかった。

もう一方の手で彼女の乳房をおおった。彼女は彼にもたれて、また彼にキスした。今度は、セスの反応はすぐに高まった。貪欲に彼女の口をむさぼり、彼女の味を楽しんだ。両手をなだめるように、いとしげに動かす。

キャスリーンは彼から触れられてうれしかった。胸に体をもたせかけ、彼がしたいことをなんでもできるようにした。彼の手が背中をなでる。それから肋骨のまわり、そしておなかのほうへ下がった。柔らかなおなかにやさしく触れる。それからしだいに手を下のほうへ動かし、彼が考えることさえ拒んでいた、秘めた女の部分に触れた。

「ああ、なんということだ」彼は彼女をしっかりと抱き寄せて、歯ぎしりした。それから、不意に彼女の体を離した。頭を枕に押しつけて目を固く閉じ、事故の夜以来の激しい痛みで、歯をむきだしにしたまま苦しんでいた。

「セス？」彼女がおどおどして聞く声に、彼は目を開けた。

「キャスリーン」彼はあえいだ。「すまない、だが、もう何も聞かないでくれ。お願いだ」

「ごめんなさい」彼女はすすり泣いた。

「いや、何を言うんだ、わたしが悪いんだ」彼は彼女をまた胸に抱き寄せたけれど、それは慰めるためで、情熱からではなかった。「キャスリーン、事故に遭う前は、わたしはほんとうにいい恋人だったと思うよ。少なくとも、そう思う女性が何人かいた」彼女は彼のユーモアがわかった。「きみのためにできることはわかっている。しようと思えば、きみをその欲望から一時的に解放してあげられるだろう、しかし、きみがほんとうにほしいものをあげられないんだ。そして、わたしはきみに与えられないことに我慢できないだろう。わかるね？どうかわたしに、男と女が愛し合う方法を歪曲《わいきょく》させようとしないでくれ」

「セス」彼女は彼の胸でつぶやいて泣いた。その涙は最も深い絶望を表していた。セスを煽るのは間違っていたのだ。なんといたわりのない、偽りごとをしたのか。彼は呪術師ではない。魔術師でもない。それにもし彼がとてつもない力を発揮する祈禱師でも、彼女からエリクを排除できなかっただろう。そのことは、セスが彼女に触れた瞬間にわかった、彼女の体はまだエリクにつながっていた。セスのやさしいタッチに反応しなかったので、それがまた深い悲しみになった。彼女はセスにひどいことをしたのだ。

「セス、とっても恥ずかしいわ。あなたを傷つけるつもりはなかったの」

「わかってるよ、きみを愛してる」

「わたしたち、ほかの人よりもっと高いところで愛し合ってるわ」彼女は言った。

彼の悲しげな笑い声が、彼の胸に押さえつけられている耳をくすぐった。「どうかな。きみに強い健康な体を与えることができるなら、わたしはこんな高みの愛を、もう少し低いものと喜んで交換したいよ。しかしわたしほどきみを愛するものはいないだろう、キャスリーン」

「わかってるわ」

セスは彼女をしばらくじっと抱いていた。彼女は彼の首のところで静かに泣いていた。彼女のつぶやきはしだいにつじつまが合わず、何を言っているのかわからなくなった。そのまま眠くなって、彼女はほかの男性の名前をつぶやいたことを知らなかった。けれどセスは確かにそれを聞いた。彼の顔に衝撃が走り、心臓の痛みとなって跳ね返った。彼自身のために、そして彼の愛する人のために。

18

キャスリーンはわらぶき屋根の下のテーブルで、くつろいでいた。外見と同じように心も平静に見えているだろうか。撮影は休憩に入っている。クルーたちは〈ハリーズ・バー〉のパティオでぶらぶらしていた。ここからは大西洋が見渡せる。キャスリーンはほかの人にわからないように、エリクとタマーラの姿を追っていた。二人はみんなと離れて、岩の多い海岸を散策していた。

ここはベニスの〈ハリーズ・バー〉ほど有名ではなかったけれど、アメリカ合衆国からの旅行者にとっては、グランドバハマ島はアメリカのハンバーガーを買える場所としてよく知られていた。ウエストエンドとフリーポート（バハマ諸島のグランドバハマ島の南西部にある町）の中間点に位置していて、冷たいトロピカル・ドリンクや、ビールや、豪勢なランチや、ディナーを求めて立ち寄るのに最適だった。

照明係のひとりが、キャスリーンにグムベイ（ボンゴ、マラカス、棒きれなどでリズムをとって踊るバハマ流のカリプソ）・パンチをもってきてくれた。そっと試すように飲んでみる。果物に似た味で、冷たいけれど、何杯も飲むと大ハンマーのように効くだろう。アルコールの味がしないだけに、最も危険なアルコール飲料だ。

強いお酒を飲んでも、この数日間、キャスリーンの心のなかでくすぶって、くつくつ煮えている苛立ちを消してくれなかった。

エリクとタマーラが一緒にいるのを見るたびに、嫉妬の炎《ほむら》が燃え立った。タマーラはいっときも彼から離れられないらしい。彼が彼女やほかのモデルたちに、きびきびとした声で指示しているときでも、彼にしなだれかかって聞いていた。

そうされても、彼は平気そうだった。モデルたちみんなと戯れながら、彼の望みどおりにポーズをとらせていた。エリクの我慢には限度がなかった。けれど、タマーラとの戯れは、これ見よがしに互いに誘惑しているように見えた。二人のあいだで見交わす目つきや体の触れあいは、まるで遠回しの誘いの合図ではないか。二人はもう寝ているんだわ、キャスリーンは海岸のほうから聞こえてくるタマーラのはじけるような笑い声を聞いて、苦々しく思った。見るまいと思っていたのに、抵抗できなかった。タマーラが高い岩にいる。鳥がとまっているようだ。エリクの力強い、引き締まった腕が伸びて彼女を降ろそうとしている。

キャスリーンは目からあふれてくる涙を隠そうとして、頭をそらした。このことに打ち勝たなくてはいけない。嫉妬したって、どうなるものではない。彼女は結婚しており、エリクが彼女のことをどう感じているか、はっきりしている。二人には未来はないし、ずっとなかったのだ。彼は彼女を愛してなどいない。

けれど、彼女は彼を愛している。だから彼女は嫉妬しているのだ。自分のものと思っている体に、ほかの人が触れるのを見るのは耐えられなかった。ほかの誰にも、あの慈愛の満ちたまなざしや、説得力のある口を味わわせたくなかった。

エリクとタマーラがパティオの階段をのぼってくる。彼がみんなに仕事に戻るようにと声をかけた。〈ハリーズ・バー〉は打ち寄せるすばらしい波と、わらぶき屋根の下のテーブルと、場所が便利なことでロケ地のひとつに選ばれていた。

静かだったパティオで、人々が動きまわりだした。スタンドに据え付けられたライトは、涼をとるためにスイッチを切ってある。パティオを何本ものコードが這いまわり、カメラをテープレコーダーにつなぎ、ライトを電気のコンセントにつないでいる。ロケ地を転々と運ばれてきた道具類の入った重い金属の箱が、誰かがそれにつまずいて倒れて、命や手足を危険にさらさないように、注意して置かれている。それは抑制のきいた混沌状態だった。

照明係は再び巨大なライトをつけた。エリクはカメラの三脚の前に立ち、足を広げて、ファインダーに目線を合わせた。

スタイリストはモデルのまわりを歩きまわり、ストラップを調節したり、襟をなおしたりしている。女性モデルの今日のファッションは、緑とカーキ色とベージュの濃淡のサファリルックだ。キャスリーンはアクセントカラーとして、明るい赤と、黄色と、白を選んでいた。教会の婦人部のようなメイク係の女性は、モデルのあいだをぬって、不完全なところをチェックして、見落としてないかと探している。ヘア・スタイリストは男だ。けれど男らしいのは細いとがった顎ひげだけで、闘牛士がこれみよがしにケープを翻すように、ヘアブラシを振りながら、みんなのあいだをしなやかに歩きまわっている。

　エリクはプロダクションのアシスタントを四人連れてきている。二人は照明を担当。あとの二人はすべてをこなしている。みんなエリクの意向を前もってくみ取り、フィルターを渡したり、延長コードを取ってきたり、テープが終わるとすぐ別のテープの箱を入れ替えたりしている。キャスリーンは彼らが好きだった。彼らはエリクを尊敬しているように見えた。今ちょうどそのひとりが、モデルの顔に大きな葉が影になるので、とりのぞくために木によじ登っているところだった。

「タマーラ、これはポルノ映画じゃないよ」エリクが声をかけた。

　タマーラはパティオを囲む壁の上にのせられていた。アーミー・グリーンのショーツに白のブレザーを着ている。ブレザーの下は、赤いホルターネックだけだ。海からの風で軽い生地があおられ、左の乳房が丸見えだった。クルーたちが品よく口笛を吹き、ほかのモデルたちが大笑いをしている。タマーラは図々しくすましていた。

　キャスリーンはこれまでも、このタマーラの下品なふるまいにびっくりさせられていた。昨日のことだ。みんなでフリーポートのカジノにドライブし、そこで撮影することになった。エリクはフォーマル・ウエアを着させて、撮影をしようとしていた。ラスベガスにあるようなものとは違い、クルピエ（賭博台で札を集めたり配ったりする人）も従業員もタキシードを着ており、雰囲気も厳粛で、とりわけ英国色が強いところだった。

　それなのに、タマーラはビキニのパンティだけで、モデルとして着ることになっている黒のサテンのドレスを持って、間に合わせの更衣室から乱暴に出てきた。

「いったい、これどうなってるの？」びっくりするキャスリーンに詰め寄った。部屋のみんなの目は二人に注がれた。

キャスリーンはタマーラの裸同然の格好に、啞然としたますぐに答えられなかった。

「何の、ことでしょう？」彼女は口ごもった。

「このひどいドレスよ。体に合ってるはずでしょ、それなのにお尻がきつすぎるのよ。一体全体、このミスの責任は誰がとるの、ミセス・カーホフ？」早口で不明瞭に、名前を付け加えた。とっさにきれいにメイクした彼女の頰を打ってやりたいのを、なんとか我慢した。

「昨夜、試着してみることになってたでしょ、着てみなかったんですか？」キャスリーンは冷たく言い返した。「調節するところがあったら、そのときにできたのに。わざわざミシンを持ってきたのはそのためよ」

「昨夜は忙しかったのよ」タマーラはわざと気取って、キャスリーンの肩ごしにいたずらっぽくウインクした。キャスリーンが振り返ると、エリクがテーブルにもたれかかって腕を組み、眉を上げて、目の前にくりひろげられているなりゆきをおもしろそうに見ていた。それともタマーラの乳房に興味を引かれているのか。それはむきだしで、みんなにも丸見えだった。カジノのスタッフのあいだにも、そのショックは広がっていた。うっとりと目がくらむような光景を、誰がいやがるだろう？

「どうすればいいの、なんとかできない？」タマーラはなおも言った。

キャスリーンはひとつ思いついたけれど、さすがに言うのは控えた。「考えられるのは」落ち着いて言った。「このコマーシャルに出ないか、このドレスを着ないか、後ろ向きになるか……カメラに対してよ、それともほかのモデルとドレスを取り替えるかだわ。もっと大きなドレスとね」キャスリーンは意地悪く付け加えた。

タマーラの琥珀色の目が、怒りに燃えてキャスリーンをにらみつけた。「これは欠陥商品よ。わたしは完全な八サイズだわ」

「そうかしら、不完全な十サイズみたいだけど」キャスリーンが言い返す。

「あなたって――」

「さあ、二人とも」エリクがあいだに割って入った。「仕事を続けようじゃないか。四時にはここから出ないといけない。タマーラ、何か着てくれ。どんなにきみが美しかろうと、ここはそのすばらしい体を見せびらかす時でも場所でもない。そのドレスが少しでも入るなら、着てくれ。こっちはきみの尻が見えないように撮るよ」

タマーラは人目を引くように意識して歩き、乳房と髪がそのつどはね上がった。コマーシャル撮影は終わったけれど、タマーラはその日じゅう、みんなに笑い者にされていた。クルーのひとりが調子に乗ってからかう。「タマーラ、今日はすっかりジョークの対象《バット》（尻）になるぞ。だじゃれじゃないよ、もちろん」彼女はどきっとするような、怒った目つきで彼をにらみつけた。

今また、彼女はパティオの壁の上に立って、前の日の完璧なヌードよりももっと煽るようにポーズを取り、体から衣装を風になびかせて、みんなを興奮させていた。

エリクは、今までずっととりあわず、我慢強く指示を出していたけれど、さすがに、「そのひどいブラウスをなんとかしろ」と厳しく言った。キャスリーンの耳に彼の苛立った感じが伝わった。

「でも、どうしたらいいかわからないわ」タマーラがすねた。

エリクが後ろに向いてみんなを見まわし、それからキャスリーンに目を留めた。「キャスリーン、悪いが……」

その後の声は聞こえなかったけれど、彼の暗黙の要求ははっきりとわかった。彼女は彼自身がやるように言うか、だめよと断りたい誘惑にかられたけれどやめた。壁のほうへ歩いていった。両手を腰にあて、タマーラを見上げた。「ああ、そこまでわたしは上がれないわ」タマーラに自分がどこにいるのかわからせた。

むっつりしたままタマーラは降りてきて、キャスリーンの前に胸を突きだした。キャスリーンはすぐにどこが不具合なのかわかった、進行が遅れることは避けられるだろう。「ストラップをきっちり結んでいないんだわ」タマーラの後ろにまわってつま先立ちをして、ブレザーの下に着ているホルターネックのストラップに触った。タマーラが自分でやった結び目をほどき、それから彼女の乳房の上をおおって結びなおした。

「きつすぎるわ」タマーラがいやがった。

「そうね」キャスリーンがうなずいた。「あなたはこのホルターを着るには大きすぎるけど、コマーシャルのなかでは誰にもわからないでしょうね」

「もうあなたにはうんざりよ」タマーラは声をはりあげて、ぐるっと前向きになるとキャスリーンにのしかかった。「誰が大きすぎるのよ！　あなた、もう少しうまくやれるでしょ。わたしは——」

「タマーラ！」エリクの命令するような声が二人のあいだに飛んだ。「いつまで待たせるつもりなんだ？　あの壁に戻って、ぼくに笑顔を見せてくれ。ああ、よかった、同時に笑って、話をすることができなくて」

　タマーラが自分の場所に戻ると、ほかのみんなからくすくす笑いが起こった。「ありがとう」キャスリーンが通り過ぎるとき、エリクが言った。

「どういたしまして」彼女は冷静に答えた。

　二人がサンフランシスコを発ってからずっとこういう状態だった。ジャマイカのオチョリオス（北部の海港・行楽地）での一週間、そして今はグランドバハマ島に来ているが、彼はずっと礼儀正しく、思慮深くて私心がなかった。二人とも仕事で一緒に組み合わされた他人同士のように接していた。いや、もしかしたらもっと遠慮し合っている。毎晩、彼は彼女の部屋に来て、翌日の撮影のシーンを説明する。彼女は、彼が必要とするものに合わせて、モデルそれぞれに、どんな衣装とアクセサリーを用意すればいいかチェックした。それが終わると、彼は彼女にありがとう、おやすみなさいと言って、ひとり残して出ていく。食事やコーヒー・ブレイクをとることも、あたりさわりのないおしゃべりをすることもなかった。

心の空虚感がしだいに深まり、すっかり空っぽになるのではないかと怖かった。二人の関係が窮屈になればなるほど、ますます彼を愛していることがはっきりしてきた。かつてそのことを疑ったことがあるとしても、それは今ではまぎれもない事実だった。エリクに求めているものは、性的に満たされたい思いだけではなかった。彼女は彼を愛していた。

それでも、エリクを求める愛のために、セスへの愛が少なくなったりはしない。セスへの愛は真実で、純粋で、強かった。彼女はセスをほんとうの兄のように愛していた。彼は彼女にとって尊敬すべき人だ。彼が彼女とセロンに対して抱いてくれている愛情を大切に思っていた。

けれど、彼女はエリクをそれ以上に愛していた。セスが彼女の心をつかんでいるなら、エリクは魂をつかんでいる。だが、彼はそのことに気づいていなかった。

日がたつにつれ、彼はしだいに彼女から離れていっているように見える。反対に、ますます彼女の愛は大きくなっていた。彼が働いているのを見るのが好きだった。彼は有能で、自分に要求するものと同じだけのものを部下に要求する。最上のものができたと満足するまで、いつまでもそのシーンを撮り直した。完璧さに対して、アーティストとして執拗に追求していく。

彼の体は熱帯の強烈な太陽の光にさらされて、数日間で赤銅色に日焼けしていた。肌がだんだん黒くなるにつれ、髪はさらに明るく漂白されている。ぼろぼろのショーツに、胸の上のほうだけをおおうTシャツのほかはめったに着ない。午前の半ばまでには、いつもそれさえ脱いでいた。キャスリーンがスラックスとスポーツシャツの彼を見るのは、ディナーのときだけだ。

グランドバハマ島のウエストエンド・リゾートが選ばれたのは、完璧な設備と想像を超えるすばらしいプールのためだった。夕刻になると、クルーたちはプールのまわりに集まって、泳いだり、トランプで遊んだり、おしゃべりやお酒を飲んで英気を養った。気の合ったグループだ。男たちのなかには、気のあったモデルたちを誘って、何度かベッド・パートナーを変える者もいた。キャスリーンは、エリクのパートナーが誰か知っている、と思った。

その日は、これ以上邪魔はなかったので、ちょうど嵐雲が西の水平線に現れたとき、〈ハリーズ・バー〉の撮影を終えた。ほとんど毎日、午後になると短いあいだ夕立がきたけれど、今日の雲は不吉な前兆だった。エリクはあわただしく高価な機材を集めて、ほとんど息をつく間もなく、すべてをしっかりと詰めこんだ。

嵐が来たとき、一隊はちょうどウエストエンド・リゾートの駐車場に帰ってきたところだった。みんな車の外へ出すものを手に持つと、大急ぎで部屋へ突進した。キャスリーンは立ち働いたり、衣装を置く場所が必要だったので、エリクがメインのホテルから離れた平屋の家のひと続きの部屋を割り当ててくれていた。幸運だった、歩道の上に覆いのあるところへ、レンタルのステーション・ワゴンを入れることができた。猛烈な雨のなかを、車の後部から衣類を少し湿らせただけで降ろして、部屋のなかに入れた。それでも体はびしょ濡れになっていた。

彼女はうれしかった、これで車でのロケが終わる。荷物を運びこむのも最後だ。不法に止めた車は後で動かしておこう。ドアを閉めたけれど、すぐにノックの音がした。ドアを開けたとき、心臓がひっくり返りそうだった。服と髪から滴を垂らしたままのエリクが立っていた。

「やあ」彼が言った。「うまくいった?」

「ええ」彼女は部屋のなかのほうへ体を向けて答えた。「どうぞ」

彼は滴を垂らしながら入り、彼女はドアを閉めた。「冷房を切るわね、そうでないと、凍えてしまうわ」彼女は彼の後ろにある壁のサーモスタットのほうへ手をのばした。

彼は自分の背に彼女の腕がかすめたような気がした。反射的にしりごみした。ああ! いつになったら、彼女への欲望に打ち勝てるのだろう? この苦しみはもう充分続いたのではないのか? それとも永遠に続くのか? 彼女がテーブルに歩いていって、雨で暗くなったために、明かりをつけるのをじっと見つめた。

再び彼のほうに顔を向けた。濡れて体が透きとおり、彼には暴力を振るわれたように効き目があった。緑のショートパンツに、緑と白のストライプのTシャツ、ノースリーブでVネックになっている。彼女は自分の姿に気づいてないのだろうか? 雨でシャツが濡れて、二枚目の肌のように体に張りついている。なぜブラジャーなしで出かけたりしたのだ? 彼女の脚が、モデルもかなわないほどすてきだと知っているのだろうか? 肌はサテンのように滑らかで、日に焼けて、熟したアプリコットのようだ。サンダルを脱いだ素足の爪には上品な珊瑚色を塗っていた。

彼は視線を顔に向け、盛り上がった乳房はなるべく見ないようにした。睫毛にも雨があたったのだろう、濡れて、くっきりと、緑色に輝く目のまわりを囲んでいる。唇を少し開けているので、小さなはずむような息が聞こえる気がした。ふるいつきたいほどキスをしたい口だ。隔たっている距離をちぢめて、しっかりと抱きしめたらどうなるだろう。痛いほどの欲望を感じた。

なぜ彼女なのか? 今までの人生で出会った女性はたくさんいるのに、なぜ彼女だけは心から去っていかないのか? 二人のあいだにあんなことがあったのに、なぜ彼女を憎めないのか? 彼女は彼の息子を産み、彼にずっと内緒にしていた。彼が息子の存在を知ったのは、運命のきまぐれによってだった。

彼の家で一緒にいたあの夕方、彼はわざと彼女にひどい言葉を浴びせた。彼女にも苦しんでほしかったのだ。わざと彼女を、彼女が女性であることを侮辱した。彼女は激しく言い返して、彼を攻撃した。確かに真実に向き合うのは苦しかったが、キャスリーンは正しいのだ。彼らがセスを裏切るのはいけないことだ。いけないのはわかっている、それでも……二人のどちらが、磁石のように互いに引き合う魅力を抑えられるだろうか?

彼女は肉体的に愛するように作られてきた、激しく、何度も。エリクは彼女がセスを敬愛しているのを知っている、その彼と一緒に彼女はどんな人生を歩いていくのか? 彼女の目が悲しそうに見えることが多いのは、それが原因だろうか? 彼女はもともとよく笑い、からかったりする明るい性格だ。それなのに、今の彼女は、彼がアーカンソーで会った同じ若い女性のようではなかった。ずっと大人びて見えるし、どこか忍従しているような翳《かげ》りがある。母親になって、そうなったのだろうか？　それとも、深い悔恨を抱いているのだろうか？

けれど、ほかのことは変わっても、ただひとつのことは変わっていない。彼は前と同じように彼女がほしい。しかし、彼女への熱望の質は変化していた。その新しい特質が彼に危険信号を鳴らしている。欲望は要求に変化したのだ。彼女が彼を許して受け入れてくれること、それが彼の心の平安と同等になってきた。彼の仕事を彼女がほめてくれることが、そのために支払われる金よりもはるかに価値があった。彼は彼女の体がほしかった、しかし彼は彼女のやさしい気遣いもほしかったのだ。ときどき――いやたびたび――彼は彼女がセロンをなだめるやさしい、励ますような手に触れたいと思った。エリクはその感触を味わうことができないのだとは信じたくなかった。

彼女は彼のものだ。ほかの男が彼女を独占していると思うと、怒りに燃えた。彼女は彼のもので、彼の息子もそうだ。誰にも――

「エリク？」彼女はためらいがちに聞いた。

彼は今自分の顔に、考えていたことが浮かんでいるに違いないとわかったが、すぐにすましてとりつくろった。どんなに彼女を愛しているか、もう彼女に見せるつもりはなかった。彼は今まで何度も苦渋《くじゅう》を味わってきたのだ。

「天気予報を聞いたので、知らせにきたんだ。この台風で、少なくとも二十四時間はここに釘づけになるかもしれない。みんなに明日一日は休みを与えた。何人かには、雨の日の休みの予定を聞いてるが……」肩をすくめて、にこっと笑った。「ぼくはボスだから」

「うまくいってるの？　撮ったものを気に入ってる？」

彼の目は仕事の話をするときいつもそうなるように、興奮できらりと輝いた。「ああ。今ぼくは——」不意に口を閉じた。今まで撮ったテープを見るために、彼女を自分の部屋に呼びたいと思って、それを言おうとしていたのだ。ぎりぎりの瞬間になって、その誘惑を我慢した。暗くなって、同じ部屋に彼女と一緒にいたくなかったし、彼の都合で彼女にそんなことを要求できなかった。それで別の質問をした。

「うちに電話をした？」

「おとといの夜、したわ、すべて順調みたい。今夜またかけてみるつもりよ。セロンにね——」彼女は急に話を止めた。

「えっ？　どうかした？」

「また新しい歯がはえたの」彼女はにっこりした。「ここに」自分の歯を示した。

「嘘だろ！」エリクが笑った。「あの子はすぐにステーキを食べるようになるよ」

キャスリーンも笑った。「もう食べてるわ」

「ほんとう？」

「もちろん、すりつぶしたステーキだけど」

「ああ、そうだろうな」エリクはくすくす笑った。「ぼくにはあまり赤ん坊のことはわからないんだ」その言葉は軽く言われたけれど、二人のあいだに重くのしかかった。

キャスリーンは「ええ、そうでしょうね」と言いながら、彼から目をそらした。

沈黙を和らげるのは、降りしきる雨の音だけだった。エリクが言った。「キーを渡してくれたら、きみの車を駐車場に入れてきてあげるよ」

「ありがとう」彼に触れないように、キーを、差し出された彼の手に落とした。

「すぐ近くに止めてくださる？　この天気ですもの」

「そうするよ」

彼はうなずいて、それから向きを変えると、ドアを開けて雨のなかに飛び出していった。


キャスリーンが撮影に使った服とアクセサリーを、所定の箱にしまったとき、夜のビュッフェの時間になっていた。ダイニングルームに行かなくてはいけない。一瞬、トレイを自分の部屋に持ってこようかと思ったけれどやめた。ディナーに出て、元気のない様子を隠そうとするより、もっと注意を集めるかもしれない。今日の午後のように、エリクと部屋で二人っきりになるのは、長い時間は耐えられないと思った。肉体的には彼女の近くにいても、それ以外は遠いところにある。できるならあのようなことは避けたかった、彼女には責め苦のようなものだ。

着替えて、ダイニングルームに行った。モデル三人と一緒のテーブルについた。食事をおえると、お先に失礼しますと断って部屋に引き上げた。マイアミ局からのテレビ映画に夢中になっているように見せかけた。

意気消沈しているのは、疲れているためだ。キャスリーンはそう自分に言い聞かせて、早めにベッドに横になった。寝つかれずしばらく寝返りを打っていたけれど、釣りをする防波堤まで散歩をすることに決めた。そうすればくたくたに疲れて、ぐっすり眠れるだろう。

短いタオル地のジャンプスーツを着て、素足で外に出た。プールの縁にそって歩き、くっきりと浮かび上がって見える海に突きだしている防波堤のほうへ、影になった歩道を進んでいった。雨は束の間やんでいたけれど、重たそうな渦巻く雲が頭上を飛んでいき、時折、そのあいだから月が顔をのぞかせていた。

たまたま月の光があたりを明るく照らしたときだった。自分の部屋へ帰ろうとしたとき、エリクが見えた。レースのように泡立つ海辺の、波が打ち寄せるすぐそばで、毛布の上に寝そべっていた。

彼の姿を見間違うはずはなかった。どんなに真っ暗な夜でも見つけだせただろう。小さなスイミング・トランクスだけを身につけ、両方の肘で体を支えて、じっと夜の海を見ていた。体のなかからくすくす笑ったので、それにつれて胸が動いている。ひとりで何がそんなにおかしいのだろう。キャスリーンは海のほうを見た。

けれど彼はひとりではなかった。タマーラが海から姿を現した。裸の体が月光に輝いている。髪が銀色のストールのように、肩と背中にかかっていた。

「こんなに暗いのに。ウニを踏むかもしれないぞ、怖くないのか?」エリクが彼女に呼びかけた。

「そうなったら、助けにきてくれるでしょ」二人の声は海の上をゆきかった。誰かがいることに気づいていない。

「まっぴらだよ」エリクが言い返した。「もうくたくただ、ゆっくりくつろいでるんだから」

タマーラの楽しそうな笑い声が、割れたガラスの音のようにキャスリーンの耳に届いた。

「あなたをくつろがせない方法を知ってるわ」

「やってみろ」エリクが煽る。もうタマーラは彼のそばに来ていて、彼の体の上に滴をぽたぽた垂らしていた。

「それっていちばん楽しみなことよ」彼女が言った。

タマーラが彼の横に寝そべったあとは、もう見ていられそうになかった。キャスリーンは急いで、自分の部屋のほうへよろけながら駆けだした。

「あんな人、クビにするべきだわ!」彼女は壁に向かって怒鳴った。「なんと言っても、わたしはミセス・カーホフなんだもの。わたしが責任者じゃないの? わたしはセスの代理人でしょ? そしてセスがエリクを雇った。すぐにあそこへ行って、彼女をやめさせよう」けれどドアまで走ってノブに手をかけたけれど、決心はなえてしまった。海辺で何を見つけることになるかと思うと、引き返すのがいやになった。それにタマーラをやめさせたくはなかった。彼女が嫉妬していることをエリクが知ったら、満足するにきまっている。そんなことは我慢がならなかった。

後先を考えずにそのままベッドルームに行き、クロゼットの棚からスーツケースを引っぱり出した。持ち物をなかに投げ入れる。必要なものだけを詰めると、部屋を後にし、ホテルのロビーに向かった。また雨が降りはじめている。

「今夜発ちたいんですけど。おたくの飛行場には何時のフライトがありますか?」

眠そうな顔の夜勤のフロント係は頭をかいた。「わかりません、ごらんのように、天気がこんなふうですから、全部……」後のほうは、わかってくださいというふうに言葉をにごした。「朝になれば、サンファン（プエルトリコの首都）行きの飛行機に乗れますよ。七時発です。でもそれも天気次第ですが——」

「今夜、誰か飛行場まで乗せていってくれる人はいないかしら? あっちで待ちたいの」

「いると思いますが、マダム、なぜ——」

「リムジンの運転手はどこ?」有無を言わせず問い詰める。

「さっきまでバーにいましたが——」

「ありがとう。わたしはミスター・グッドジョンセンの一行と来てるの。わたしが戻る前にわたしの部屋に入る必要があったら、彼に部屋の鍵を渡していいわ」

彼女は運転手を見つけ出した。飲んでいる途中で呼び出され、フライトもまだない空港まで乗せていくのをいやがっていた。

なんとか空港までたどり着くと、彼女はそのままそこで朝まで過ごした。朝になって、定期便が出るのを辛抱強く待った。やっと四十五分遅れただけで出発したときには、感謝したかった。雨はまだ滝のように降っていた。

サンファンへの空路はひどく荒れた。キャスリーンは飛行機が今にも海のなかに突っこむのではないかと、何度も怖い思いをした。サンファンは最終目的地ではなかった、あまりにもにぎやかすぎる。どこか隠遁《いんとん》地みたいなところに行きたかった。飛行場のブースにあるインフォメーションで聞いてみた。

「チャブケイがお気に召すと思いますよ。個人所有の島なんです」カウンターの女性が教えてくれた。「リゾートエリアは比較的小さいです。まだ開発中ですが、とってもすてきですよ、隔絶されたところです、それがお望みなんですよね」

「ええ」キャスリーンは言った。「どう行けばいいんですの?」

「今日は一便だけです、出発は……」彼女は時刻表をチェックした。「あっ、二十分後です」

キャスリーンは急いで、島を結ぶ航空会社のチケット・カウンターへ行った。飛行機を見たとたん気持ちが沈んでしまった。降りたばかりの飛行機の半分くらいしかない。今でも飛行機を見るたびに、エリクが乗った飛行機がフォートスミスの空港で動いている最中、悲惨な衝突事故を起こした光景を思いだした。それ以来、飛行機で快適な旅をしたことはなかった、特に雨の日は。

あの飛行機が事故に巻きこまれなかったら、どうなっていたのだろう? エリクはあの夜、戻ってきただろうか? おそらくディナーの席で、二人は彼の弟とサリーのことを話しただろう。

飛行機に乗りながら、良心の呵責が重く心臓にのしかかってきた。それでも運良く飛行時間はそれほど長くなくて、すぐに島のリゾート・ホテルにチェックインできた。絶対に誰からもわずらわされたくなかったので、メインのロッジから離れたバンガローに部屋をとった。

バンガローの入り口まで、ゴルフのカートをベルマンが運転して案内してくれる。バンガローは海がながめられる居心地のいい場所にあった。案内されるとすぐ、彼女はぐったりした体をベッドに横たえた。前の晩からずっと我慢していた眠りに、吸いこまれていった。

不気味な雷の音に、夕刻前に目が覚めた。窓へ行って、カーテンを開けてみた。前がほとんど見えないほどどしゃぶりの雨だった。安心して、ほっとやすらぎを感じた。小さなバスルームに入り、シャワーを浴びると、生き返った気持ちがした。髪をとかしながら、家へ電話をかけようかと思ったけれどやめた。朝かけることにする。今夜はひとりになりたかった。

またタオル地のジャンプスーツを着た。日焼けしたばかりの肌に似合う黄色だ。そのままベッドに丸くなって、枕に頭をのせ、サンファアンの空港の売店であわてて買ったペーパーバックを取り上げた。

嵐はさらに激しくなった。雷が近づいてきて、稲妻が空を裂き、不安になってきた。彼女は窓に近づいて、カーテンを開けようとした。誰かが雨のなかを、無茶苦茶に走ってくる。全部開けきらないうちに、手が止まった。強い風にあおられてよろめきながら、それでも猛スピードでこちらに向かってくる。

誰かわからない、けれど確かに男がこちらにまっすぐやってくる。彼女は心臓が止まりそうだった。怖くて逃げる余裕もなかった、ドアが音を立てて開くと、男が、エリクが、飛びこんできた。

ジーンズとシャツはぐっしょりと濡れて、髪は頭にこびりついていた。息が止まりそうに喉をぜいぜい言わせ、うなりながら胸を上下させていた。耳から、鼻から、眉から雨の滴がしたたり落ち、丸めた両手を太腿にあてている。ちょうど窓の下枠のところに坐りこんでいたキャスリーンを見た。今は暴風雨よりも彼のことを恐れていた。

目の前の彼は、ほんとうに、嵐のなかで雷の神から産み落とされたトールだ。目は北方の風のように冷たかった。ぞっとする顔。復讐を誓った暗い顔をしている。大胆にも神にたてついた、見下げ果てた心得違いの者に、仇《あだ》を討とうとしている。

「きみを殴ってやりたい」彼が怒鳴った。

不吉な音を響かせて、彼の背後でドアがばたんばたんと鳴っていた。

19

最初の恐れは、たまっていた嫉妬心と焦燥感から怒りへと変わった。キャスリーンは身をひそめていた窓から離れ、激しい怒りで体をまっすぐにすると、彼の前に傲然と立った。

「出ていって、わたしをひとりにして」

「いや、それはだめだ、ミセス・カーホフ。命からがらここまで来たんだ、それはできないよ。何度もやめようと思いながら、やっとたどり着いたんだ」

意地悪な言葉を投げつけてやりたかったのに、彼女の顔がさっと青くなった。「こんなときに、飛行機で来たの?」外の嵐をさした。「どうやって?」

「判断力より欲の勝ったパイロットを見つけて、彼に賄賂を使った。彼は空港のトイレにいる。気分がよくないようだ」

「こんなときに飛ぶなんて、頭がおかしいわ。それに、時間とお金と英雄的な行為の無駄よ。わたし、あなたなんかに会いたくない。さっさとこの部屋から出ていって」

彼は意地悪く笑った。「だめだ」

彼女のほうへ脅すように二歩近づいた。いけない、なんとかしなくては。彼女は急いで聞いた。「わたしがここにいるって、どうしてわかったの？　どこへ行くか、誰にも言ってこなかったのに」

「きみには悪い癖がある、ミセス・カーホフ」彼は皮肉な調子で言った。「だが今度は、自分の跡をあまり隠さなかったようだ。サンファンに着いたとき、きみが泊まっているホテルがわからなかったことは認めるよ、しばらくきみを見失ったが、聞きまわっているうちに、跡をたどるのはそれほどむずかしくなかった……どうしたのかはどうでもいいだろう。やっときみを見つけた」彼の唇は線を引いた形に薄くなった。濡れた服は足元に水たまりをつくって、彼女に近づいたとき、びしゃびしゃ音がした。「どうして、誰にも言わずに出ていったりした？」彼の目つきは窓に彼女を突き刺すように鋭かった。

彼女は怖くて唾を呑みこんだ。彼は傷つけたりしないだろう。彼女はそのことをわかっている。そうじゃないだろうか？「わたし……疲れていたのよ。ちょっとみんなから離れていたかっただけだわ。撮影を始めるまでには、戻るつもりだった。一日お休みにしたって言ってたから。わたしにはそのお休みはないのかしら？」傲慢に聞いた。

「いいや、しかし誰にも知らせず、真夜中に、こそこそと泥棒のように出て行くのはきみだけだ。きみだけだよ、クルーを残して行くのは。みんなのことを心配しているリーダーの気持ちも知らずに。それが責任ある行為だと言えるか、ミセス・カーホフ？」

「その名前が何か悪く聞こえるわ。やめて！」彼女が止めた。

横柄な笑い顔になる。「きみの名前が恥ずかしいのか、ミセス・カーホフ？　それともその名前になったいきさつが恥ずかしいのか？　いい年をした、かわいそうなセスはきみのセックスを試すことができないんだろう？　どうしてもわからないんだ、なぜ彼のような社会的地位のある、家柄のすぐれた男が、ぼくの子どもを妊娠しているのに、きみを金で救済したのか」

「やめて！」彼女は窓から離れて、小さな整理ダンスのほうへ歩いた。そのまま彼に背を向ける。「あなたのような人には、セスのような高潔な人の気持ちなど理解できないわ。男の人がみんな、あなたのように悪者で、利己的な人じゃないのよ。ただひとつの目的で、ひとつのことしか考えられない、あさましい、未熟な人とは違うの」

「ほう、きみは心理学者なのか、ぼくが何を考えているのか、どうしてわかる？　えっ？」

彼は彼女について部屋を歩く。キャスリーンが動くたびに、彼女の後を追ってつきまとい、足元に滴の道を残していった。

「何を考えているかわからなくても、タマーラを見ていればわかるわ。昨日の夜、ウニを踏みつけないで海辺に戻ってくるのを見たもの！」ぷりぷりしながら、先ほどの窓のところへ行った。雷鳴と稲妻は止まったけれど、豪雨はまだ砂浜と波に打ち付けていた。強い風にヤシの木が激しく揺れている。

エリクは何か聞きたそうに眉を上げた。「ぼくたちを見張っていたのか？」おもしろそうに聞いた。

キャスリーンはかっとして振り返ると、また彼と顔を合わせた。「とんでもない！　眠れなくて、防波堤を散歩していただけ。あなたたちはすぐに目に入ったけど。二人とも、見られることを気にかけていないみたいだった。見ていて気持ちが悪くなる前に、離れたわ」

「では、その後で何が起きたか、知らないんだな?」

「想像できるわ」

「嫉妬してるのか?」

「し——嫉妬?」唾を飛ばした。「冗談でしょ!」

「いや、そうじゃない。タマーラとぼくが一緒にいるのに耐えられなくて、逃げ出したんだ」

「二人の大人があんな……行儀の悪い子どもみたいなことをしているのを、見ていられなかった! あなたって、水のそばでセックスをするのが好きなのね」

その言葉が口から出たとたん、それをもとに戻せたらいいのにと思った。二人が見つめ合っているとき、彼女の胸は興奮と怒りのために盛り上がった。エリクは彼女が思いだしている——懐かしく思っているのがわかった。川のそばで愛撫したときのことを。

彼は眉を下げて彼女を見た。声はしわがれていた。「そうか、思いだしてるんだ」

彼女の心臓はどきどきしてきた。彼から目を離したかったけれど、混乱した頭の命令を無視した。「ええ」首をすくめた。「そんなことがなければよかったのに」

「ほんとうにそう?」

顔を上げて、どきどきしながら言った。「ええ!」

「そうしたら、ぼくらはセロンを持ってなかったよ」

「ああ」彼女はすすり泣いて、また彼に背を向けた。この重い事実を支えきれなくて、そっと窓枠にもたれた。「ぼくら」は間違っている。彼はセロンを持っていない、彼女が持っているのだ。彼女とセスが。ほとんどささやくような声で言った。「わたしたちってどのくらい、こんなふうに苦しめ合っているの? 一緒にいるたびに、苦しみを相手にぶつけようとしてるみたい。もう降参。あなたと喧嘩するのがいやになったわ、エリク」

「ぼくは喧嘩するためにここに来たんじゃないよ」彼が近づいたのに気がつかなかったけれど、声はすぐそばから聞こえた。「なぜわたしの後を追ったの?」

血がさっと頭に上って、キャスリーンはかたく目を閉じた。

エリクは答えなかった。彼女は長いあいだじっとそこに立って、答えを待ったけれど、彼は待っている彼女の願いに応えようとしなかった。とうとう、彼女は後ろを向いて、上のほうにある彼の顔を見上げた。「なぜわたしの後を追ってきたの?」

「もう二度と、ぼくの人生からきみを見失いたくなかったからだ。最初のとき、ぼくはもう生きていけないかと思った」声がかすれていた。「ぼくの人生にはきみが必要だ、キャスリーン」

「わたしは結婚しているわ」

「そうだ、法的にはね。だが、あの人はきみのほんとうの夫ではない」エリクは両手を軽く、だがしっかりと彼女の肩に置いた。「きみとその結婚相手の男はセックスをしたことがあるのか?」

　そのとき、まさしくその瞬間、彼女はエリクの顔に平手打ちをして、セスと彼女の私生活のことは、彼には関係ないと言うべきだった。だが、キャスリーンは首を振った。「いいえ」

「彼はきみの息子の父親か?」彼の手は温かく、力強く彼女の頬に触れ、顔を手前に引いた。

「いいえ」彼の口が唇に触れそうに下がってきたとき、口を動かして伝えた。ハスキーな声でまた聞いた。「きみの夫は誰なんだ、キャスリーン?」

「あなたよ」彼女はそっとうめくと、彼の唇が重なった。彼女は彼の魅惑的な抱擁に身をまかせた。彼は彼女を床からかかえ上げて、強く体に引きつけた。

「キャスリーン、キスしてくれ、キスしてくれ」彼は息をするためだけ唇を離して、彼女をせきたてた。

　奔放な彼に煽られ、彼女の口は彼の略奪品になり、舌は荒々しい航海に出た。彼はやっと彼女の体を床におろして、腕をまわし、顔を彼の濡れたシャツに抱きしめた。「もうどこに行くか言わないで離れていっちゃいけない。ぼくはどうかなりそうだったよ、キャスリーン。ああ、もう二度とそんなことをしないでくれ」髪を鼻でこすりながら訴える、彼の言葉の一言ひとことに息を感じた。

「ええ」彼女はうなずいた。「もうしないわ」それから声の調子が変わって、彼女は静かに笑った。「ひとつだけ約束してくれたら」

彼は少し体を離して、彼女を見下ろした。「何を」

「次にわたしを追いかけてくるときは、わたしをずぶ濡れにしないで」

彼女の緑色の瞳がからかっている。幸せそうな光を見た。それは二年以上も前の、あの運命の日、彼がキスをして、さようならと手を振って以来なかったことだ。彼は心から楽しそうににっこり笑った。いつもの口をまげる皮肉な調子はなかった。「約束するよ」

彼はもう一度口を下げて、彼女の口と戯れる。彼女は巧みに逃げる彼の口を追い、つかまらないと欲求不満の声を上げた。彼が首を上げたとき、彼の瞳は誘うようにきらめいた。

「ほかの服を持ってきてない。どうすればいい?」

「そうね」彼女は大きな問題を熟考するように答えた。「もっとたくさんキスするのよ。それに、わたしは濡れたジャンプスーツで歩きまわりたくないわ、だからあなたがすっかり服を脱ぐしかないわね」

エリクは指をぱちっと鳴らして、顔を輝かせた。「そうか、どうしてそれを思いつかなかったんだろう?」

彼女は若い女性のように高い声で笑った。「それを脱いだらいいわ、タオルを持ってきてあげる」

彼女が通り過ぎようとしたとき、彼が腕をつかんだ。「行く前にちょっとキスしてくれ」

彼女は言われたとおりにして、バスルームに行った。肩と乳房に〈ミッコ〉をふりかける。

自然にジャンプスーツを脱いでいた。裸の体の前にタオルをかかげてバスルームを出た。

エリクは下着を降ろそうとしていた。それから邪魔なものがなくなって裸になると、彼女のほうを向いた。彼女は彼の体を見て、息を呑んだ。堂々とした力強さと頑丈さに圧倒されそうだった。

彼はゆっくりと彼女に近づいた。キャスリーンの目がすべてを語っている。彼がすぐ前に立ったとき、彼女が言った。「あなたって、わたしのデンマーク人の王子さまだわ」

「いや、それはハムレットだよ」

彼女は笑った。「彼はあなたを超えられないわ」彼の髪にタオルをあててふいた。もうほとんど乾いていた。それから彼の顔の造作のひとつひとつに、柔らかい布をあててやさしくふきとった。タオルを下におろしたとき、彼は彼女もまた裸だということに気づいて息を呑んだ。

彼女は彼の胸にタオルを広げ、両手で胸をふいていった。ふくことが愛撫につながった。ひきしまった胴から胃のあたりをなでていく。タオルを彼のおなかから取って肩に置いたとき、彼ががっかりしたのがわかった。そっと微笑んだ。だけどもうタオルの目隠しなしに彼女を見られる。

彼女はタオルの両端を持って、彼の背中をふきはじめた。もっと腰を降ろして、近づかないといけない。彼の腰のくびれに届いたとき、エリクは期待して息を止めた。我慢は報いられた。

彼女は彼をしっかりと彼女のほうへ引き寄せながら、タオルを彼の腰の上で後ろと前に動かした。今度は、驚いて目を大きく開け、喜びであえぐのは彼女の番だった。彼のセックスは硬く勃起していた。

「きみのせいだよ」彼女がびっくりしたのを感じて、彼がやさしく叱った。口ひげが彼女の耳をくすぐり、彼がささやいた。「きみがこうしたんだ、それにきみだけがそれを治せる」

ゲームは終わりだ。彼は腕をのばして、彼女を強く抱きしめた。彼女の唇に唇を重ね、舌でそれを押し開く。歯でやさしく唇を噛む。

彼の愛撫の一つひとつに、体中の神経がせつない声をあげている。痛いほどの興奮のために、彼のほうへもたれかかった。両手で巧みに背をなでられ、背骨をじらすようにいじられる。そのまま下に降り、腰を抱え、彼のすでに張り切ったものにぴったり合うように持ち上げられた。

エリクは時間を無駄にしなかった。膝の下をかかえ上げると、彼女をベッドに運んでいった。彼女を枕の上に置いて、そばに寝て、肘をついて彼女を見下ろした。

「キャスリーン、もうこれ以上待たせないでくれ、もしきみが——」

彼女は彼の唇に指をあてた。「エリク、あなたに愛撫されたいわ。今すぐ」

彼はうなじをなでている彼女の手を取って、手のひらを口にあてた。「ぼくは上品なことが自慢だが、もう待てない」

「わたしも」彼女はささやいて、彼のほうへ体を動かしたので、彼は彼女の上に体をいっぱいにのばした。彼女の体はそっと懇願するように彼の体に吸いついてくる。彼は彼女のなかに深く突き入れた。

「ああ、いいよ……！」彼が歯をきしらせた。「ぼくをいつ受け入れてもいいみたいになってる。ああ、すごい、ぼくたちのセックスがどんなにいいか、大げさに想像してるだけだと思っていたけど、そうじゃなかった。いや、そうじゃない、思い出などあせていくよ」彼は両手で彼女の顔をかかえ、その上に何度もキスの雨を降らした。

彼は彼女にずっとやさしい、ほとんど怖いくらいだ。空色の瞳をじっと見つめて、唇をふるわせながら彼女は言った。「やめないで、エリク。あなたのすべてがほしいの」

「キャスリーン、愛しい人……ぼくの大事な……」彼がしっかりと彼女のなかに入った。彼女は彼が深く突くたびに、弓なりに体を曲げる。そして、二人はすべてを与え合った。


「天国みたい」彼の筋肉質の手に肩をマッサージされて、彼女は吐息をついた。

「してほしいんじゃないかと思って」

「そんなに上手なやり方をどうして知ってるの？」

「練習したんだよ」

「まあ、きらい！」彼女は大声で言って、首をまげて彼を見上げた。

彼がふざけて彼女のお尻をぴしゃりと叩いた。「仰向けになるんだ、そうしないとやめるぞ」マッサージは二人がシャワーを浴びてベッドに戻ってきてから、彼が考えたのだった。

「いいえ、あなたはやめないわ。わたしに触るのがとっても好きだもの」

「生意気なやつめ、お仕置きをしてやる」

彼女は枕に片方の目を埋めて、もう一方の目をおもしろそうに開いた。「どうやって?」

平気そうにゆっくりと聞いた。

「ああ、悪魔のような方法をたくさん思いついた。例えば」彼は背中からお尻まで手を動かしながら言った。「もっとすごいことをしてやる、こんなふうに」彼女の太腿のあいだにひざまずいて、太腿の裏側を手で巧みにこねるようにもむ。指は意地悪くからかうかのように動きまわり、彼女が触ってほしいところはあまり触れない。

「エリク……」

「これで懲《こ》りたかな?」エリクは彼女の上に乗り、彼女が少し体を上げたので、彼女の下に両手を入れて乳房を愛撫する。

「ええ、でも」彼女はもの憂い声を出す。彼の呼吸が激しくなり、鼻で彼女の髪を脇に動かし、耳を愛撫しだした。

彼の腰をさらに強く押しつけられ、彼女は彼のセックスが試すように突き立ててくるのを感じた。「エリク、お願い」

彼は彼女の頰に唇を鳴らしてキスをした。「だめだ。ぼくだってきみを長いあいだ待ってたんだよ、キャスリーン」片手を彼女の肩に置いて、上向きにさせた。彼女の額から髪をはらってやり、失望した顔を見て微笑した。「これが同じ女性かな、さっきいたずらが過ぎるとぼくを責めていたのに? どうなんだ?」

「同じよ」彼を求めて誘うように手をのばした。

彼は彼女の手をくぐりぬけた。「行儀よくするんだ。さっきはぼくたち少し調子に乗りすぎた。早すぎたよ。もう少し時間をかけて楽しもうよ。きみをまず崇めたい」

彼は彼女にキスをした。それは情熱的で、二人の口がぴったりと合ったキスだった。相手に与え、相手から受け取り、じらしては満たし、ほのめかし、それをしっかりと味わわせるキスだった。

「いつもきみはすてきな香りがする」エリクが耳の下を愛撫し、喉のまわりに口を寄せ、胸におりていきながらささやいた。

乳房にくると、彼は畏敬の念に打たれたように目を上げてそれを見た。片方の乳房に手を置き、やさしく円を描いて撫でていく。「頭の上に両手を上げて」指図する。キャスリーンが言われたとおりにすると、彼は彼女のつくった美しい絵のような姿を見下ろした。

彼女の髪は白い枕の上で濃い赤褐色の雲のように見える。顔はぴったりとその美しいフレームのなかにおさまっていた。肌はビキニにおおわれて、日焼けしていない肌と対照的にあたたかく輝いている。乳首は誇らしげに誘うようにとがっていた。

「きみはパーフェクトだ」彼はつぶやいた。「ちょうどいいサイズだよ。大きすぎも、小さすぎもせず。とても女らしい」彼は頭を下げて、舌で硬い乳首をさっとはじき、それらが大きくなっていくのを見ている。「美しい」とささやいた。それからほしがっている乳首のまわりを口でおおって、彼女を喜ばせながら大事に愛撫する。そのまま唇をもう一方の乳房に動かした。「まだ乳があったらなあ。味わってみたかった」

両手を下げて、彼女は彼のうなじを包みこんだ。「ごめんなさい、なくて」

「きみにないものはないよ」

彼は手で彼女の肋骨をなで、それから胃からおなかのあたりに動かした。鋭敏な指が赤褐色の三角形のヘアを弄ぶ。やさしくあおいだり、さらに下のほうへ動かして、指を入れて濡れたところを探って喜ばせる。

両手が導く場所へ、彼の唇がたどっていくにつれて、小さな満足したうめき声が彼女の喉から出た。彼は彼女の膝のあいだにひざまずいて、うっとりしながら、彼女の体を彼の口が受けやすいように持ち上げた。彼女はもう抵抗しなかった。彼はキスをして甘い忘却のなかへ誘った、彼女が今まで味わったことのない深い、すばらしい世界へ。熱を帯びた口で、彼は彼女のセックスに焼き印を押していく。

情熱の波が最高潮になる前に、彼女は彼の頭を両手でかかえて叫んだ。「エリク、いや、あなたと一緒がいい」

彼は彼女の上に乗り、体を彼女と溶けこませた。深くなかに突き入れ、彼女は彼をしめつけた。彼が子宮を突き立て、押しひろげ、触れる。体を引きながら、なめらかな濡れたセックスの先で、濃密な部分をそっと突く。それから彼女のなかにまた入り、彼女のなかでなでまわすように動かす。それは彼女がもう体がとけてしまうかと思うまでくりかえされた。彼女は彼の言ったことを心にとめて、彼を急がせなかった。ゆっくりと時間をかけて味わった。彼

永遠に。確かにこれは再生だった。

とうとう二人が最後を迎えそうになったとき、完全に一緒に、心と体が一体になってクライマックスを迎えた。

「おなかがすいたわ」キャスリーンはベッドから声をかけた。顎までシーツを上げて、ヘッドボードにもたれていた。エリクは窓のそばに立って、雲が東に向かって、海のほうへ流れていくのを見ていた。嵐は過ぎて、静かな雨だけがその後に残っていた。

エリクは振り返って、少年のようににこっと笑って彼女を見た。「そりゃ、当然だ。ぼくたちは昨日の夜から、一万キロカロリーくらい消費したんじゃないかな」

彼女は赤くなった。「でも、ダイエットするには、これよりいい方法はないわ」

「きみは少しもやせる必要はないよ。やせすぎてるくらいだ」

「やせてるですって！」彼女はシーツを落として、怒って坐りなおした。「どこが！」

彼はすまして彼女の乳房を見た。「あるべきところは、ほかのところより充分ふくらんでいるのは認めよう」

キャスリーンは彼に枕を投げつけたけれど、あたるより前に難なく受けとめられた。「ぼくが騎士道精神を発揮して、食べるものをもらいに行くのを期待してるんだね」

「紳士だったらそのくらいしなくちゃいけないの。わたしのディナーだって買ってきてくれなかったのに」

「また服が濡れるよ」彼が哀れっぽく言う。

「だったら、また脱げばいいでしょう。わたしが服を着たら、あなたは裸でいるのが気になるかもしれないでしょ、だからわたしも脱いだままでいるの。でももちろん、そうでないほうがいいなら……」

「行くよ、ぼくが行く」エリクは生乾きのジーンズとシャツを着た。「すぐ戻ってくる。どこにも行くんじゃないよ」彼はドアを閉めながらウインクした。

彼女はどこにも行かなかった、ただ膝の上に額をあてて自問自答していた。「何も考えたくない」自分自身にきっぱりと言う。「これからのことなど考えたくないわ。エリクと一緒にいること以外は、今は考えたくない。彼を愛している。わたしの人生から自由になって、この束の間のひとときを受け入れたっていいじゃない。そうじゃないの? いけないこと? 責任感や貞節や義務や道徳など考えたくないわ。明日はないんだもの。今日、彼はわたしと一緒にいて、わたしを愛してくれる。それ以上のことを考えるなんていや。わたしは彼を愛している。わたしは彼を愛しているの」

エリクが食料品をかかえて帰ってきたとき、彼女は両手を広げて彼を迎えた。

彼は髪から滴を払って、彼女の裸の肌にたらしながら笑った。「まあ、もう約束を破ってる、二度とわたしを濡らさないと言ったのに」

「もう破ったよ、昨日の夜、二人でシャワーを浴びているときに」彼は体を曲げて彼女の鼻にキスをしてからからかった。「そのときは不平を言わなかったぞ」

「礼儀正しかったからだわ」キャスリーンは偉ぶって言う。

「礼儀正しいだって！　南部のもてなしのことを聞いたことがあるが、かわいい――」彼女は彼を黙らせるために、口のなかに甘いロールパンを突き入れた。

彼はドーナツと、フルーツと、クラッカーと、チーズと、ポテトチップスと、チョコレート・バーと、ツナの缶詰――それは無駄だった、缶切りがなかったのだ――を抱えてきた。今まで二人が食べた最もアンバランスな食事だったが、いちばん幸せな食事だった。床にピクニックのように食べ物を広げた。エリクは濡れた服を脱いでいたけれど、二人とも見せかけで文明人ぶるのはやめて、体をタオルで巻くことに決めた。それでもエリクは彼女のタオルの高さが、彼と同じになるのがフェアだと言い張るので、ウエストラインで妥協した。けれど、首のまわりの珊瑚のネックレスは許してくれた。「すごく淫らなところにかかっているから」彼は珊瑚の球を乳房に触れそうなところまでたどった。

ほしいだけ食べてしまい、後は残しておくことにして、彼女はヘアブラシに手をのばした。膝で立って、彼の髪にブラシを当てはじめた。

「傷のまわりに髪がのびてよかったわ」彼の頭には、飛行場の事故で受けたかすかなピンクの傷跡があった。

「ああ。包帯が取れて、たった二、三週間ぐらいしかかからなかった。ぼくの髪はのびるのが早いんだ」

「きれいになってるわ」彼女は黙って想像した。

「きみこそきれいだよ」

キャスリーンがヘアブラシを動かすたびに、彼の顔の前の乳房が、楽しませるように揺れる。

「それをおろして」エリクは彼女の手首をつかむと、やさしく振って、ブラシを床に落とした。腕を自分の首にまわさせ、それから頭を彼女の胸にあてた。彼女は肌を彼からなでられて、喉から低い喜びの声を上げた。彼の温かな息がかかり、乳首が上を向く。

「触って」彼が命令した。「両手でぼくを握って、どんなにほしがっているか感じるんだ」

命じられたままにすると、彼は歯のあいだからうめき声を出した。「きみは最高だよ、キャスリーン。きみよりすばらしい人はいない」彼は確かめるように言う。「きみはぼくに魔法をかけた。その魔力で今までよりずっと強くなったよ、同時に弱さでふるえている」

彼女は彼を愛撫した、そのとき、彼は今までで もっとも男を感じた。「しよう」彼は懇願するように言った。

彼は両手で彼女を自分のほうへかかえ、力強い太腿で支えた。それから濡れたベルベットのなかに突き入れた。

「キャスリーン」彼が彼女を抱き寄せたとき、その名前はむせび泣くように聞こえた。やさしく、ほとんど情熱とは違ったもっと強いもので、彼は彼女を攻め立てて煽る。彼女が近づくたびに、彼はさらに深く入り、とうとう宇宙だけが二人のものになった。

これまで味わったことがない、新しい感覚が盛り上がってくる。オルガスムスを超えた満足が打ち寄せる。彼女はエリクで、彼は彼女だった。

激発の衝撃がきたとき、彼女は彼の名前を呼んだ。彼がかすれた声で叫んだ。「きみはぼくのものだ！」


「ほんとうにその下にえくぼがあるの？」彼女は口ひげにそって指を動かしながら、ものうげに聞いた。二人はたっぷりと満ち足りて、ベッドに寝そべってお互いを見つめていた。二人の手もだるそうだったけれど、お互いの体を探検するときは真剣になる。

「それがあるほうを剃ったらわかるよ」彼は口のなかに彼女の指をくわえて、やさしく吸った。

「そんなことしないで！」彼女が大きな声で止める。

深い笑いに、彼の胸が振動した。「なぜ？」

「理由は二つ。まず、それがないと、あなたってひどい顔になると思う」

「ありがとう。二番目の理由は？」

「それ、とても気持ちがいいの」やさしい声で甘えた。

「ほう、そうなのか？」彼は片方の肘を上げて、もういたずらを知らせるように眉毛を上げる。「どこが？　ここ？」指で彼女の口の隅に触れた。

「あっ、ああ」彼は体を曲げて、触れたところにキスをした。

「ここ？」指のあいだに生意気そうな乳首をはさんで聞いた。

「ああ、だめ」彼の口ひげは誘惑するために厳しくデザインされた武器だった。彼女の乳房の先端をなでていく。

「ここは？」

彼女はまた彼が触れたとき、腰をベッドから上げて反射的に背を弓なりにした。「そうよ、エリク」彼女はあえぎながら答えた。

彼は頭を曲げた。ゲームが終わるまで、彼女の体は彼の巧みな愛撫をすっかり味わっていた。

雨が午後遅く、やっと小雨になった。二人は手をつないで海岸に出た。

「普通の日には、波が引くと岸辺から数百メートルは砂州になるらしい。わかるね」エリクが言った。「それに、歩けるんだ。波が来ると完全におおってしまうから、誰もそんなものがあるなんて想像できないだろうな」

「すてきな島だわ」キャスリーンの言葉は必要なかった。今、二人にはどんな場所でも美しく見える。

一日じゅう二人は話し合った。彼はセントルイスの仕事をやめて、ヨーロッパに行ったことを彼女に話した。ジェイミーがボブとサリーに、養子にもらわれた詳しいいきさつも説明した。

「彼はきみが知っていた男の子と別人のようだよ。びっくりするほど開放的な子になってる。

おしゃべりしだすと誰も止められないくらいだ。もちろん、ぼくのおふくろは彼をかわいがっている。ジェニファーが去年の夏生まれるまで、あの子が彼女のただひとりの孫だったんだから」

　二人は黙ってうなずいた。セロンもまた彼女の孫だった。

「彼女はまだシアトルにいらっしゃるの?」キャスリーンは二人の会話がとぎれないように聞いた。

「そうだよ」

「ボブとサリーは?」

「タルサ（オクラホマ州北東部の石油都市）に住んでいる。だから、あの事故のときに、フォートスミスまで早く来られたんだ。ボブの名前はぼくの身分証明書に、緊急の場合に知らせる近親者としてのっている。二人はドクターから電話が入ってすぐ、フォートスミスまで直接車を飛ばしてきた。ボブは石油会社のエンジニアだ」

　すべて話し合っているのに、わざとセスと彼女の結婚の話題を避けていた。その日はずっと、暗黙のうちに、そのことはないことになっていた。

「タマーラと寝たことはないよ」彼は雨でまだ濡れている砂に坐っているときに言った。

「なんのこと?」キャスリーンは彼の話が聞こえなかったふりをした。それから海を見た。

「そんなこと、わたし、言わなかったわ」

　彼は笑って彼女の肩に腕をまわした。「でもきみは思っていたはずだ。キャスリーン、ぼくを信じてくれ。ぼくがあんなふしだらな女をほしがっていると、本気で思っていたのか？」彼はほんとうに幻滅しているようだった。「ここからずっと向こうまで、男はみんな、彼女の脚のあいだに誘われているさ。ぼくはあのとき海辺にひとりで出かけた。彼女はぼくを追ってきたんだ」

「でも彼女が海から裸で上がってきて、あなたの上にのったのを見たわ。彼女は――」

「彼女はすぐに投げ出された。その部分を、きみは見ないで帰ってしまった」彼は彼女の疑っているような目を見て言った。「ああ、認めるよ、彼女は初めからぼくを追いかけまわしてた、だがぼくは誘いにはのらなかった。ほんとうは、その誘いを思いとどまらせようとしたんだ。だが、タマーラは鈍感で、なかなかわかってくれなかった」

「彼女があなたに手を置くたびに、彼女を殺してやりたかったわ」緑色の瞳が怒りできらきら輝いた。

「きみはかわいい女豹《めひょう》だね、キャスリーン・ヘイリー」エリクはからかった。二人とも彼が結婚後の名前を使っていないのに気がつかなかった。「きみがずっとぼくの心をつかんで離さなかったのはどうなんだ？　えっ？」

「そのことは別だわ」彼女が弁解する。

「同感だな」

二人はバンガローに戻った。雨がやんだ今、海辺では二人っきりのままではいられない。

「飛行場に電話したよ。今夜はないが、朝いちばんにここを発つ飛行機がある」エリクはやけになっているのを隠して、てきぱきした口調で言った。ベッドの端に坐って、電話機を憎んでいるようににらみつけていた。

「わかったわ」キャスリーンはバスルームから出てきて言った。

彼は彼女を見上げるると、両手をとって引き寄せた。彼女の顔の表情を心に焼き付け、彼女の香りをかいでおきたかった。「ぼくたちは家に帰らないといけないんだ、キャスリーン」静かに言った。

彼女は彼の髪や、毛深い眉や、口ひげや、その下の唇に触れた。「ええ、でも今夜ではないでしょ、発つのは明日だわ」

彼は寝そべって、彼女を肩のくぼんだところに抱いた。彼の表情は憂いに沈んでいた。彼女の髪を指に取って持ち上げる。

「なあに？」

「えっ？」

「何を考えているの？」

彼は深く息を吸った。「いや、考えると苦しくなる」

彼女は体を起こして、彼の顔をのぞきこんだ。こんなに自分を咎めている表情を見るのは、前にエチオピアでのことを話してくれたとき以来だった。「どうしたの、エリク？」

「きみに会うたびに、ぼくは自分を止められない。暴れまわる猛牛のような気持ちになってしまう。お互いが相手に抱いている引き合う力を、ぼくは好きなように利用して、そして使っている。やさしさなどない」

「エリク、そのことはお互いさまよ。わたしは喜んであなたに与えたの、あなたはそれ以上は求めていないわ」

「そうだろうか?」彼は足を床に降ろして、窓のほうへ歩いていった。キャスリーンはベッドの真ん中に坐って、自分がよく知っていると思っていた男の新しい面に戸惑っていた。

「エリク、なんなの? 何を悩んでいるの?」やさしく聞いた。

彼は窓枠にもたれて、海のほうをながめていた。「きみのことをぼくがどんなふうに考えているか、きみは知らないかもしれない。ぼくが求めているのは、きみとのセックスだけだと信じているんじゃないかと思って。きみに話してないが、まだほかにたくさんあるんだよ……キャスリーン——」彼はどう言っていいかわからず、お手上げだというようなジェスチャーをした。「このやさしい気持ちを伝えるのがとてもむずかしいんだ」

「そうじゃないわ。あなたはセロンに愛情を抱いてくれてる。キャンプでもそうだった、わたしはあなたが、どんなふうに子どもたちと接しているか覚えているわ。あなたは——」

「そうだ」彼は我慢できずに言った。「だが、きみと一緒だと、いつもより気持ちが激して罵倒してしまう。きみは誰よりもぼくを怒らせるんだ。ぼくは危険なほど短気だ、それは認めるよ。そして、ぼくはきみのことをこんなに愛しているから、その理由を理解できないんだ、キャスリーン。きみに言ってきたり、してきたいくつかのことは、その……間違いなく、かなりひどい。なぜきみをこんなに傷つけてばかりいるんだろう？　ほとんど、きみを罰しているみたいだろう？」

彼女は黙って坐って、シーツをふるえる指で握っていた。喉が苦しくてすぐに声が出ない。やっと咳払いした。「なぜ……なぜあなたは自分の感情を表現することができないと思うの、エリク？」

彼は窓から離れて椅子のほうへ歩いていった。深く腰かけると、大きく開いた膝のあいだの床をじっと見下ろした。「父は親切な人だった。決して人をわざと傷つけたりしなかった。でも愛情深い態度も見せたことはなかったよ。彼がボブやぼくを抱きしめてくれたことなど、一度も思いだせない。父が母を愛していたのはわかっているが、愛していると言ったことなど聞いたことがない。大げさに愛情表現をするのを嘲っていた。彼は優しさと弱さを同じものと考えていたんだ。そして、ぼくは父のそんな態度を真似てきたようだ。しかし、そんなことはしたくない。セロンにはできるだけ体で愛情を示してやりたい。彼には寂しい思いをさせたくないよ……愛情のことで」エリクはそれから彼女を見上げた。「そのことをきみにわかってもらいたいんだ、ぼくはきみを、こんなに愛している。それ以上、そのことを表現できないのが残念だ。それに、ぼくはきみが、少しでもぼくのことを気にかけてくれてるんだって知りたい」彼はしわがれた声で言った。

「エリク」彼女はささやいた。「エリク」彼女はセスと結婚している。だから体中を流れている愛情を言葉に出すことはできなかったけれど、示すことはできた。キャスリーンが腕を広げると、彼がベッドの彼女のそばに来た。

ひと晩中、彼女は彼を抱きしめていた。

20

「いったいどこに行ってたんですか?」エリオットが怒って問い詰めた。

キャスリーンはウエストエンド・リゾートの、彼女の部屋のドアノブに鍵を入れたところだった。彼女とエリクはチャブケイから飛行機で着いたばかりだった。彼女の背後にいたエリクが、エリオットを見て顔をしかめたのが気配でわかった。

「こんなところで何をしてるの、エリオット?」彼女はぼうっとして聞いた。エリクとのロマンティックな物語は終わりになったのだ、その事実をあまりはっきりわかっていなかった。二人はグランドバハマ島に近づくにつれて、少しずつお互いから距離を置こうとしていた。まず、体に触れ合うのはやめ、それから口をきかず、視線を合わせないようにしていた。チャブケイの小さな部屋ではひとつだったのに、また二人は別々になっていた。二人とも、事態を受け入れて、うまく対処したりしたくないけれど、互いのあいだにひたひた打ち込まれる楔《くさび》を感じる。今、エリオットは問い詰めるように彼女を見つめ、まるで殺しかねない様子でエリクを見ていた。

「楽しいときを過ごしたことを祈るよ、キャスリーン」エリオットはいやみを隠しもしない。

「こっちは昨日の午後からずっとここで待ってたんですよ」

「わたし……少し休みをとったの。別の島に行ったら、嵐が来て。エリクが心配して迎えに――」

「刺激的な話はけっこう」エリオットはエリクを悪意たっぷりに見た。

「連絡もしないでここへ来るなんて、何かあったの?」キャスリーンが急いで聞いた。

「セスが入院したんです」彼は簡潔に言った。「ICU（集中治療室）に入っています。彼は自分のせいで、あなたに急いで帰ってもらいたくないらしいんですけど、ジョージが電話してきて、すぐあなたに帰ってきてほしい、と。あなたのご主人は危篤です」情け容赦もない。キャスリーンは両手で口をふさいだ。顔からすっと血が抜けていく。エリオットをじっと見つめた。

「エリオット、不機嫌にあたるのはやめてくれ。キャスリーンは何も知らなかったんだ」エリクはめずらしく冷静に言った。「くわしく説明してくれないか」

　エリオットは顔をしかめて二人を見た。キャスリーンは初めて、彼がどんなに憔悴しているか気がついた。服はしわくちゃで、髪はくしゃくしゃに乱れている。ひげも剃っていない。こんな姿のエリオットを見たことがなかった。「セスは三日前、病院に運ばれたんです。ジョージの話によると、セスは前に受けた事故で腎臓を痛め、以来ずっと悪くなっていたらしいです。もちろん、治療を受けて闘ってきたんだけど、今は臓器そのものに毒がまわってきている。彼はあなたに電話をかけさせなかったんですよ、キャスリーン。ジョージとぼくが彼に内緒で、知らせることに決めたんです」

彼女は彼のほうへ、お願いをするように両手をのばしながら近づいた。「エリオット、大げさに言ってるんでしょ？　ほんとうは……」

その声はしだいに小さくなって、特徴ある彼の冷笑の跡を探した。どこにも見えない。彼はエリクを見た、それから視線を彼女に戻した。彼女にはわかった、彼が言ったことはほんとうなのだ、と。

「いや」彼女は叫んだ。「お願い、神さま、やめて！」両手で顔をおおって、ベッドに倒れこんだ。

「キャスリーン」エリクの声だ。「今はそんなことをする時間はない」

「彼は正しいよ、キャスリーン」エリオットの声が重なる。「ぼくはジェット機をチャーターして来ました。みんなであなたたちが戻ってくるのを待ってたんですよ。すぐにサンフランシスコに戻らなくちゃ」

「ええ。わかってる」彼女はつぶやくと、部屋のなかをぼんやり歩きまわりだした。何をすればいいのだろう？　何も考えつかなかった。

「ここのものは置いていっていいよ。ぼくが荷造りして家に送る」エリクが申し出た。両手を彼女の肩に置いて、彼のほうに向かせた。「何も心配しなくていい。ここをかたづけたら、すぐ明日の朝、サンフランシスコできみと一緒になるよ」

「いいえ！」彼女は彼の手から体を引き離した。あまりの強い力に、彼の顔には驚きの表情が浮かんだ。「わたし……あなたはここに残ってて、撮影をすべて終えてくれたら、それがいちばんだと思う。セスもそれを望むわ、それにあなたが……近くに……病院まで来てはいけない」

言葉に出さないけれど、言いたいことはわかった。エリクに彼女と一緒にいてほしくないのだ。目は焦点が定まらず、彼を見ようとしない。彼はいらいらして、人差し指と親指で彼女の頬をはさむと、彼のほうを向かせた。鋼鉄のように厳しい青い瞳で、罪の意識に苦しむ目をのぞきこんだ。怒りがこみあげてきたけれど、口を真一文字に結んだ。彼女の頭越しに、エリオットに言った。「彼女のめんどうを見てやってくれないか。ぼくにできることがあれば知らせてくれ。ぼくらはできるだけ撮影を早く終わらせて、明後日までに戻る」

「わかったわ」エリオットはエリクがドアを閉めて出ていくのを見送った。キャスリーンはまたベッドに坐り、両手をじっと見て肩を落とした。ほかに何かをする力も、気力さえわかなかった。言われるままに動くだけだ。

エリオットが彼女のそばに来て言った。「キャスリーン、さあ行きましょう」

バッグだけを手にすると、彼女は彼と一緒に部屋を出た。サンフランシスコへの帰路では、何も思いだせなかった。言われるとおりにしたけれど、頭にあったのは、熱帯の島でほかの男と愛し合っていた、そしてそのあいだに、夫は危篤状態になっていたということだけだった。彼女は罰せられなければならない、けれどなぜ、神は彼女ではなくて、セスを選んだのか？　セスはもう充分苦しんできたではないか？　懲罰を受けるのは彼女だ、それをなぜセスが？

彼女は飛行場からまっすぐ病院に行きたかったけれど、エリオットが止めた。「あなたはホラー映画から抜け出てきたみたいですよ、キャスリーン。セスは重体だけど、あなたの今の姿を見てもよくならないわ。彼を見舞いに入っていくときは、彼にとっていつものように、女神みたいでなくちゃいけないよ」エリオットは女神と思っていないのだ。けれど、セスのことで頭が混乱しすぎていたので、エリオットが彼女のことをどう思っているのか、気にかけられなかった。

それでも、帰宅して鏡のなかの自分を見て、やはり最初に家に戻ってよかったと思った。まさに悪夢に出てくる人そのままだった。急いでお風呂に入って、髪を洗い、きちんとアップにまとめて、最小限のメーキャップをした。

もちろんセロンは彼女を見て、大はしゃぎだった。彼女は息子を強く抱きしめたけれど、相手になってやれたのはほんの数分だけだった。アリスに預けてエリオットと出ていくときは、さすがにむずかった。息子の泣き声に胸が張り裂けそうだったけれど、今はまず夫のことが優先する。

ヘイゼルはセスの集中治療室の外で見張っていた。キャスリーンが近づくのを見ると、たちまち顔に意地悪そうな表情が浮かんだ。「ずいぶん時間がかかったのね」はがゆそうに口をとがらした。「わたし個人としては、あなたに二度と帰ってきてほしくなかったけど、セスは死ぬ前に間に合ってあなたが帰ってきたのを喜ぶわ」

「彼の主治医はどこですの?」キャスリーンはヘイゼルの残酷な言葉を無視して聞いた。

「セスと一緒にそこにいるわ」彼女はそう言うと、キャスリーンに背を向けた。

キャスリーンはぐったり壁にもたれかかった。エリオットは彼女が家で着替えたとき以外は、ずっと離れることはなかった。彼女の手をとって、自分の手のあいだにはさんだ。「すみません」彼はやさしい声で言った。「さっきはひどいことを言って」

キャスリーンは微笑みながら彼を見上げた。「いいえ、ほんとうの友だちなら当然のことよ」彼女はちょっと目を閉じると、静かに言った。「それにわたしはもっとひどいことを言われても当然だわ」

「自分をそんなに責めないで、キャスリーン。あなたは知らなかったんですから」

「知ってて当然だったわ。どこか悪いんだって感づいていたの、だけど彼に聞いても、彼はわたしに言おうとしなかった」ため息をついた。「もっとしつこく聞いておけばよかったわ。そうすればここにいたのに」

「ここにいるじゃない。そのことが重要ですよ」彼はちょっと躊躇して、率直に聞いた。「グッドジョンセンを愛しているのね?」

はっとして、エリオットを見上げた。「どうして……わかったの?」

彼は微笑んだ。「二人が都合良く二日間姿をくらまして、二人とも罪深い顔をして戻ってくれば、何をしていたのか誰にだってわかるでしょ。あなたは純粋な心の持ち主だもの、男とやるときは……失礼……ほんとうに愛していなければセックスはできない人よ。正しいでしょ？」

「ええ、彼を愛しているわ」彼女は静かに言った。「でもセスのことも愛しているの。ただし違った愛し方だけど、わかるでしょ？」

　エリオットは彼女を抱きよせた。「うん、わかってる。だから人生ってすばらしいんじゃない？」

　人生の皮肉を知った、彼ならではの言葉だった。

　二人の横のドアが開いて、ジョージが髪が薄くなりかかった男性の後ろから出てきた。この人が主治医なのだ。

「やあ、キャスリーン」ジョージはやさしく声をかけて、彼女の手をとった。そんなにやさしくするのはやめてほしい。この数日間、自分のしたことはそれに値しないのだ。

「こんにちは、ジョージ」唇がふるえてどうしようもなかった。

「数か月前に、あなたに言いたかったんです」ジョージが続けた。「彼にお勧めしたのですが、あなたに心配をかけたくなかったようです。彼はずっとお悪かった」

「わかってます。ありがたく思っていますわ、あなたが彼のめんどうを見てくださって。彼はわたしにはさせたがらなかった」彼女は言った。

「ミセス・カーホフですね、ドクター・アリグザンダーです。お電話ではお話ししたことがありますが、お目にかかったのは初めてですね。よろしく」

「こんにちは、ドクター・アリグザンダー。夫の容態はどうなんでしょう？」これほど冷静に話せるとは思わなかった。どこでそんな術《すべ》を身につけたのだろう? 心のなかとは違っている。

ドクターの眉は特徴のない目をおおうほど下がって、自分の靴をじっと見つめた。「危篤でないふりはしません。彼はいつの間にか、病気が末期になっていると知っていましたが、そのことで、わたしが特別な処置をするのを拒みました」

「なぜ?」彼女は大きな声を出した。「何かやれることがあるのでしたら——」

「ご主人と話し合うべきです、ミセス・カーホフ」

「よろしいですか?」

「少しでしたら」

「ドクター、あなたが出てきたら、わたしがなかに入れるとおっしゃったわ」ヘイゼルがいつの間にかまた近くに来ていた。キャスリーンを守るように立っていた男たちの後ろから主張する。

ドクター・アリグザンダーは困っていた。「ええ、そうでした、ミズ・カーホフ、でも弟さんを奥さまが見舞うのは、拒まないでしょう」

「彼女はバハマなんかでぶらついてないで、ここにいるべきだったんですよ。いったい誰が、ここで毎日毎晩待って、心配して……」彼女の声はわっと泣きくずれたために聞こえなくなった。キャスリーンには、彼女が哀れまれるためにやっているのがわかっていた。最後まで、ヘイゼルは弱々しい、愛しい姉のふりをしつづけるつもりなのだ。ほかのときだったら、キャスリーンは喜んで、ヘイゼルの二枚舌を糾弾して強く言い返していただろう。

ドクターはもう慰めようがないと思って、彼女を遠ざけた。キャスリーンは部屋のドアを開けた。彼女には拷問の部屋のようだった。セスのバイタルサイン（脈拍、呼吸、体温などの生命徴候）を示すビービーという音だけが、何を示しているのかわかった。背筋が凍るような管と針と瓶のデコパージュ（紙の切り抜きで作る貼り絵）みたいだった。

彼女の近づく気配を察したらしい。セスの目だけが親しげにこちらを見た。

「キャスリーン」しわがれ声だ。彼女をつかもうと手を上げた。「早く帰ったんだね。わざわざ戻ってこなくてよかったのに」柔和な顔になって、うれしそうに言った。「でも帰ってきてくれてうれしいよ」

涙を流してはいけないと思うのに、とめどもなく頬を流れていく。「セス、セス、なぜ？なぜ言ってくれなかったの？」

「どうしたらよかった？　きみに心配をかけ、悩ませ、仕事を休ませるだけだ、デパートの仕事は、わたしよりももっと大事だよ」

「違うわ！」彼女は声を抑えて叫んだ。「あなたほど重要なものなんてない」

「ああ、そうだね。うん、大切なものはたくさんある」彼は親指で彼女の手の甲をなでた。「たとえば、きみだ。そしてテレビのコマーシャル。どうなってるんだ？　エリクはどうしてる？　バハマでの仕事に満足しているようだったかね？」

彼女はもどかしく思いながらうなずいた。「ええ、ええ、コマーシャルはきれいに仕上がってますわ。あなたのご希望どおりに。エ――エリクは元気よ」彼女は発作的に唾を呑みこんだ。「セス、でもそんなことよりも、ドクター・アリグザンダーにあなたを助けていただくことをお話ししましょう」

「キャスリーン、わたしはもうこれ以上誰の重荷にもなりたくない。こんな体であることにもう飽きた。もし臓器移植の話があっても、必要な腎臓を、子どもか、ほかの健康な人から奪うことになるだろう。どうしてわたしがそんな自分本位でいられる？ 新しい腎臓をもらっても、依然として体は不自由なままだ。これから何年間も透析《とうせき》をしたくない、長い目で見れば、結果は同じだから」彼女の手を胸にあてて、涙の流れる目をじっと見つめて言った。「わたしは楽になるつもりだ、キャスリーン。わたしが言う意味がわかるね？ それを楽しみにしてるんだ。もう一度楽になりたい」

「セス……」彼女はすすり泣きながら、彼の首に顔をうずめた。彼に慰められながら、悲しみと恥と罪の意識で声を上げて泣いていた。

また日は昇り、日は沈んでも、キャスリーンは気がつかなかった。彼女は食事をして、お風呂に入り、着替えるためだけに家に戻っていた。セスを見舞うわずかの時間には、もう泣くことはなかった。微笑を絶やさず、きれいに見えるように心がけた。それがセスの望みだとわかっていた。

ヘイゼルはもう見え透いたうわべを飾ることはやめ、鬼婆のようにふるまっていた。エリオットは彼女のことを、「ぞっとするほどいやらしい牝犬」と見ていた。キャスリーンも同じ意見だった。セスはキャスリーンが戻ってきて一度だけ、彼が妻との面会を許可された時間に、姉に会えるように頼んだ。ドクターはヘイゼルの面会を急におわらせた。「ああ、困った人だ、今は仕事の話をしている時ではないでしょう」キャスリーンは医者が止める前に、ヘイゼルがどんなことをセスに話していたか、だいたい想像できた。

ジョージとエリオットは、いつも彼女と一緒にいた。みんなで店のマネジャーに電話して、クリスマスの売り上げがすごいことを確信した。キャスリーンがセスにこのことを話すと、彼は微笑んで、憔悴した顔に、以前のように少し輝きが戻った。「すごい！　しかし驚かないよ。わたしはいつもすばらしい人たちを雇っているから」

ドクターが病室から出てきて、背後でそっとドアを閉めたのは真夜中に近かった。彼はあわてて何かをポケットのなかに詰めこみ、そのまま床をじっと見つめていた。キャスリーンはびくっとして、待合室の長椅子から立ち上がると、彼のほうへ走り寄った。

「あなたに会いたがっておられますよ、キャスリーン。今はよく眠れるように鎮静剤を投与していますが」ドクターは彼女をまっすぐに見た。「おそらく来るものが来たと思います」

キャスリーンはすすり泣いて、支えようと手を差しのべたジョージの手につかまった。

「ああ」小さな声で言った。

「彼女を、わたしより先に会わせないわよ！」ヘイゼルが金切り声で言った。「最初にわたしが会って、彼女がどんなにひどいあばずれかを言ってやる」憎々しげにキャスリーンを見た。「いいこと、わたしをだませはしないのよ。あなたがなぜバハマに逃げたかったのか、わかってるんだから。あっちで、あのカメラマンと寝たかったのよ。多分、彼とずっと寝てたんでしょ。どうして、そんなに時間がかかったのよ、あのホモが?」エリオットを指した。「あなたをプリンセスのように守っているあいつ、どうして連れ戻すのに二日間もかかったの? 筋肉だらけの、黄色い髪のサルとどこかに消えていたんでしょ? 弟は死にませんよ、彼が結婚した女がどんなに身持ちが悪いか、わたしが話してあげるまではね」

「静かにするんだ」ドクター・アリグザンダーがとうとう平静を失って命令した。「もう一度何か言ったら、ミズ・カーホフ、あなたをこの病院から追い出す。あなたがどんなにお金を持っていようが、こっちはなんともないんだ。弟さんは奥さんに会って、天国へ行きたがってる。あなたはそこに坐って、静かにしてるんだ、そうしなければわたしがここから追い出す。いいですね?」

「なんて、ひどいやつ! なんて生意気な――」

「ええ、わたしは生意気ですとも」ドクター・アリグザンダーはヘイゼルの腕を強く握って、廊下を引きずっていこうとした。

「あばずれ女め!」ヘイゼルはドクターに引っ張られながら怒鳴った。「弟はそのことを知ってたわ。あなたと結婚するときでさえ、あなたがあばずれだって知ってたのよ。弟は弱虫よ! 意気地なしだわ!」

キャスリーンは耳をおおって背を向けた。

「キャスリーン」ジョージがやさしく声をかけた。彼女の肩に手を置いて振り向かせた。「頭がおかしくなっている人が言っていることです、みんなはそれをわかっていますよ。セスはあなたを愛しています。さあ、涙をふいて、あなたを待ってる彼のいるところへ行っておあげなさい」

「ぼくたちがここにいますからね」エリオットが言った。

彼女は黙ってうなずいて、ジョージが差し出してくれたハンカチで涙をふいた。気持ちを落ち着かせて、薄暗い部屋に入っていった。器具からはまだビービーと音がしていた。小さな緑と赤の光が点滅している。そのほかはすべてひっそりとしていた。

「キャスリーン」セスが弱々しい声で言った。

「はい、ダーリン」さっと彼に近づいて、手を取ってベッドの端に坐った。

「外で何か騒いでいたようだが?」

「誰か——誰かがトレイを落としたんじゃないかしら、それでみんなあわてて」

「便器じゃなかったんだろうね?」彼は悲しげに笑った。

彼女は微笑んだ。「違うと思いますわ」

「今夜は格別きれいだね。わたしはその緑色のものを着ているきみが好きだ」

「だから着てきたんです。あなたがお好きだと思って」

彼は彼女の頬をなで、それから指を髪のなかに差し入れて梳いた。「とても美しい」

「いいえ」彼女は首を振った。「そんなことありません」彼女は罪の意識を取り除き、今どんなに自分が醜いかを話したかった。けれど、そうすれば彼の苦痛を増すだけだろう。

肉体的な痛みを和らげる力になれないばかりか、心の死に対しても責任がもてなくなる。

「いや、きみは美しい。今まで会ったなかでいちばん美しい女性だ」彼は目を閉じて、彼女を驚かせるような深いぞっとするような息を吸った。「キャスリーン、わたしのためにヘイゼルのめんどうをみてやってくれ。彼女にはきみとセロンのほかにはだれもいない。きみが必要だ。助けてやってくれ。彼女はきみのように強くない」

キャスリーンは彼には何でも約束したかったけれど、それは守れそうにない約束だった。彼女の助けなど、ヘイゼルは絶対に必要としない。でも、セスは今までどおり、姉のいやなところを知らないまま死んでいくほうがいいのだ。キャスリーンは彼の幻想を打ち砕くつもりはなかった。「わかっています」彼女は答えた。「約束しますわ」

彼は安堵のため息をついた。「セロンはどうしてる?」

「彼はとっても元気です。今日、『子犬《パピー》ちゃん』と言ったらしいです。アリスが教えてくれました」

「すばらしい息子だよ。もう一度彼を見たかった」彼は彼女の手を取って、薄れゆく力の限り強く握りしめた。「彼はわたしの息子だね? 短いあいだだったが一緒だった、あの子はわたしの息子だ」

「ええ」彼女はすすり泣きながら言った。「そうです、あなた、彼はあなたの子どもです」

「きみたち二人がいて、どんなにわたしが幸せだったか。とても口に出して言えないくらいだ。この二年間、妻と息子をもてて、再び男になった気がしたよ。ありがとう、キャスリーン」

「あなた、お礼を言うのはわたしのほうです」とめどもなく流れる涙を、彼が指でぬぐった。「セス」彼女は懇願した。「わたしを残していかないで。あなたがいなくなったらわたしはひとりぼっちになる」

　彼はやさしく微笑んだ。「きみはずっとひとりぼっちでいることはない」そのことを問いかける前に、彼が続けた。「わたしが健康で強かったら、きみのためになんとでも、誰とでも闘っただろう、キャスリーン。しかしそうじゃない。わたしはとても疲れた。わたしが旅立てるように愛してくれ」

「愛しているわ、セス」

「今夜はずっとそばにいてくれるね」彼女の手を握りしめた。

「いますよ。あなたが望む限りずっとおそばに」

「永遠にきみにいてほしい」ささやくと、美しい口にやさしい微笑みが浮かんだ。もう一度、彼は力を奮い起こして彼女の頬に触れた。「キャスリーン、きみはわたしの最愛の人だ」それから目を閉じた。

　一度だけ、運命はセスの味方をした。彼は望むとおりに旅立った――痛みがなく、眠るように、そばにキャスリーンの顔を見ながら。

エリクは、花に飾られた棺へ歩いていく彼女の小柄な姿を見守っていた。ジョージとエリオットが付き添っていたけれど、助けは受けずに歩いている。ヘイゼルは少し離れてついていた。

墓地には、椅子が家族のために用意されていた。ほかの人たちはまわりを囲んで立っていた。エリクもそのなかで、椅子に坐って、ラビの簡単な説教を聞いているセス・カーホフの遺族を見守っていた。

キャスリーンはやせて顔色が悪いようだ。宝石はつけず、体にぴったりしたシンプルな黒い服を着て、髪を後ろでまとめて結っている。ヘイゼルの頭を包んでいる帽子やベールをかぶるのは、いさぎよしとしていないようだ。

キャスリーンはスカートの裾を引っ張って、背をまっすぐにし、口をきゅっと結んで坐っていた。頭を誇り高く上げている。クリスマス・シーズンにもかかわらず、〈カーホフ〉の店はすべて今日は休業で、従業員は葬式に出席していた。キャスリーンはその人たちのための模範になろうとしているのだ。セスはみんなに、勇気をもち、威厳のある行動をするように望んでいただろう。

セロンはもちろん彼女のそばにはいなかった。アリスもいないから、彼のお守りをしているのだろう。死者への頌徳《しょうとく》の言葉は短く、胸を打つものだった。終わるとすぐに、キャスリーンは立ち上がって、まわりに集まっていた人たちに挨拶した。静かに、上品にみんなと握手し、頬にキスを受け、思わず泣きだしてしまった人を慰めている。セスの最も忠実な秘書で、友人でもあったクレア・ラーチモントは、深い悲しみに沈んでいた。

ああ、なんという女性だと、エリクは思った。キャスリーンはクレアにやさしく声をかけていた。勇気がある女性闘士だ。それにとても美しい。彼女は母斑《ぼはん》のように、永遠に彼に強いしるしを残していた。決して彼女から免《まぬが》れないだろう。時間がかかることはよくわかっていた。しかし、もう彼らが一緒になれない理由はなかった。彼女と、彼自身と、彼の息子。何よりもそのことが望みだった。

これからの人生を、彼は自分の代わりに、二人のめんどうを見てくれたことに対して、セスに感謝していくだろう。あれほど愛情をこめて、寛大に見守ってくれた男はいなかった。セス・カーホフは賞賛に値する人物だった。撮影のために死に目にあえず、彼の思いを伝えることができなくて残念だ。つきあいは短かったけれど、セスが亡くなってほんとうに悲しかった。

会衆はしだいに少なくなった。気がつくと、エリクはキャスリーンのほうへ近づいていた。今はもう二、三人が彼女に何か声をかけているだけだ。ヘイゼルが義理の妹のほうへ歩いていくのを見て、彼は足を止めた。彼にはどうしてか苦手な人だ。陰気なベールの下から、キャスリーンに声をかけるのが聞こえた。

「まあ上手に悲しみの未亡人を演じたわね、キャスリーン。ほんとうのあなたを知ったら、どんなにみんなが驚くかしら?」

何を言いたいんだ? エリクは眉を上げた。これまで、彼女がキャスリーンに、これほどあからさまに憎しみをもっているとは知らなかった。

キャスリーンはあきらめてため息をついた。「ヘイゼル、セスのためにもう仲直りできないかしら?」

「お黙りなさい、よく聞くのよ。弟は愚か者だったわ、あなたをわたしたちの生活に連れこんだりして。でもわたしはできるだけ大目に見てきた。もうあなたとあなたの子を、わたしの人生から追い出してやりたい。わかるわね?」

エリクはキャスリーンが体を硬くして、言い返そうとしているのがわかった。「前に一度、わたしを脅したことがあるでしょ。あのプールのことです、覚えてますね?」キャスリーンが冷たく言った。「そのとき、あなたに言ったことはまだ変わっていないわ。わたしはあなたのものなど何ひとつほしくないの、ヘイゼル。遺書が検認されたらすぐに、どこかほかのところへ行きます。そのあいだ、わたしと息子から離れていてください。あなたが子どもに近づいたら、その結果は償ってもらいますよ」

ヘイゼルは怒りで身をふるわせた。顔をおおうベールが揺れている。ぷいっと体を翻すと、待っているリムジンのほうへ靴音を響かせて去っていった。

キャスリーンは胸に大きく息を吸いこんだ。ジョージが腕をとって支えようとしたけれど、首を振って断った。「大丈夫ですか、キャスリーン?」彼が心配そうに尋ねるのがエリクのところまで聞こえた。

「ええ、大丈夫よ」

エリクはいま聞いたばかりのことが信じられなかった。プールとセロン。ヘイゼルはわざと……ああ！　考えていくと、凍りつくような事実にいきついた。ヘイゼルは頭がおかしいのだ。

キャスリーンはヘイゼルの思うままだったのだ。そしてセロンも。エリクは臨時のテントから離れて、彼女の後ろに近づいていった。

彼女はとても小さくて、はかなげで、頼りなさそうだった。この腕に抱きしめてやりたい。自分の力と慰めで満たして、すべてうまくいくよと言ってやりたかった。二人はすぐ一緒になれるだろう。

だが、そうはいかなかった。彼は彼女の名前を呼んだだけだった。

彼女ははっとして背筋を伸ばした。あの声。愛する人の声だ。まぎれもなく彼女の名前を呼んだのだ。彼女はあやうく彼の腕に身を投げ、絶対に離さないでと頼むところだった。

そんなことはだめだ、彼女は自分を呑みこもうとした感情に押し流されまいとした。自分はセス・カーホフの未亡人なのだ、それにふさわしく行動したい。世界中のなによりも、エリクがほしかった、彼と一緒にいたかった。けれどあんなことの後では、そんな甘えが許されるはずはなかった。

最初、セスが死んだのは、姦通《かんつう》のために彼女は罰せられたのだと思っていた。でもそれはばかばかしいことだ。セスはエリクがサンフランシスコに来る前から、ずっと患っていたのだから。セスだったら二人の愛を理解し、気持ちをわかってくれただろう。彼女が犯した裏切りを許してくれただろうが、彼女は自分を絶対に許せなかった。その気持ちは変わることがない。けれど、彼女には彼と一緒になる贅沢を許すことができなかった。彼の愛がほしいけれど、しかし制約付きでしか、彼が彼女を愛していると言ったのを聞いたことがない。彼女は安心して彼とセロンと一緒にいたかった、けれどそれが彼らの運命だとは信じられないのだ。もし一緒になる運命なら、どうして行く手にこれほど多くの障害があったのだろう? 苦悩と苦痛が多すぎる。エリクを愛したために罰せられたのだ。厳しくとりたてたものは高くつきすぎた。彼女にはもうこれ以上払いきれなかった。

彼女にはつらすぎるけれど、自制がきかなくならないうちに、彼のほうに顔を向けた。「こんにちは、エリク。いらしてくださってありがとう」なるべく彼と目を合わせないように、ネクタイの結び目を見て言った。

「ここにいたいんだ、きみと一緒に」彼は言って、最後の言葉に力を入れた。「何か手伝うことはないか?」やさしく聞いた。

「何もないわ」にべもない言い方だった。彼女はすぐに彼の目を見て、はっきりと理解したのを感じた。彼にはわかったのだ、彼女が彼を締め出していることを。心の痛みに顔をゆがめ、口ひげが曲がった。それでも彼女は彼の気持ちを斟酌《しんしゃく》する余裕がなかった。無情でいなければならないのだ。「すべてなんとかやれてるわ。ジョージとアリスが手伝ってくれてるから。エリオットも先のことが決まるまで、店をすべて手伝ってくれているので」

「キャスリーン……」

彼の声には懇願する思いがこめられていた。彼女は急いで言った。「コマーシャルを撮りおわったらすぐに、エリオットが見ます」

「ぼくはここに、コマーシャルの話をしにきたんじゃないよ」彼は不吉なくらいやさしく言った。「きみのことを話したかったんだ。そしてぼくのことをね。ずっと前にぼくたちのあいだで起こったことと、つい最近チャブケイで起きたことを」

彼女は困った顔をしてジョージとエリオットを見たけれど、二人とも静かに何か話し合っていた。

「お話しすることはないわ、エリク」彼女はさりげなく言った。「これからはあなたにそんなに会えなくなります。長い休暇を取ろうと計画してるの。さようなら」

彼に背を向けて去ろうとするのを、彼が振り向かせた。「そうか、キャスリーン、ぼくたちが一緒に生きていくのを拒めばいい、ぼくにはわかってるんだよ、きみだって同じようにそれを望んでいるのを。だが、きみはぼくとぼくの息子を引き離せない。何か月も、ぼくはきみから息子を奪う良い口実を探してきた。今はひとつある」彼は意味ありげにヘイゼルが乗りこんだリムジンのほうを見た。彼は彼女が脅されているのを聞いたのだ。「くわしく言わないでもわかるはずだ」

彼女は彼の腕をつかんだ。息がつまって唇の色が失せていた。「だめ、エリク、それだけはやめて」

「しちゃいけないのか？　やったからといって、何をぼくは失う？」

彼はきっぱりと言ってのけると、彼女を押しのけて彼の車のほうへ行った。残された三人は驚いて彼を見ていた。エリクは振り向きもしなかった、そうでなければ、気絶して地面に倒れたキャスリーンを見たはずだ。

21

キャスリーンはセロンが、おもちゃの電車を元の箱にしまうのを見ていた。彼はクリスマスツリーの下で、プレゼントを開けて、その包装紙やリボンにうずまっていた。アリスとジョージはセスが亡くなっても、セロンのためにクリスマスを祝うように言い張った。

セスの葬儀から二週間が過ぎていた。キャスリーンにはつらい日々だったけれど、なんとか乗り切っている。不快な雑用をしなくてもいいように、ジョージがすべてをこなしてくれているおかげだった。ヘイゼルは弟の部屋に近づくのさえいやがっていた。

ヘイゼル。キャスリーンには相変わらずいやな存在だった。あまりにも憎しみを燃やすので、そのためにヘイゼル自身がへとへとになり、衰弱していった。彼女は毎日オフィスに行き、いたるところで大混乱を起こした。がっくり気落ちした店のマネジャーたちがキャスリーンに電話をかけてきて、彼女の理不尽な指示をどうすればいいのか聞いてくる。キャスリーンはできるだけ彼らをなだめ、ヘイゼルが悲しみでどうしようもない状態なのだから我慢してくれるように説得した。彼らが納得したとは思えなかったけれど、礼儀をわきまえているのでそれ以上は反駁《はんばく》しなかった。キャスリーンが最近夫を亡くしたばかりだということを考慮してくれているのだ。

キャスリーンは仕事には戻らなかった。このところずっと会えなかったセロンとずっと一緒にいた。彼はそれほど傷ついているようには見えなかった。今までどおり、たくましく、元気いっぱいだった。

アリスがカシミアのセーターの箱を開けて驚いて、顔を輝かせている。二人はキャスリーンからの贈り物だ。ジョージもツイードの帽子を出して興奮している。キャスリーンには何もプレゼントをしていなかった。彼女のほうもそんなことは期待していない。アリスが彼女のところに来て、頬に軽くキスをした。

「これまでどおり、クリスマスの料理をつくっているんですよ、キャスリーン。それにあなたが召し上がるとき、わたしどももお相伴《しょうばん》させていただきます。ジョージはわたしたちが飲めるようにワインを買ってきていますよ」

キャスリーンはアリスの手をやさしく叩いた。「ありがとう。すてきだわ。何かお手伝いできる?」

「いいえ、ありません。ここにいらして、セロンと遊んでやってください」彼女はセロンの様子をうかがった。「彼には昨日届いたプレゼントがもうひとつあるんです。それは開けるようにおっしゃらないんですか?」

「そうだったわ」キャスリーンはため息をついた。「言いましょう」

その箱はツリーの下の壁に立てかけられていた。そのままにしておこうと思ったけれど、無視することはできなかった。贈り主はなんといってもセロンの父親だ。彼が息子にクリスマス・プレゼントを贈るのは当然だった。

そのことはわかっている。わからないのは、なぜこんなにも悩むのだろうということだった。エリクは彼の息子に何をするつもりなのか？　彼の決然として怒った表情と、墓地で投げつけた最後の恐ろしい警告が、あれからずっと頭に残っていた。彼はセスのために息子を要求するのを我慢してきた。セスが亡くなった今、邪魔をするものはない。ヘイゼルが彼の息子に対して、あからさまな憎しみを抱いていることを知ってしまった。そのため、彼を危害から守るために行動するのだと、自分に言い聞かせているのかもしれない。

「セロン」キャスリーンは息子を呼んだ。リボンを嚙んでいる。「こっちへいらっしゃい。もうひとつプレゼントがあるの」彼の手を取ると、彼女の後をついて、包装した大きな箱のほうへよちよち歩いてきた。「開けるのを手伝ってほしい？」彼女が聞いた。「いやに決まってるわね」セロンが夢中で包装紙を破りだしたので、苦笑しながら代わって答えた。プレゼントが出てくると、セロンはびっくりしてそれをじっと見つめた。

「まあ、すごい！」キャスリーンは箱に印刷されたものを読んで、思わず笑った。「あの人、どうかしてるわ」

箱にはなんと真っ赤な子ども用三輪車が入っていた。ベルと、警察のマークと、点滅するライトと、ボタンをひと押しすると鳴りわたるサイレンがついている。キャスリーンが押してみると、家のなかの静けさを打ち破る音が鳴り響いて、アリスとジョージが部屋に走りこんできた。

二人とも手を叩いて、セロンのとまどった顔を見て笑いだした。ジョージがセロンを、黒いビニールのシートに坐らせた。かわいらしい足はまだペダルにしっかり届くほど長くはなかったけれど、誇らしげに歯を見せてにこっと笑った。最近になってわかったのだが、エリクから受け継いだ体の特徴がもうひとつある。父親とちょうど同じ位置にえくぼができるのだ。

「エリクは頭がおかしいのよ」キャスリーンは笑いながら言った。二人はすぐに彼女を見た。その男性の名前を言ったことに、気づいているのだろうか？　彼女は気がついていた、そして赤くなっていた。心から離れることのない名前を、とうとう声に出して言ったのだ。二人は彼女とエリクとの関係をどう思っているのだろう。ジョージは病院の廊下で、ヘイゼルが長々と言った悪口を聞いている。その場面のことを妻に言っているに決まっている。セロンは日増しにエリクに似てきた。そのこともわかっているだろうか？　二人の態度だけでは彼女にはわからなかった。今までどおり、キャスリーンには、尊敬と親しさをこめて接してくれている。

「セロンはすぐにこれに乗れますよ」ジョージは言った。「多分、エリクはこちらに来られて、乗り方を教えるつもりなんですよ」

「リク、リク」セロンはサイレンのボタンを押して喜んでいる。

「多分そうね」キャスリーンはつぶやいて、ちらかった包装紙を忙しそうに集めた。

大きな七面鳥のディナーをジョージとアリスとセロンと朝食の部屋で食べたあと、キャスリーンはリビングルームに引き上げて、クリスマスツリーを見ながらワインをもう一杯飲んでいた。ヘイゼルはダイニングルームで、ただひとりで食事をしていた。なんと哀れな女性なんだろうと、キャスリーンは思った。

クリスマスツリーの明かりが、涙に濡れた目にかすんで見える。今までにないひどいホームシックで、涙がとめどもなく流れてくる。自分の家はどこにあるのだろう？　彼女にはセロンがいるけれど、ここは二人の家ではない。この家はヘイゼルのものだ、そしてずっとそうだろう。遺書が検認されたらすぐに、キャスリーンはたとえヘイゼルが最後通牒《つうちょう》をつきつけなくても、セロンを連れてここを出るつもりだった。でもどこへ行けばいいのか？　家はどこにあるのか？　その家には誰が？　エリクは……

エリクがクリスマスを誰と過ごしているのかと思うと、胸が痛かった。彼の家の暖炉の前で、女の人とワインを飲んでいるだろうか？　彼女を抱きしめている？　彼女にキスをしている？　甘い言葉を――？

やめよう！　そのことを考えてはいけない。エリクのことを考えはじめたら、頭がおかしくなる。でも、彼のことを考えなかったら、死んでしまうだろう。

誰かと話をしなければならない。電話機を取り上げて、彼女の唯一の家族に電話した。

「エドナ、メリー・クリスマス！」

「キャスリーン！　まあ、よくかけてくれたわね。ＢＪ、そのフットボールの試合はいいでしょ、テレビを止めて、そっちの電話をとって。キャスリーンよ」

「もしもし」BJが受話器を取ったらしい。元気な声が飛びこんできた。

二人の声がなつかしかった。心が慰められた。これこそ最良のクリスマス・プレゼントだ。

「まず、セスのお葬式に、お花を送ってくださってありがとうございます。お二人にお礼状を書いたんですが、まだ着いていないでしょう」

「ハニー、わたしたちはそんなものなどいらないってわかってるだろう。できるなら、きみと一緒にいられるように、そこまで行きたかった」

「知っています。よくわかっていますわ。お声を聞けてとてもうれしい」

「キャスリーン」エドナが言った。「元気なの？　子どもはどうしてる？　問題はないの？」

遠くの二人の声が、電話を通して彼女の心に響いた。これまで必死に感情を押し殺していたのに、せきとめていた水門が開いた。吐き出すように、フォートスミスの飛行場にエリクを連れていったときのことから、すべてをすっかり話した。「セロンはエリクの子どもなんです」彼女は落ち着いて認めた。

「キャスリーン、きみはわたしたちが、そのことを想像できないほど年をとって、頭がまわらないと思っていたんじゃないかね？」BJが聞いた。「その赤ちゃんのパパが誰かって、とっくに知ってたよ。エリクは知ってるんだろ？」

「ええ」彼女は静かに言うと、その後の話を続けた。彼が再び目の前に現れたこと、その後の対立、それからチャブケイでの日々を。「彼を愛さずにはいられなかったんです。彼と愛し合い、戻ってきたとき、セスが死んで」そのまま泣きだしてしまったので、聞いている二人は心配しているようだ。

「キャスリーン、かわいそうに」エドナは言った。キャスリーンの耳に、彼女の涙でしわがれた声が聞こえた。

「きみと彼は出会ってからずっと、ことごとく反発してきた。なぜきみは素直に自分の今の気持ちを打ち明けないいんだね？」ＢＪが聞いた。

「彼がわたしを愛してくれてるか、はっきり自信がもてないからです。彼がほしいのはセロンだけで、彼が息子を奪っていくのではないか、それがとても怖い。わたしはみすみす彼にそんなことをさせないけど、そうなったら、彼は長いあいだ、人生をみじめなものにしてしまう」

「もっと前に聞いてたらなあ、つまらないことなのに」ＢＪが言った。

「キャスリーン、それはナンセンスだわ。あの事故の後、彼はあなたを探しにここへ来たの。でもあなたはいなかった。わたしたち、あれほど人を愛して、それで苦しんでいる人を見たことがないわ」

キャスリーンは悲しそうに首を振った。「いいえ。彼はわたしが彼から逃げたことで怒っているだけだったんです」

「彼はきみと息子を傷つけるようなことはしないよ」ＢＪが言った。「わたしは人間の性質を見抜く力があるから、そのことがよくわかるんだ」

「今の彼がどんなだかご存じないんですよ。〈マウンテン・ヴュー〉にいたときの感じとは違ってるの。彼は……思いやりがなくて……厳しくて」

「そんなに変わったのは、何か相当なことがあったんじゃないかしら?」エドナが言いたいことをはっきりと匂わせながら聞いた。

キャスリーンは話題を変えて、セロンの最近の成長ぶりを話した。「是非、こちらにいらして、早くこの子に会っていただきたいわ。きっとかわいらしいと思ってくださいますわ」

「もうそうなってるよ」BJが言った。

電話を切る間際にエドナが言った。「あなたとセロンにこちらに来てほしいんだけど?森のなかで遊びまわれますよ。あなたにもいいわ」

「そうしたいんですけど、いつのことになるか。今はとてもごたごたしているので。少し待っててください」

それほど待つ必要はなかった。新年になって二週間が過ぎると、〈カーホフ〉の弁護士がキャスリーンとヘイゼルを、彼のオフィスに招いた。セスの遺言を二人に読ませるためだった。その内容に二人とも驚いた。

セスは弁護士と購入者以外には知らせず、〈カーホフ〉をもっと大きなデパート・チェーンに売っていたのだ。売買の条件は、彼の姉が望む限り、役員会での地位を占められることと、彼女が生きているあいだは〈カーホフ〉の名前を残すことだった。キャスリーンは本人が希望すれば、現在の地位のまま残ることができた。彼女は弁護士が朗々とした声で、これからの彼女の生活に及ぶところを読みはじめても、じっと黙って聞いていた。

屋敷はセスの財産の大きな部分を占めていたのだが、ヘイゼルにすべて遺された。キャスリーンは彼女にとって莫大に思える金額を遺されたけれど、ほかの人から見れば、セスの財産にしてはほんとうに控えめだった。彼はまたサンフランシスコの北にあるナパ・ヴァレーの山荘を彼女に遺した。彼は今まで彼女に、その家のことを話したことはなかった。弁護士はセスがその家を、一年以上前に買ったのだと説明した。

ヘイゼルは弟が彼女に知らせないで、デパートを売ったことでひどく怒っていたけれど、キャスリーンに対しては勝ったと思っていた。溜飲《りゅういん》が下がっているようだ。セロンについて、セスの遺書には何も言及されていなかったのにはキャスリーンは驚いたが、ヘイゼルにとっては祝いたい心境だったろう。セスが遺した財産のヘイゼルの相続分は、キャスリーンの何倍もあったのだから。

「あなたとあなたのあのうるさい子は、一週間以内に屋敷から出ていってちょうだい」ヘイゼルは二人で弁護士のオフィスを出るときに言った。「できるなら、もう二度とあなたには会いたくないわ」

キャスリーンはヘイゼルの今後が相続でなんとかなりそうなのでほっとしたけれど、とりたててコメントしなかった。あの屋敷にひと晩でもいたくなかった。セロンの父親が誰かへイゼルに言ったら、彼女はどう反応するだろう？　ずる賢いヘイゼルなのに、なぜ彼女はぴったり当てなかったのだろう? キャスリーンは内心びくびくしていたのだ、セロンがエリクとそっくり似ているところをみつけたらどうしよう、と。けれど、ヘイゼルはエリクが親だという証拠を探さなかった。彼女にとっては、キャスリーンとその子どもの存在そのものが悩みの種で、どういう生まれかは気にならなかったのだ。キャスリーンの仕事の邪魔をしたり、キャスリーンとセスとのあいだに摩擦を起こすことにばかり目を向けていなければ、本当に天罰をくだす切り札が何なのかわかったかもしれない。彼女はエースを持っていたのに、それに気づかなかったのだ。今ではもう遅すぎる。ゲームは終わったのだ。

キャスリーンはヘイゼルのやつれているけれど、勝ち誇って満足そうな顔を見て、彼女にすべてを話したくなった。けれど、それが何の役に立つだろう? ヘイゼルはもう彼女の将来に関係がなかった。

ジョージはセスが彼女に遺贈したナパ・ヴァレーの山荘に、車で案内してくれた。それはすばらしい家だった。フランスのシャトー風の古い煉瓦の家をひと目見ただけで、彼女はセロンと住みたいと思った。

セスが買った不動産業者がやってきて、山荘を見せながら説明してくれた。ここはほんの数年前に手を入れたらしいが、それでもヨーロッパの良さが充分残っていた。迷路のように入り組んだ部屋のなかには、おもしろい隠れ場所や割れ目があった。家具も家とともに買ってあった。一度きれいに掃除をして、キャスリーンのセンスで味つけすればいいだけになっていた。

付属するワイナリーは何年間も見捨てられていて、ブドウの木も手入れされていなかったけれど、彼女はさしあたり気にかけないことにした。セスから遺されたお金と過去二年間で貯まったお給料があれば、彼女とセロンの生活は数年間は充分やっていける。これから後、どうやって過ごすかを心配するときが来るだろう。でも今すぐは静かに生活したかった。

ジョージがベンツに彼女を乗せながら、さりげなく言った。「アリスはここでの生活を気にいると思いますよ。キッチンのずっと向こう側の、あの小さなアパートから見ると、ブドウ園の景色がすばらしいです」

「ジョージ！」驚いて、彼女は振り向いた。「あなたとアリスが、一緒にここに住んでくれるという意味なの？」

「あなたがよろしいなら」

「もちろんよ、そうしてほしいわ」彼女は笑った。「あなたたちはヘイゼルと一緒に住むと思っていたから」

彼は首を振った。「キャスリーン、わたしたちをお雇いになったのはセスです。わたしたちは彼のために働きました。彼が亡くなられたので、わたしたちはあなたのために働きます。わたしは家の手入れをして、庭や車や、あなたがしてほしいことは何でもします。でもお給料はいりません。一週間に二、三回、朝のうちに街に行って、対麻痺の患者さんのためにリハビリセンターでボランティアをしたいです」

「それはすてきだわ」

「セスのヴァンをどうなさるおつもりですか？　わたしは——」

「あなたがいいようにしてちょうだい。そのまま使うか、どなたかに差しあげてもいいですよ」

「ありがとうございます。あなたのお許しがあれば、わたしはブドウ園で働きたいです。ご存じでしょう、わたしはずっとワインに憧れていました。何年もワインについて研究してきたんです。少し運がよければ、小さなブドウ園とワイナリーを成功させられると思います」

「いいわ、そうね、ありがとう、ジョージ」衝動的に、彼女は腕を彼にまわして抱きついた。「今まで以上に、わたしたち、あなたとアリスが必要よ。彼女に家政婦としてお給料を出すわ。いえ、そうしたいの」彼が反対しようとするのを制して言った。「そして、わたし、ワインのすべてのボトルのサンプルの権利がほしいわ」

「承知しました」彼は手を差し出して、了解したしるしに握手した。

数日後、キャスリーンは〈カーホフ〉の新しいオーナーに会って、丁重に職を辞すことを申し出た。

「そうしないといけないんですか？」彼は彼女に言った。「わたしたちはあなたの能力を知っています。ご主人は二年前、〈カーホフ〉の方針を決めて展開したあなたの技量を買っておられた。わたしはあなたに、ここに残ってもらいたいと強く思っているんですよ」

「ありがとうございます、でもこうしなければならないと思います」〈カーホフ〉の中心《ハート》はセスだった。彼が死んだとき、そのハートもまた止まってしまった。彼女はそうではないふりはしたくなかった。「でも、わたしのアシスタントを、その地位にお勧めしたいんです。エリオット・ペイトは才能のある青年で、わたしと同じくらい、わたしの仕事をよくわかっています」

「キャスリーン、ありがとう、ほんとうにいい人ね！　今、新しいオーナーから電話があったわ、ぼくをあなたがやっていた仕事に任命するって。あなたってばかですよ、あんないい仕事を断って」エリオットは有頂天になっているようだ。

「わたしはばかじゃないわ。育てなければいけない息子がいるの、わかるでしょ。あなたはあの仕事にぴったりよ、エリオット。あなたがうらやましいわ、これから数年、あなたはわくわくするような仕事ができるのよ」

「あなたはいつでも戻ってこられますよ、ぼくがお手伝いします」彼はまだ勧めている。

「いつか、あなたを遠くから見るために、立ち寄るかもしれない」

「いつでも大歓迎。でも残してほしくない仕事がひとつだけあるんですけど」

「なあに？」

「あのひどいファッション・ショー。キャスリーン、照明をやる暴れん坊や、花を生けるいやな女に我慢できないんだ。それをやってくれませんか？　一年でいいから、どう？　お願い、ねっ？」

彼女は笑った。「いいわ、やります。どうして断れる？」

「やった！」彼は一瞬間を置いて、それから言った。「キャスリーン、グッドジョンセンは最高だと思いますよ。コマーシャル、見た？　新しいオーナーがひっくり返ったくらいですよ。エリクは才能があるだけじゃない、どえらいやつです。彼の働きは、あの……」彼が咳払いしたので、キャスリーンは微笑んだ。エリオットが言葉につまることなどめったにない。「ぼくが言いたいのは、あなたたち二人があの……そういうことがあるなら……世界のみんなに――」

「ありがとう、エリオット」彼女は急いで言った。「そのことを心に留めておくわ。でもエリクとわたしは『そういうこと』がないの」

「それに明日のマティーニ・ランチを賭けたりしたくないけど、あなたはいつも自分の恋愛のことには口を閉ざしてますからね」

「そしてあなたはいつもちょっと変わってたけど、あなたを好きよ。電話して」

「します、多分、戻ってきて、ぼくを楽にしてくれ、と叫ぶかもね」二人は笑った。それから彼はまじめな口調で言った。「幸せにね、キャスリーン」

彼女は幸せだった。いや、少なくとも満ちたりていた。彼女とセロンとジョージとアリスは新しい家に落ち着いて、あの忙しかったデパートでの喧騒をほとんど思いださなかった。終日家にいて、こころゆくまで内装の計画を立てて楽しんでいた。

二月になった。オレゴンやワシントンの山に雪が降ったとき、ヴァレーは冷たい雨になった。そうしたある日、キャスリーンはひとりで、心地好いリビングルームに坐っていた。あたたかい火が暖炉でパチパチ音を立てている。セロンは二階で寝ていた。この数日風邪をひいていたので、医者からもらった薬を飲んでぐっすり眠っている。マーティン夫妻は一日中サンフランシスコに出かけていた。田舎のキッチンに間に合うだけの大量の買い物をするのだ。

自動車のエンジンの音がした。こんなに早く二人が帰ってくるはずはなかった。キャスリーンは立ち上がって窓の外を見た。

心臓が跳ね上がって喉から飛び出しそうだった。使い古した青いダッジのヴァンが見える。ポットホール（舗装した路面のくぼみ）でへこんだドライブウェイを、エンジンのゆっくりした排気音とともに近づいてくる。彼の名前が口から出かかったけれど、声にはならなかった。本能的に、動悸を鎮めるために胸をしっかりと抱きしめた。

もう彼はポーチまできて、古風なベルを鳴らそうとしていた。キャスリーンは玄関まで行って、ためらうことなくドアを開けた。

一瞬、二人はお互いを見つめ合った。どちらも、相手より優勢になろうとして闘う目つきだった。彼は何も言わずになかに入った。雨に濡れたレインコートを振って、ドアの横の外套掛けに掛けた。彼女に背を向けたまま、家のなかを調べる。納得したようにうなずいた。

「こんにちは、キャスリーン」振り向いて、彼女に向かい合った。

「こんにちは、エリク」かすれた声で挨拶した。どうしてそれ以上言えるだろう？　彼女は神経の固まりになっていた。セロンに何かするつもりで来たのだろうか？　力ずくでも彼女から引き離して、連れていこうというのか？

「セロンは？」彼女の心を読んだかのように聞いた。

「二階で寝てるわ」用心深く答えた。

エリクはただうなずいただけだった。「この家、すてきだね、すごくいいよ。気に入ってるんだろう？」

これは彼女の幻想だろうか、それとも、彼もまた神経質になっているのだろうか？「ええ、とっても好き。ここは静かなの」

彼は勧められもしないのに暖炉の前の椅子に坐って、一瞬火をじっと見つめた。それから彼女がまだそこに立っているのに驚いて言った。「坐って」

彼女は身じろぎしなかった。「ここに何をしにいらしたの、エリク？」

彼は彼女を見上げたまま、シャツの胸ポケットから封筒を取り出した。それを彼女に手渡しながら言った。「三日前に郵便物のなかに見つけた。セスの秘書からだ。指定した日に、ぼくに出すように指示していた。ドクター・アリグザンダーはそれを、彼が死んだ夜にセスからもらったそうだ」

それはどういう意味なのだろう。キャスリーンはもっとくわしく聞きたかったけれど、彼は口を閉ざして、またもの思わしげに火を見つめた。彼女は手の中の封筒を見た。それは会社の名前と住所が刷り込まれたありふれたものだった。仕方なく、それを開けて二枚の文書を取り出した。一枚はセスとエリクの新会社とが取り交わした融資の契約書だった。赤い「全額返済済み」という文字がゴム印で押されていた。

もう一枚はセスの手書きだった。いつものような読みやすく、きっちりとした筆跡ではなかったけれど、彼の字だとわかる。日付は彼が亡くなる前の日になっていた。

エリクへ

わたしの弁護士が、〈バンク・オブ・アメリカ〉のセロンのための秘密の基金を、正式に認めるだろう。かなりの金額があるはずだ。願わくば日々利子を増やしてさらに金額が増え、あの子がどんな分野を選ぼうとも、その道に進もうというときまで、金銭上の備えになるようにしてやりたい。前記の、彼が受け取る二十五歳の誕生日基金は付帯条件がある。確かに成されたことをきみに立ち合ってもらうのが、わたしの最後の望みだ。

彼の二歳の誕生日までに、今年の四月十二日だが、彼の法律上の姓をグッドジョンセンに変えるようにしてほしい。息子は彼の父親の姓を名乗るべきだというのがわたしの信条だ。少しのあいだでも、彼をわたしに預けてくれてありがとう。わたしの感謝の気持ちを、彼と彼の母親への愛の次に伝えたい。また彼女がその姓を変えることも希望する。ずっと前にそうあるべきだったのだ。

きみをこの世の友人だと思っていた。今もそう思っている。

セス

キャスリーンは手紙を持つ手をおろした。涙がとめどなく流れ落ちる。「知っていたのね」

エリクは体をかすかに動かしたけれど、彼女を見なかった。「そのようだ」

彼女は彼のそばのカウチに腰を降ろした。「そうだって気がつくべきだったわ。セスはとても勘が鋭いし、人の気持ちに敏感ですもの。見ててそうだと思ったんだわ」二人はまた黙っていた。彼女はおずおずとエリクを見上げた。「どうするつもり?」

彼は髪をかきながら、立ち上がって暖炉に近づいた。ブーツのつま先で一本の薪をもっと炎の近くに寄せたので、火の粉が暖炉の上までのぼった。「くそっ、知らなかった」深いため息をついた。「この二日間、絶望的な気持ちで過ごしたよ。これを無視しようとしたんだが、弁護士が手紙を受け取った証明を取るために電話してきて、そのコピーを彼が一通持っていると言った」両腕を暖炉の上にのせ、肘をついて、そのあいだに頭をがっくりと下げた。「ぼくたちは遺書に異議を唱えることができるだろうが、でも……」しっかりした確信もなかった。もう争いたくなかった。「どうしてぼくに息子のそういう機会を拒める?」

「できないと思うわ」彼女は彼にそうしないでほしいと思った。

「もちろんだ」声を高めて決断を下した。「あの子が遺産を受け取るには、姓が変わることだけが条件だ、きみのではなく」

痛みが体を引き裂き、心臓をひきちぎるようだ。彼はなんて残酷なのだろう? 彼女を妻として押しつけられたくないけれど、息子の名前を変えたがっているのだ。彼は自分の良心と闘い、セスの要求に逆らい、彼女が事態を彼のためにむずかしくしないように望んでいるに違いなかった。

「ええ」彼女は息苦しかった。

「ぼくはきみたちの姓が、いつかぼくと同じになることを望んできた」彼は振り返った。

「しかし、きみにぼくと結婚してほしいのは、きみがぼくと同じように、ぼくを愛しているからであってほしい。ぼくたちの息子のために結婚するんじゃなく」

　キャスリーンは膝の上に置いた両手をじっと見つめた。今聞いたことが信じられない。頭を上げて彼を見るべきだ。けれど、自分が聞き違えているのではないかと怖かった。それで目を固く閉じて、エリクが彼女が思っていることと同じことを言ったのだと祈った。

「キャスリーン」彼は落ち着いた声で言った。彼女はやっと目を上げ、彼の引き締まった頰を流れ落ちる光った涙を見た。それがなによりも彼の気持ちを物語っていた。「もう二度とぼくから離れないでくれ。きみはいつもぼくを利己的だと責めるけれど、確かにそうだった。しかし、今は自分の人生に最も利己的な要求をするつもりだ」彼はごくりと唾を呑みこんだ。「セロンのためでも、そしてセスの手紙に従うためだけでもいいから、ぼくと結婚してくれ。したくないなら……そうであっても……ぼくたちはベッドをともにしなくてもいい、ただ、結婚してくれ」

「エリク！」キャスリーンはカウチから立ち上がって、彼の腕のなかに身を投げた。最初、エリクは彼女の反応が信じられなくて、どうしていいかわからなかった。だが、彼女の体の温かさと柔らかさに、すぐに茫然としていた頭がはっきりとした。彼女を強く包みこみ、彼女の首のくぼみに、涙で濡れた顔を埋めた。

「エリク、あなたを愛しているって知らなかったの？　こんなにもあなたを愛しているってことがわからなかったの？」

「ああ、わからないよ」彼は彼女の髪で涙をふきながら言った。「きみのそばにいるたびに、きみと一緒にいるたびに、その後からきみは逃げていく」

「あなたを愛しているからだわ。その気持ちがもうわたしの一部になりきっていて、みんなにも明らかなことだと思っていた。ダーリン、あなたを〈マウンテン・ヴュー〉からずっと愛してきたわ。セスはわたしが彼と結婚したときから、セロンの父親をまだ愛していることを知っていた。わたしはそのことをずっと隠してこなかったわ」

エリクは体をまっすぐ起こして、彼女の顔をじっと見下ろした。彼女の髪をなでつける。

「ずっときみを愛していたよ。いつもぼくたちのあいだには何かが起きた。今きみがぼくを愛していると言ってくれても、とても信じられないよ」

「そうなのよ、愛しているのよ」

「きみを愛するのに、どうしてこんなに闘わなくちゃいけなかったんだろう？　ぼくがしたのはそれだったんだよ、キャスリーン、ぼくは愛するために闘ってきた。きみはぼくの感情を奮い起こした。今まで誰にも、そんなことをされたことはないんだ。その気持ちが怖いほどだった。ぼくは裸にされ、無防備にされた。事故の後のように、また空っぽのままにされるのが怖かった」

　彼女は身をふるわせて、彼を腕でしっかりと抱きしめた。「ごめんなさい、あのとき、それほど苦しめたのね」

「ダーリン、お互いにどれほど傷つけ合ったか挙げだしたら、ぼくのほうがずっときみより多いよ。でももうおわったんだ。きみを愛している。多分、父親を見て育ったために、ぼくは愛することは弱さのしるしだと思ってきた。今は愛は強さのしるしだとわかっている。だが、まだそれをしっかり身につけていないから、それほど強くない。ぼくにはきみが必要だ、キャスリーン。ぼくを愛してほしい」

「愛してるわ」彼女はすすり泣いた。二人は抱き合ってカウチに倒れこみ、触れ、慈《いつく》しみ合いながら、言葉と態度で愛を確認し合った。

　それぞれ相手が必要なものを与え……そしてもっと。


「この家、好きだなあ」エリクが言った。二人はベッドに寝ていた。あれからソファから起きあがり、服を着て、「リク」を見て興奮しているセロンと夕食をとった。一緒に風呂に入れてやり、セロンにいちいち驚嘆し、眠くなってベッドに寝るまで遊んでやらなければならなかった。やっとキャスリーンは、愛するたくましい体によりそって寝ていた。

「ありがとう」黙想しながら、ゆっくりと言った。指で彼の腋の下をからかうように触った。「でも、街に行くには不便だわ。だって」彼女は急いで言った。「ウィークエンドに戻ってくるにはすばらしいところだけど、わたしはもっと近いところに住みたいわ。あなたが持っているアパートみたいなところ」彼女はためらいがちに言った。

エリクは彼女の顔がよく見えるように、彼女の顎を上げさせた。しばらくじっと見つめてやさしく言った。「きみはすごい人だ。ぼくの言う意味がわかるね？　ぼくには頼めそうにないよ、きみにここの生活をあきらめて、はるかに質素な家に来てほしいなんて」

「あなたの気持ちはわかってる、でもわたしはあそこに住みたいの。ここはわたしたちの別荘になるわ、でも住むのは、飾り付けをやってしまって、あなたとセロンと一緒にあそこに住みたいの」彼女は誘うように彼を見上げた。「あなたをあの熱いお風呂に入れるのが待ち遠しいわ」

彼はにやっと笑ったけれど、言葉は真面目だった。「まだぼくの仕事を軌道に乗せるように努力しているところなんだ。ぼくの金はことごとくそれに投資されている。きみたちが慣れてきたライフスタイルを維持するなんて、とてもできないよ」

「そんなことは心配していないわ。セスは遺産の大部分をわたしに遺贈しなかったの。今わたしにはわかるわ。彼にはわかっていたのよ、それはわたしがいやがるって」

「彼はぼくの気持ちをわかっていたんだ」彼は彼女の額にキスをして、唇を指でなでた。

「愛しているよ、キャスリーン」

彼女は眉を上げて言った。「愛しているわ、エリク。どの家よりももっと。どんな遺産よりも。どんなものよりも。もう絶対にあなたから離れない。あなたこそわたしの心のやすらぎ、わたしの家、人生だわ。わたしを信じて、逃げても何も解決にならないって学んだの。問題を先に延ばすだけだわ。あの年頃にわたしが孤児になっていなかったら、多分、わたしはこれほど人生がどうなるか、恐れなかったと思う。頭では、問題を避けるほどばかじゃないとわかっているけれど、ときどき、感情が理性に打ち勝つことがあるの」

「ぼくたちがどうして、こんな目に遭わされたのか、不思議に思わなかった？　これほど激しく喧嘩したりしないで、なぜ〈マウンテン・ヴュー〉で会い、恋に落ちて、そのことを認め合って、結婚して、家族としてスタートできなかったんだろう？」

　キャスリーンは答える前にじっくり考えた。「わたしたちどちらも、出会ったとき、責任をもってあのような関係になるほど、成熟してなかったんじゃないかしら。どちらも自分の真意を隠してしまっていたので、相手にのめり込むことができなかったのよ。人生も、幸せも、手に入れるのはほんとうにむずかしいわ、だから、今がどんなに価値をもっているか、わかるようになるの。それにわたしたち、セスのことを知らなかったわね。わたしたち二人は、彼から愛することはどういうことなのか学んだのよ」

　エリクはずっと黙っていたけれど、やっと口を開いた。「きみはこんなに若いのに、とても賢いんだね」

「うれしい、それこそ、恋人のそばで裸でよりそっている女性が聞きたい言葉よ――なんて彼女は賢いんだって」

　彼は笑った。「セロンをここに連れてきて、ぼくたちと一緒に寝かせよう」

「いいわ、でも後でね。わたしはわがままなの、もうしばらくはあなたをひとりじめにしたい」

「それだったらわがままでもいいさ」

キャスリーンは彼にキスをした。短いキスのつもりが、すべて情熱的なキスになった。彼女はやっと口を離して言った。「いつわたしと結婚するつもり? 明日?」

彼はものうげに体を伸ばした。「さあ、どうしようかな」彼女の乳房を見ながら、ゆったりと言った。「朝になったらきみを尊敬してないかもしれない」

キャスリーンは緑色の目を細めて、手で強く彼の体をなでた。「今わたしがほしいのは、あなたの尊敬じゃないわ」彼女が求めていたものに触れたとき、彼は息を呑みこんだ。

「おそらく、ぼくたち……多分、日にちを決めて……ああ、キャスリーン」

「わたしが好きなものを知ってる?」

「いや、でもそれはきみのものだよ」彼は息を切らして言った。「すべてだよ、ダーリン、すべてだ」

彼女はくすくす笑って、なおも甘いお仕置きを続ける。「みんなでアーカンソーに行って、〈マウンテン・ヴュー〉の礼拝堂で式を挙げたいわ。BJとエドナに式に出てほしいの。あなたのおかあさまと、ボブとサリーと、そしてジェイミーとジェニファーを招待しましょう。ジョージとアリスも、それにエリオットも多分来てくれる。それにもちろん、セロンも一緒よ」

「今は」エリックは歯をきしらせて言った。「賛成だよ……なんでも」彼女は彼の胸に髪をたらして、彼の上にもたれかかり、唇で平たい茶色の乳首に触れながら聞いた。「わたしを愛してる？」

「ああ。そうだ、そうだよ」

今度は舌でなめまわしたので、彼がエクスタシーの声をあげた。

「ちゃんと言って」キャスリーンが口で、彼の唇を煽りながら言う。

彼は彼女の手を取って、彼の体に押しつけた。青い瞳が合図の火《ビーコン》のように暗闇のなかを通り、磁気をもった光のように彼女をとらえた。「そうだよ。心から、命をかけてきみを愛しているよ、キャスリーン」彼女の上になり、彼女を抱き、彼女の裸を楽しむ。キスをしながら、両手で彼女の体をなでて、シルクのような肌ざわりを味わっていく。

「見てごらん、ぼくたちぴったりだ」彼女は彼の視線のあとをたどって、からみあった二人の体を見た。彼は腕をまっすぐにして、体を持ち上げて、彼女の温かいもののなかに入ろうとしている張り切ったセックスを見せるようにする。目をあげて彼女を見て、挑発するように体を動かす。「触ってくれ」

彼女は二人の体のあいだに手を入れて、指で彼のセックスを包みこむ。もうつるつると濡れた先端は、彼女の親指の愛撫を知っている。「愛しているわ、エリック」

「愛してるよ」

二人は見つめ合い、彼は彼女のなかに入った。愛撫は限界がないことを知っているけれど、それは肉体的なものをはるかに超えていた。今度の愛撫は、お互いの陶酔をわかり合い、完璧なものになった。体だけでなく、精神もまた限りなく燃え続ける大火災のように激しく熱かった。

ジョージが静かにドアを開け、まわりを透かして見た。「みんななかにいる、大丈夫だよ」夫の肩ごしに、好奇心いっぱいでなかをうかがっていたアリスに声をかけた。「ラグにくるまった三匹の虫のように、ベッドに並んで寝ている。まっ裸だよ」彼はくすくす笑った。それで腕をぴしゃりと打たれた。

ベッドの三人は見ている者のことなど気づかなかった。三人とも同じ向きで寝ている。エリクの腕がのびて、キャスリーンを越えて息子の肩に手がのっている。息子はそのまま気持ちよさそうに丸くなっている。

「三人ともああやって一緒にいるのよ」アリスはジョージがドアを閉めたときに言った。

「そうだ、三人は一緒だ。ずっと」

訳者あとがき

アメリカ合衆国のアーカンソー州って、どのへんにあるのだろう？　インターネットで調べながら、本書の主人公のキャスリーン・ヘイリーが、〈サマー・キャンプ〉で孤児たちの世話をしていたオザーク山地も探してみる。

アーカンソー州は、メキシコ湾に面するルイジアナ州の北に位置する。海はないけれど、州の北部には山と川が美しいオザーク山地がある。キャスリーンがビデオカメラマンのエリク・グッドジョンセンに会ったのは、アメリカ南部のこの有名なリゾートだった。

キャスリーン自身も幼い頃、両親を失って孤児院で育ったため、ここのキャンプの主催者ＢＪとエドナ夫妻とは長年親交があった。アトランタのデパートでファッション・バイヤーとして働いていたキャスリーンは、毎年夏、ここで指導者のひとりとして、夫妻の右腕となって孤児たちと生活していた。

最初、彼女はエリクを、テレビ局から派遣されたビデオカメラマンということで警戒していた。世界中を駆けまわって取材しているのなら、センセーショナルなものを期待しているのではないか。けれど、孤児たちとなじんでいく彼の態度を見ているうちに、彼女の頑な気持ちはほぐれていった。

エリクのほうも、キャスリーンに強く惹かれて、二人は月明かりの夜、オザーク山地の森を抜け、冷たい川のなかに入っていく。お互いの誤解が解け、川縁でエリクとキャスリーンは着ているものをすべて脱ぎ、裸になった。そして、それは彼女にとって初めての夜となった。

明け方まで愛し合った二人。けれど、運命は苛酷だった。翌日、彼は壊れたカメラの部品交換でフォートスミスに行くことになり、キャスリーンは車で彼を飛行場まで送った。だが、彼の乗った飛行機に小型機が突っ込んで、彼女の目の前で飛行機は爆発炎上する。幸いエリクは命はとりとめ、病院に運ばれた。ところが、病院の待合室で心配しているキャスリーンの前に、金髪の美しい女性があわてて駆けこんできた。その女性は言った。「ミセス・グッドジョンセンですが……」

エリクには妻がいた。キャスリーンは誰にも行き先を告げずに、姿を消した。

そして、人生をやりなおすため、何よりもエリクのことを忘れるため、アメリカ西海岸のサンフランシスコのデパート〈カーホフ〉に職をみつける。再びファッション・バイヤーとして働きだしたキャスリーン。けれど、試練はそれだけではなかった。彼女はエリクの子どもを身ごもっていた……。

のどかな、美しい自然に囲まれた夏のキャンプ。キャスリーン・ヘイリーにとって、ハイキングしたり、川下りしたり、子どもたちと一緒に過ごすいつもの夏がはじまっていた。それでも悩みがない人などいない。彼女もファッション・バイヤーとして、制限の多い今の職場を辞めてきたばかりだった。いや、理由はそれだけではない。職場での妻子ある男性の誘惑にも苦しんでいたのだ。

著者サンドラ・ブラウンは、キャスリーンの心の動きを、こうしたきめ細かな伏線の置き方でリアルに描いている。このため、北欧系の、金髪で青い瞳のエリクが、今までつきあった女性とは違うタイプの、無垢《むく》なキャスリーンに手こずっている姿が、現実感をともなって読者に伝わってくる。

物語は二人の高まる熱情にうっとりしているうちに、突然、急激な悲運に見まわれ、キャスリーンとともに、読者はおろおろとしてしまうだろう。そうなったら、もうサンドラの巧みなストーリー展開にのせられ、最後まで主人公の人生を追いかけたくなる。

サンフランシスコに移って、キャスリーンには、デパートのオーナーであるセス・カーホフとの出会いがある。それに、彼の姉のヘイゼル、なかなか手強い人だ。キャスリーンのアシスタントのエリオット・ペイトも、いい味を出している。

キャンプではショーツにTシャツ姿の初々しいキャスリーンが、華やかなファッションの世界で、ますます魅力的な女になっていくのがとてもうれしい。最後にもうひとつ、サンドラは粋な味付けをしていて、この作品の深みを増している。

本書『あの銀色の夜をふたたび』（原題“THE SILKEN WEB”）は、全米で百五十万部を突破する大ベストセラーである。サンドラ・ブラウンの著書は、今までに六十冊を超えているが、常にベストセラーになり、近年では発売と同時に『ニューヨーク・タイムズ』のベストセラー・リストの上位にランクされる。もちろん、世界中で翻訳出版されていて、本書もフランス、ドイツ、イタリア、スペインなど十七か国語に翻訳されている。

小さい頃から、書くことが好きだった彼女。テレビのリポーターの仕事がなくなったとき、夫のビデオ・プロデューサー、マイケル・ブラウンの勧めで小説に挑戦。二人の子どもを育てながら書きつづけた。今ではラブ・サスペンスの女王として、世界中のファンに愛されている。

彼女のホームページ(http://www.sandrabrown.net/)では、最近の彼女の私生活が垣間見られる。初孫(!)のディランの写真、会合に出席した黒いドレスのサンドラとマイケル。モナコのキャロリーヌ王女たちと一緒のサンドラの写真。小説の取材や、執筆、また新作のための宣伝で各地でサイン会をする日々のなかで、多彩な社交生活を楽しんでいるのがうかがわれる。でも、この華やかな作家生活のかげに、日本の訳者のために、美しい文字で感謝のカードを送ってくれる心遣い。訳者としては感激しながらも、このことを忘れないようにしたいと思っています。

集英社文庫では、今後もどんどんサンドラ・ブラウンの作品が登場します。どうぞお楽しみに。

二〇〇三年十月　　　　　　　　　　　　　　　秋月しのぶ

集英社文庫・海外シリーズ

その腕に抱かれて

サンドラ・ブラウン
秋月しのぶ・訳

FRENCH SILK
Sandra Brown

ニューオーリンズの豪華なホテルのベッドで、有名なテレビ伝道師が死体で発見された。殺したのは美貌の下着デザイナーか。それとも……。『フレンチ・シルク』待望の文庫化。

THE SILKEN WEB by Sandra Brown
Translated from the English THE SILKEN WEB.

Japanese translation published by arrangement with Sandra Brown Management, Ltd. c/o Maria Carvainis Agency, Inc. through The English Agency (Japan) Ltd.

集英社文庫

あの銀色《ぎんいろ》の夜《よる》をふたたび

2003年11月25日　第1刷

定価はカバーに表示してあります。

著　者　サンドラ・ブラウン
訳　者　秋《あき》月《づき》しのぶ
発行者　谷　山　尚　義
発行所　株式会社　集　英　社
東京都千代田区一ツ橋2—5—10
〒101-8050
電話　03　(3230) 6094（編集）
(3230) 6393（販売）
(3230) 6080（制作）
印　刷　中央精版印刷株式会社　株式会社美松堂
製　本　中央精版印刷株式会社

造本には十分注意しておりますが、乱丁・落丁（本のページ順序の間違いや抜け落ち）の場合はお取り替え致します。購入された書店名を明記して小社制作部宛にお送り下さい。送料は小社負担でお取り替え致します。但し、古書店で購入したものについてはお取り替え出来ません。

ISBN4-08-760448-9 C0197